本书获中国科学院青年创新促进会项目（2019048）支持

枸杞产业
创新发展路径与对策研究

任 珩 王君兰 等 著

U0262714

科 学 出 版 社
北 京

内 容 简 介

　　枸杞产业是我国西北地区传统的优势特色产业，是甘、青、宁、新等地区特色农业经济的基础和支柱。本书从产品、市场、技术、专利和标准等不同视角梳理了我国枸杞产业发展现状，总结了产业发展过程中的问题，并围绕如何突破产业高质量发展瓶颈提出了创新发展路径与对策，以期支撑区域产业优化和升级，带动区域农业经济发展，精准服务国家乡村振兴战略。

　　本书可为相关科研院所及高校的科研人员、教师与管理人员提供借鉴，也可为相关从业者和政府管理及决策部门工作人员提供参考。

图书在版编目 (CIP) 数据

枸杞产业创新发展路径与对策研究 / 任珩等著 . —北京：科学出版社，2023. 1

　ISBN 978-7-03-073709-0

Ⅰ. ①枸⋯　Ⅱ. ①任⋯　Ⅲ. ①枸杞–产业发展–研究–中国　Ⅳ. ①F326. 12

中国版本图书馆 CIP 数据核字（2022）第 208279 号

责任编辑：林　剑 / 责任校对：郝甜甜
责任印制：吴兆东 / 封面设计：无极书装

科 学 出 版 社 出版
北京东黄城根北街 16 号
邮政编码：100717
http://www.sciencep.com
北京九州迅驰传媒文化有限公司 印刷
科学出版社发行　各地新华书店经销
*
2023 年 1 月第 一 版　开本：720×1000　1/16
2023 年 1 月第一次印刷　印张：14 1/2
字数：300 000
定价：188. 00 元
（如有印装质量问题，我社负责调换）

《枸杞产业创新发展路径与对策研究》
编写委员会

顾　问：高　峰　陈　春　王　宝

组　长：任　珩

组　员（按照姓氏拼音排序）：

　　　　刘倩汝　滕小荣　王君兰

　　　　王勤花　许　华　张　萍

　　　　赵　勇

前　　言

　　据史料记载，我国枸杞已有 4000 多年的文字记载和药用史，从最早的《神农本草经》到明代的《本草纲目》均将其列为上品。枸杞具有良好的促进免疫、降低血糖血脂、保护肝脏、抗氧化、抗疲劳、促进肿瘤细胞凋亡等作用，具备抗旱、耐寒、耐盐碱特性，广泛分布于我国干旱和半干旱地区。随着我国经济发展和农业产业结构调整，枸杞的核心产区由原来的宁夏中部中卫市中宁县、银川平原扩大到宁夏南部固原清水河流域，并逐渐拓展至内蒙古、甘肃、陕西、青海、新疆等地区。

　　枸杞产业作为西部地区优势特色产业，政府在产业发展、市场监管、信息透明等方面，出台了大量的政策来支持其持续发展。2011 年 11 月出台的《农产品加工业"十二五"发展规划》，2014 年 10 月 27 日实施的《枸杞》（GB/T 18672—2014），以及 2016～2017 年我国先后颁布的《"健康中国 2030"规划纲要》《中医药发展战略规划纲要（2016—2030 年)》《中国的中医药》白皮书和《中华人民共和国中医药法》等法律法规、政策和标准，使得枸杞种植及加工企业受益，把枸杞产业所依托的中医药发展上升为国家战略，枸杞产业进入了新的历史发展时期。

　　经过多年的发展，我国枸杞产量从 2010 年的 14.94 万吨增加到 2021 年的 42.16 万吨，形成了可促进区域经济发展、产业结构优化和覆盖上中下游的产业链，在带动甘肃、青海、宁夏、新疆等地区农村经济增长方面扮演着愈加重要的角色，对于精准服务国家乡村振兴战略具有重要意义。与产业规模快速扩大、产能效益迅速提升形成鲜明对比的是，产业受限于土壤、种源、病虫害，以及采摘、存储、加工和品牌建设等多环节发展水平，产业深加工水平较低、产品附加值较小、高端市场尚未有效开发，产业发展遭遇较大瓶颈，已经严重制约枸杞产业适应行业技术变革交汇和竞争格局改变。

　　目前，国内外研究团队和学者围绕枸杞资源和种植、活性物质基础、药理活性，以及产业现状及产业发展等开展了系列研究。从枸杞产业竞争力实证分析、枸杞产业种植/加工现状，到枸杞产业进出口贸易、产品和品牌体系、枸杞种质资源保护、新优系选育及绿色生态种植等关键技术，再到枸杞多糖、糖肽提取物及色素成分在肝脏损伤和神经退行性疾病中的临床应用，以及枸杞中活性物质发现及精细结构解析等方面，在不同层次、不同深度上开展与枸杞产业相关的科学研究，对于促进枸杞产业技术升级，推动我国枸杞产业科技创新具有重要意义。因此，建立涵盖枸杞主产区省份的全产业链条数据集，从产品、市场、技术、专利和标准等视角识别枸杞产业发展格局和瓶颈，明晰枸杞产业产品与市场发展格局，能够为构筑我国枸杞产业发展技术路线图、建立支撑枸杞产业未来发展的创新路径提供重要参考和借鉴。

本书由四章组成，主要包括枸杞产品体系与市场格局、技术路线图、知识产权保护和质量标准体系等四大部分。其中，第1章为枸杞产业产品与市场发展战略研究，主要从产业优势、政策法规、机遇与挑战、产品体系、种植规模、贸易与品牌现状等方面提出了枸杞产业发展战略；第2章为枸杞产业技术路线发展战略研究，从产品研发、精深加工、溯源管理等方面提出国内枸杞技术发展的重点方向；第3章为枸杞产业知识产权保护战略研究，围绕科技论文、科技成果和专利等科研产出，阐述了枸杞产业知识产权的保护策略；第4章为枸杞产业质量标准体系战略研究，分析了我国枸杞产业质量标准体系现状及存在的问题，对现行枸杞产业质量标准体系提出对策与建议。

目 录

1 枸杞产业产品与市场发展战略研究

枸杞广泛分布于我国干旱和半干旱区域[①]，具有抗衰老、保护神经、消炎、促进代谢、控制血糖、免疫调节及抗肿瘤等多种生物学活性[②]。枸杞种植业是我国西北地区传统的优势特色产业，扮演着基础和支柱的重要角色[③]。在特色产业逐渐成为地方经济发展新引擎背景下，枸杞产业在优化地方产业结构、促进产业升级、带动农村经济增长方面的作用愈加显著，对于缓解西北地区"三农问题"，精准服务国家乡村振兴战略具有重要意义。

近年来，我国枸杞种植业得到快速发展，产量从 2010 年的 14.94 万 t 增长至 2021 年的 42.16 万 t，枸杞子作为食品和营养保健品在亚洲及欧美等多国零售市场中销售，受国际市场追捧。与此同时，国内产品初级加工、品牌繁杂、市场秩序不规范等问题也日渐突出，更为严重的是，由于农药残留、亚硫酸盐、恶性杂质等质量问题导致出口美国、欧洲等地的枸杞产品面临被退回困境，直接影响枸杞产业的可持续性发展[④]。

本章内容在深入挖掘我国枸杞产业种植、生产现状的基础上，从产品和市场视角，开展枸杞产业发展研究，通过梳理枸杞产业的产品分类、产品成分与功效、种植现状、相关政策、品牌体系、对外贸易等，从种植业发展、产业链条延伸、品牌体系建设和对外贸易战略思考等方面提出了优化路线和解决途径，以期形成支撑我国枸杞产业发展的建议和意见，进而为枸杞产业可持续发展提供决策支持。

---

① 马少兰，马彩霞，徐鹏鑫，等 . 2019. 再植枸杞根际真菌群落对长期连作的响应研究 [J] . 土壤学报，56（6）：1493-1503.

② Bryan J K，Costa D，Giese N，et al. 2008. Goji（Lycium spp.）in natural standard monograph. http：// insanemedicine. com/wp-content/uploads/2016/04/An-Evidence-Based-Systematic-Review-of-Goji-Lycium-spp-by-the-Natural-Standard-Research-Collaboration. pdf［2020-10-20］.

③ 金莹，韩东钗 . 2018. 中国枸杞五大主产区产业竞争力综合评价研究 [J] . 林业经济问题，38（3）：86-92.

④ 任珩，王君兰 . 2019. 我国枸杞产业发展现状及提升路径 [J] . 科技促进发展，15（3）：310-317.

1.1 枸杞与枸杞产业概况

1.1.1 枸杞的相关定义

枸杞（Lycium/Wolfberry）来源于希腊语"lykion"，发现于土耳其西北部的古老城市吕底亚（Lydia）①，茄科、枸杞属植物；落叶或常绿灌木；具枝刺；单叶互生，在短枝上簇生，全缘；花一至数朵腋生或簇生于短枝上；花萼2~5齿裂；花冠漏斗状，先端5裂，稀4裂；雄蕊5，花丝基部常有绒毛，子房2室，浆果②。

枸杞喜光，稍耐荫；喜温暖，较耐寒；对土壤要求不高，耐干旱，耐盐碱；常生于沟岸、山坡、田埂和宅旁。在地势高寒、温差大、日照长的地方，有利于枸杞的发育和果实糖分的积累③。

枸杞是商品枸杞子、宁夏枸杞（*Lycium barbarum* L.）、中华枸杞（*Lycium chinense* Mill.）等枸杞属物种的统称④。

中华枸杞分布于我国宁夏、新疆、青海、甘肃、内蒙古、黑龙江、吉林、辽宁、河北、山西、陕西、甘肃南部，以及西南、华中、华南和华东各省区；朝鲜、日本、欧洲有栽培或逸为野生。常生于山坡、荒地、丘陵地、盐碱地、路旁及村边宅旁。我国除普遍野生外，各地也有作药用、蔬菜或绿化栽培⑤。

宁夏枸杞由中国西北地区的野生枸杞演化而来的，现有的栽培品种仍可以在适宜的条件下野生。我国早期的药用枸杞就是西北地区采集的野生枸杞产品，在秦汉时期的医药书籍中已经有药用枸杞的记载。唐初著名医学家孙思邈在《千金翼方》中称：枸杞以"甘州⑥者为真，叶厚大者是"，北宋科学家沈括在《梦溪笔谈》中记载："枸杞，陕西极边生者，高丈余，甘美异于他处者"⑦。

枸杞果实（中药称枸杞子）含甜菜碱、V_A、V_B、V_C、钙、磷、铁等，可食，为传统滋补药品；枸杞根皮（中药称地骨皮），可入药，有解热止咳之效用。枸杞植物也可做庭园绿化、沙地造林、水土保持树种⑧。

---

① https://baike.so.com/doc/5351387-5586845.html.
② 张志翔.2021.树木学：北方本［M］.北京：中国林业出版社.
③ 同②。
④ 同①。
⑤ 同①。
⑥ 今甘肃省张掖一带。
⑦ 同①。
⑧ 同②。

1.1.2 枸杞产业发展优势

1.1.2.1 区位和生态优势

枸杞喜阳光、耐干旱、耐贫瘠、耐盐碱，因此，光照时间、积温量、昼夜温差、降水量、灌溉水等是影响枸杞生长的重要因素。其中，温差和水分是决定枸杞果实品质最主要的自然因素[①]。我国宁夏、青海、甘肃、新疆、内蒙古等地特殊的生长环境和气候适于枸杞生长：温寒兼容，光照充沛，同时利用黄河水灌溉，这种自然地理条件极适宜枸杞的生长，其特定条件决定该产区枸杞与众不同的品质。

1.1.2.2 枸杞营销优势

随着我国互联网科技的不断进步和电子商务的快速发展，电商已成为一种时尚的生产和生活方式。2013 年我国网络购物的成交额为 1.85 万亿元，至 2020 年成交额已超 10 万亿元。这些数据表明我国网络营销市场正处于蓬勃发展的上升期，这也给枸杞产业带来了新的发展契机。为了适应新的潮流，枸杞产业也全面进入电商领域，大大开拓了枸杞产业的营销市场。枸杞生产企业可以通过政府的相关扶持政策，构建自己的网络营销平台，为枸杞电子商务的蓬勃发展奠定了坚实的基础[②]。

2021 年我国枸杞产品销售遍及国内大中城市，还远销欧美、东南亚等近 40 个国家和港澳台地区。

1.1.2.3 社会化服务优势

以宁夏回族自治区为例，2012 年 11 月 14 日，宁夏枸杞协会在银川成立；2014 年 4 月 3 日，宁夏枸杞保护协会正式批准成立；2014 年 9 月 3 日，宁夏枸杞产业发展联盟在中宁县成立。这些机构成立的目的在于充分利用国家大力发展宁夏的战略机遇，充分发挥各自职能，多措并举，把现代产业的人才、技术、资金三大要素和市场渠道整合起来，将产业链的上下游整合起来，共同聚焦标准化生产技术、产业化改造和营销技术，破解枸杞产业发展的关键环节，促进宁夏枸杞产业的跨越式发展[③]。

[①] 夏华丽，周发明，杨新波．2008．宁夏枸杞产业集群的竞争力 [J]．西部论丛，(11)：76-77．

[②] 李伟．2015．宁夏回族自治区优质枸杞产业发展影响因素及对策研究 [D]．北京：北京林业大学博士学位论文．

[③] 同②。

从各县（市）来看，当前宁夏枸杞专业合作社有30多家，是由具有共同目标的枸杞种植户、加工企业及从事枸杞销售的从业者自愿加入的非营利性组织，是经法律程序组织起来的具有法人地位的社会经济团体，旨在维护枸杞产业从业者的共同利益。它们是连接枸杞种植户、企业和政府的桥梁，是影响政府决策、维护企业利益、保护种植户合法权益的重要组织，在政府逐步退出微观经济管理政策的阶段中起到了持续、稳定和加速发展枸杞产业等不可替代的作用（表1.1）[①]。

表1.1　宁夏枸杞专业合作社列表（部分）

县区	合作组织名称	成员人数	平均年生产情况		
			面积（万亩[②]）	产量（万 kg）	产值（万元）
中宁	维民无果枸杞芽专业合作社	20	0.06	0.018	2 600
	顺元堂枸杞专业合作社	15	0.05	0.01	600
	宁夏红枸杞商贸有限公司	420	0.08	0.016	960
	广斌枸杞专业合作社	11	0.05	0.01	600
	杞乡枸杞产销专业合作社	36	2 300	0.046	2 760
	夏能枸杞专业合作社	16	0.07	0.14	840
	正昌枸杞专业合作社	14	0.03	0.006	360
同心	同心县枸杞协会	1 500	7.5	600	24 000
	吉礼枸杞营销专业合作社	140	2 800	56	2 800
海原	海原县宁梁冠枸杞专业合作社	100	0.035	0.000 53	210
	海原县天宝枸杞专业合作社	119	0.07	0.001 05	420

1.1.3　枸杞产业政策法规

1.1.3.1　枸杞产业主要法律法规

在我国枸杞食品加工生产需要满足《中华人民共和国食品安全法》《中华人民共和国食品安全法实施条例》《食品流通许可证管理办法》《食品生产许可管

---

① 李伟.2015.宁夏回族自治区优质枸杞产业发展影响因素及对策研究［D］.北京：北京林业大学博士学位论文.
② 1 亩≈666.67 平方米。

理办法》《食品安全企业标准备案办法》等法律法规对食品生产、加工、销售流通等方面的要求。主要的法律法规及相关规定如表 1.2 所示。

表 1.2　枸杞产业发展政策分析

序号	名称单位	实施时间	颁布部门	主要相关内容
1	《中华人民共和国食品安全法》	2009 年 6 月 1 日	全国人民代表大会常务委员会	从事食品生产、加工、流通和餐饮服务的企业应当遵守该法。该法对食品安全标准、食品生产经营、食品检验、食品进出口、食品安全事故处置等方面做出了具体要求，行业企业应当遵守。
2	《中华人民共和国农产品质量安全法》	2006 年 11 月 1 日	全国人民代表大会常务委员会	对保障农产品质量安全，维护公众健康，促进农业和农村经济发展等内容提出了明确的要求。
3	《国务院关于加强食品等产品安全监督管理的特别规定》	2007 年 7 月 25 日	国务院	生产经营者应当对其生产、销售的产品安全负责，不得生产、销售不符合法定要求的产品。生产者生产产品所使用的原料、辅料、添加剂、农业投入品，应当符合法律、行政法规的规定和国家强制性标准。
4	《农产品产地安全管理办法》	2006 年 11 月 1 日	农业部	农产品产地有毒有害物质不符合产地安全标准的，并导致农产品中有毒有害物质不符合农产品质量安全标准的，应当划定为农产品禁止生产区。农产品生产者应当合理使用肥料、农药等农业投入品。禁止使用国家明令禁止或者未经许可的农业投入品。
5	《食品生产许可管理办法》	2020 年 3 月 1 日	国家市场监督管理总局	在我国境内从事食品生产活动应当依法取得食品生产许可。食品生产许可实行一企一证原则，食品药品监督管理部门按照食品的风险程度对食品生产实施分类许可，县级以上地方食品药品监督管理部门负责本行政区域内的食品生产许可管理工作。本办法对食品生产许可证申请、受理、审查、许可证管理、监督检查等做出了详细规定。
6	《保健食品注册与备案管理办法》	2016 年 7 月 1 日	国家食品药品监督管理总局	根据规定，国家对保健食品市场实施准入监管。国家对保健食品实行注册与备案相结合的分类管理制度，国家食品药品监督管理总局负责保健食品注册管理，省、自治区、直辖市食品药品监督管理部门负责本行政区域内保健食品备案管理。保健食品注册与备案工作应当遵循科学、公开、公正、便民、高效的原则，以受理为注册审批起点，将生产现场核查和复核检验调整至技术审评环节，并对审评内容、审评程序、总体时限和判定依据等提出具体严格的限定和要求。

续表

序号	名称单位	实施时间	颁布部门	主要相关内容
7	《关于食品生产经营企业建立食品安全追溯体系的若干规定》	2017 年 3 月 28 日	国家食品药品监督管理总局	本规定要求食品生产经营企业要建立食品安全追溯体系,客观、有效、真实地记录和保存食品质量安全信息,实现食品质量安全顺向可追踪、逆向可溯源、风险可管控,发生质量安全问题时产品可召回、原因可查清、责任可追究,切实落实质量安全主体责任,保障食品质量安全。
8	《食品经营许可管理办法》	2015 年 10 月 1 日	国家食品药品监督管理总局	根据规定,在我国境内从事食品销售和餐饮服务活动应当依法取得食品经营许可。食品经营许可实行一企一证原则,食品药品监督管理部门按照食品经营主体业态和经营项目的风险程度对食品经营实施分类许可,县级以上地方食品药品监督管理部门负责本行政区域内的食品经营许可管理工作。本办法对食品经营许可证申请、受理、审查、决定、许可证管理、变更、延续、补办、注销、监督检查等做出了详细规定。

1.1.3.2　枸杞产业主要政策

(1)《农产品加工业"十二五"发展规划》

2011 年 4 月,农业部出台了《农产品加工业"十二五"发展规划》。该文件指出要在"十二五"期间"大力推进农产品产地初加工""做大做强农产品加工领军企业""加强农产品加工产业集聚园区建设""加快技术进步和自主创新能力提升""大力加强专用原料基地建设""努力打造行业管理服务平台",这些举措的出台将使得枸杞种植及加工企业受益。

(2)《自治区人民政府印发关于发展壮大枸杞产业若干意见的通知》

宁夏回族自治区政府于 2013 年 11 月 28 日出台《自治区人民政府印发关于发展壮大枸杞产业若干意见的通知》(宁政发〔2013〕117 号),指出要"以枸杞产业现代化为目标,进一步优化枸杞产业发展布局,加快推进枸杞产业科技创新与应用,着力培育壮大龙头企业加强枸杞市场流通网络建设,全面提升枸杞产业的良种化、标准化、专业化、组织化水平,努力打造国内一流、世界知名的枸杞产业品牌"。

(3)《枸杞》(GB/T 18672—2014)

随着我国枸杞食品加工行业的发展,相关行业标准的制定和执行也在不断进步。2014 年 10 月 27 日,《枸杞》(GB/T 18672—2014)正式实施,成为国家关于枸杞产品的统一标准。枸杞国家标准制定进一步规范了行业产品，该标准利用宁夏枸杞原始数据制定，填补了枸杞在国家标准方面的空白。

（4）《再造宁夏枸杞产业发展新优势规划（2016—2020 年)》

宁夏回族自治区政府 2016 年 1 月出台的《再造宁夏枸杞产业发展新优势规划（2016—2020 年)》明确了宁夏枸杞产业的发展目标。到 2020 年，枸杞种植面积稳定在 100 万亩左右，产量达到 25 万 t 以上，产值达到 300 亿元以上，加工转化率达到 30% 以上，产品出口率达到 20%；基本形成以中宁产区为核心，以清水河流域和银川北部为轴线，以中宁、同心、海原、原州、平罗、惠农、盐池、沙坡头、红寺堡和农垦集团等为主产区的"一核、两带、十产区"枸杞产业发展新格局。

（5）《宁夏回族自治区枸杞产业促进条例》

宁夏回族自治区人民代表大会常务委员会 2016 年 1 月出台了《宁夏回族自治区枸杞产业促进条例》。该条例为提升枸杞品质，传承枸杞文化，促进枸杞产业高质量发展，建立健全促进枸杞产业发展协调机制提供保障。

（6）《关于创新财政支农方式加快枸杞产业发展的扶持政策暨实施办法》

宁夏回族自治区林业厅 2016 年 6 月出台的《关于创新财政支农方式加快枸杞产业发展的扶持政策暨实施办法》针对枸杞提出了重点扶持基础研究、良种繁育、标准化建设、社会化服务和文化宣传五个环节，其中，基础研究扶持重点包括加快枸杞鲜食、药用、茶用、加工等优新品种培育，围绕枸杞有效成分提取、功能食品饮品、医药保健品和枸杞机械采摘等关键技术环节进行重点攻关；品牌建设方面则鼓励枸杞经营主体围绕质量安全、市场营销、精细化加工，积极开拓国内外市场，构建标志性国家级科技型枸杞龙头企业，提升宁夏枸杞品牌。

（7）《宁夏回族自治区枸杞产业促进条例》

宁夏回族自治区十二届人民代表大会常务委员会第三十五次会议于 2022 年 6 月 2 日审议通过《宁夏回族自治区枸杞产业促进条例》，自 2022 年 7 月 1 日起施行。该条例对枸杞产业规划、扶持、品牌保护等都做了具体规定，枸杞将作为宁夏回族自治区的省级战略产业得到重点支持。

1.1.3.3　宁夏枸杞产业主要政策

本小节系统梳理了 2002 ~ 2021 年，宁夏回族自治区政府、相关部门，以及枸杞专业标准化技术委员会等部门和组织出台的一系列政策、条例、标准等文件。这些文件从组织领导、财政金融政策、品牌管理保护及宣传推广等方面，为宁夏枸杞产业的良性发展提供了有利政策支持和保障①（表1.3）。

表1.3 主要政策条例

序号	发布单位	发布年份	文件名称
1	国家质量监督检验检疫总局	2002	《枸杞（枸杞子）》（GB/T 18672—2022）（已作废）
2	宁夏回族自治区林业局、宁夏回族自治区质量技术监督局	2002	《自治区枸杞质量安全卫生标准》
3	宁夏回族自治区人民政府	2002	《无公害枸杞行动计划》《无公害枸杞产地环境条件》《全国绿色食品原料（枸杞）标准化生产基地宁夏枸杞操作技术规程》
4	国家质量监督检验检疫总局	2003	《枸杞栽培技术规程》（GB/T 19116—2003）
5	宁夏回族自治区质量技术监督局	2003	《无公害食品 枸杞栽培技术规程》（DB64/T 250—2002）
6	农业部	2004	《无公害食品 枸杞》（NY 5248—2004）
7	宁夏回族自治区人民政府	2007	《宁夏枸杞地理标志产品专用标志管理办法》
8	宁夏回族自治区农牧厅等部门	2003	《宁夏优势特色农产品区域布局及发展规划》
9	国家质量监督检验检疫总局	2008	《地理标志产品 宁夏枸杞》（GB/T 19742—2008）
10	宁夏回族自治区质量技术监督局	2009	《中宁枸杞分级包装标志》（DB64/T 546—2009）
11	中宁县	2012	《宁杞4号标准化栽培技术》《关于提振枸杞产业的意见》
12	宁夏回族自治区人民政府	2013	《加快推进农业特色优势产业发展若干政策意见》（宁夏针对枸杞政策）《关于发展壮大枸杞产业的若干意见》
13	宁夏回族自治区人民政府	2014	《关于加强宁夏枸杞质量监管品牌保护及市场规范的指导意见》
14	中宁县委、县政府	2014	《中宁枸杞产业升级行动计划》
15	宁夏回族自治区检验检疫局、宁夏回族自治区林业厅	2014	《关于促进宁夏葡萄和枸杞产业发展合作备忘录》

---

① 李伟.2015.宁夏回族自治区优质枸杞产业发展影响因素及对策研究［D］.北京:北京林业大学博士学位论文.

序号	发布单位	发布年份	文件名称
16	宁夏回族自治区人民政府	2014	《宁夏枸杞品牌强制性保护细节》《宁夏枸杞产区保护条例》《宁夏枸杞品牌强制性保护细则》《宁夏枸杞地理标志保护产品专用标志管理办法》
17	宁夏回族自治区人民代表大会	2014	《关于尽快制定"中宁枸杞"品牌维护条例》
18	宁夏回族自治区人民政府	2014	《自治区人民政府关于加快产业转型升级促进现代农业发展的意见》
19	中宁县委、县政府	2014	《关于创新机制,加快推进枸杞产业的实施意见》
20	宁夏回族自治区人民政府	2016	《再造宁夏枸杞产业发展新优势规划(2016—2020年)》
21	宁夏回族自治区人民政府	2016	《自治区人民政府关于创新财政支农方式加快发展农业特色优势产业的意见》
22	中宁县人民政府	2017	《加快中宁枸杞产业发展扶持政策》
23	宁夏枸杞产业发展中心	2019	《宁夏枸杞产业发展中心关于报送枸杞新品种、优新良种、新标准等相关材料的通知》
24		2019	《宁夏枸杞标准体系建设指南》(DB64/T 1639—2019)
25		2019	《中宁枸杞》(DB64/T 1640—2019)
26	宁夏回族自治区市场监督管理厅	2019	《枸杞加工企业良好生产规范》(DB64/T 1648—2019)
27		2019	《枸杞包装通则》(DB64/T 1649—2019)
28		2019	《枸杞贮存要求》(DB64/T 1650—2019)
29		2019	《枸杞交易市场建设和经营管理规范》(DB64/T 1651—2019)
30		2019	《宁夏枸杞追溯要求》(DB64/T 1652—2019)
31	宁夏回族自治区人民代表大会	2019	《宁夏回族自治区枸杞产业促进条例》(2019修正)
32	宁夏回族自治区林业和草原局	2020	《现代枸杞产业高质量发展实施方案》
33	宁夏回族自治区财政厅、宁夏回族自治区林业和草原局	2021	《加快推进现代枸杞产业高质量发展的财政扶持政策暨实施办法》

这些政策条例的出台和执行从产区环境整治、品种资源、产品质量、企业准

入、历史文化等角度，促进了宁夏枸杞的生产、加工、宣传、销售等方面健康持续发展①。

1.1.4　面临的机遇与挑战

1.1.4.1　枸杞产业面临的机遇

(1)　我国经济不断成长和消费持续放量

近年来，我国经济一直持续健康向前发展，尽管 2008 年受到全球金融危机等因素的影响，但在国家灵活审慎的宏观调控下经济仍保持平稳增长的趋势。2010 年，我国经济总量已经跃升为世界第二位，至 2020 年我国 GDP 达 101.36 万亿元，首次突破 100 万亿元，我国经济在世界经济中的地位和影响力不断提升（图 1.1）。

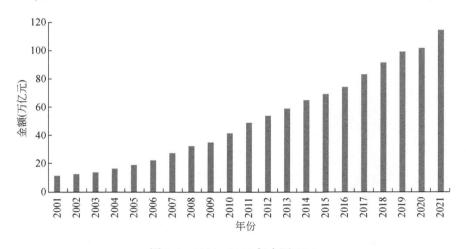

图 1.1　2001～2021 年中国 GDP

同时，伴随经济成长的过程中，我国消费也在不断放量。国家统计局数据显示，2001 年，我国最终消费总额为 66 933.9 亿元，到 2021 年这一数据已跃升至 620 921 亿元，显示了较为强劲的增长速度（图 1.2）。经济增长和消费放量等因素给以枸杞为代表的农业种植加工产业的发展创造了良好的宏观环境。

---

① 李伟 . 2015. 宁夏回族自治区优质枸杞产业发展影响因素及对策研究 ［D］. 北京：北京林业大学博士学位论文 .

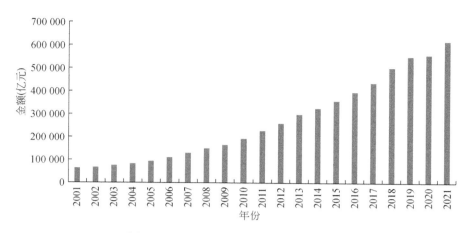

图 1.2　2001～2021 年中国最终消费总额

（2）我国人口增长和老龄化趋势进一步增强

　　自改革开放以来，我国人口持续增长。1978 年我国人口为 96 259 万人，至 2021 年末全国总人口为 141 260 万人，且人口总量仍旧处于增长过程中（图 1.3）。

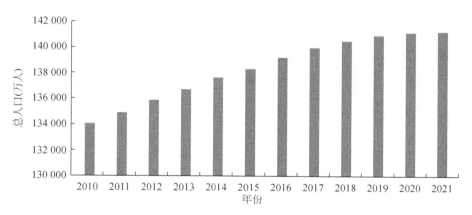

图 1.3　2010～2021 年我国总人口变化

　　截至 2021 年底，我国 60 岁以上老年人口已经达到 2.01 亿，约占总人口的 14.2%。全世界老年人口超过 1 亿的国家只有中国。2 亿多老年人口数几乎相当于巴西的总人口数①，已超过了俄罗斯、日本等国的人口数。根据中国信息产业网的预测数据，我国 60 岁以上老年人口将在 2033 年前后达到 4 亿，到 2050 年左右，老年人口将占全国人口的三分之一。

"银发潮"将对我国的经济发展产生深远的影响。我国人口结构老龄化趋势让保健类食品有了更大的市场需求。从国内外的经验看，老年人是保健食品使用的首要人群。我国未来十年人口结构的加速老龄化预测将进一步拉动保健品市场的需求。而枸杞产品作为一种能够抗衰老、改善血液循环、护肝明目的产品，其药用保健价值会随着产品的不断推广而逐渐被消费者认可，其消费量也会随着保健品市场规模的不断增长而增长②。

（3）我国居民收入增长推动居民消费支出不断增加

随着我国经济发展，我国居民增收进一步加快，国家统计局数据显示，城镇居民家庭可支配收入由 2001 年的 6824 元跃升至 2021 年的 47 412 元（图1.4）。

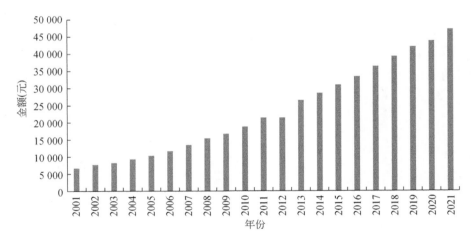

图 1.4 2001～2021 年城镇居民家庭可支配收入

我国居民收入增长推动居民消费支出不断增加。居民收入增长是居民消费的保障，更是消费升级的有力支撑，收入增长和消费升级使得我国老百姓进一步提升消费支出能力和消费品质。

随着居民收入的不断增长，居民对保健食品的消费支出也逐年升高，进一步

---

① 王龙飞 . 2019. 多功能老人助力车设计与分析 [J] . 中国设备工程，(16)：174-175.
② 董誉婷，庞俊涛，李瑞瑶，等 . 2021. 宁夏有机红枸杞发展现状及提升路径 [J] . 全国流通经济，(21)：107-109.

推动保健食品行业的发展。而且随着居民生活质量的提高，消费者对所消费食品的品质要求，尤其是保健食品的品质要求逐年提高。近年来，我国保健食品行业正在进入由消费升级和人口老龄化推动的黄金十年，保健食品的消费属性也正逐步从可选消费品转为生活必需品。

（4）中国消费者健康保健意识不断提升

居民收入增长和生活品质的不断提升也使得消费者更加注重自身健康，健康意识不断提升，健康消费也不断增加。

从医疗保健类支出来看，农村居民人均医疗保健支出由 2005 年的 177 元跃升至 2021 年的 1580 元，城镇居民人均医疗保健支出由 2005 年的 615 元跃升至 2021 年的 2521 元（表 1.4）。

表 1.4　2005~2021 年我国城乡居民人均医疗保健支出情况

（单位：元/人）

年份	2005	2006	2007	2008	2009	2010	2011	2012	2013	2014	2015	2016	2017	2018	2019	2020	2021
农村居民	177	203	225	266	311	356	478	560	668	754	846	929	1 059	1 240	1 421	1 418	1 580
城镇居民	615	635	719	805	878	895	999	1 099	1 136	1 306	1 443	1 631	1 777	2 046	2 283	2 172	2 521

枸杞具有药食双用特性，富含多种人体所需氨基酸，具有较强的保健功能，居民进一步加大在医疗保健层面的支出对于枸杞的消费放量将起到积极的带动作用。

（5）国家重视农业和农业产业化及农业升级

2004 年以来，我国相继出台多个"中央一号文件"反复强调鼓励和扶持农产品加工产业的发展；"国家十二五规划"对扩大内需、发展农产品加工业亦高度重视。一系列国家扶持政策的推出，为枸杞加工行业持续稳定发展提供了良好的政策保障。

2012 年国务院印发的《国务院关于支持农业产业化龙头企业发展的意见》（国发〔2012〕10 号），指出"农业产业化是我国农业体制机制的创新，是现代农业发展的方向"，设立"培育壮大龙头企业，打造一批自主创新能力强、加工作业水平高、处于行业领先地位的大型龙头企业；引导龙头优势产业集中，形成一批相互配套、功能互补、联系紧密的龙头企业集群；推进农业生产经营专业化、标准化、规模化、集约化，建设一批与龙头企业有效对接的生产基地，强化农产品质量安全管理，培育一批产品竞争力强、市场占有率高、影响范围广的知名品牌；加强产业链建设，构建一批科技水平高、生产加工能力强、上中下游相互承接的优势产业体系；强化龙头企业社会责任，提升辐射带动能力和区域经济发展能力"的目标。枸杞加工行业将受益于这一政策，尤其是龙头企业①。

2013 年，国务院印发《关于促进健康服务业发展的若干意见》，提出"到 2020 年健康服务业规模要达到 8 万亿元以上"。健康费用占 GDP 比例翻一番，这对保健食品行业是一个利好政策。

2019 年我国健康服务业市场规模已经达到 6.5 万亿元，年复合增长率达到 26.8%。2020 年健康服务业规模已经达到 7.02 万亿元。预计 2025 年将达到 11 万亿元，2030 年达到 16 万亿元，行业发展空间巨大。

1.1.4.2 枸杞产业面临的挑战

(1) 产业集中度低，同质化水平严重

国内目前虽然有一些相对知名的枸杞生产加工企业，但是，其所占的市场份额并不突出，枸杞通常还是以枸杞干果的形式在市场上流通。枸杞生产加工企业的产业链较短，国际市场开拓能力不强，致使枸杞产业知名度和市场化程度还很低。生产经营企业"小而全""小而散""小而乱"的问题突出，产业集中度低、竞争能力弱，缺乏长远系统规划，枸杞文化挖掘不够。

(2) 标准化程度低，深加工能力不足

虽然枸杞已实现了无公害和绿色食品生产，部分实现了出口枸杞和有机枸杞生产，但真正达到出口标准的枸杞并不多，枸杞生产的标准化水平不够高，管理不够规范，产品质量不稳定。同时，对枸杞的深加工技术研发不够，没有形成高附加值、高档次的产品和加工能力；且深加工产品的品种单一，质量达不到国际绿色标准和高层次出口要求，在绿色贸易壁垒面前举步维艰②。

(3) 低价、单一的渠道模式

枸杞的销售渠道主要是以批发市场为龙头，以农贸市场为基础，超市、农户直销、网上销售等经营形式只是补充。批发市场、农贸市场这种渠道形态必然导致枸杞销售"唯价格论"，经营者只能靠打价格战赢得市场，赚取微利，更无从建立市场区隔、品牌壁垒③。

(4) 食品安全问题

由于目前枸杞的标准化种植程度比较低，很多企业的枸杞都是直接从杞农手里收购来的，在农药残留、微生物污染及重金属含量超标等问题上存在着重大的安全隐患。另外，在部分枸杞干果中还存在利用硫黄熏蒸处理的现象，使得二氧

---

① 宗锦耀. 2014. 中国农产品加工业年鉴 [M]. 北京：中国农业出版社.

② 陈清华，王朝良. 2007. 宁夏枸杞产业跨越绿色壁垒提升出口竞争力之策 [J]. 现代经济，6 (6)：33-35.

③ https://blog.sina.com.cn/s/blog_ 4d21cdf40102vaqs.html.

化硫含量超标，会对人体造成一定的伤害。

（5）缺乏品牌保护意识、营销意识

以宁夏回族自治区为例，"中宁枸杞"是我国唯一以产品原产地命名的枸杞商标，但该商标缺乏合理有效的保护手段和措施，导致全国枸杞干果市场中存在严重的以次充好，以假乱真，以外地枸杞假冒"中宁枸杞"品牌，欺骗广大消费者的现象，造成"中宁枸杞"品牌遭受一定程度的冲击。另外，枸杞销售还是以干果为主，标准化管理整体水平不高，产品质量不稳定，且大都是没有包装的，或者所谓的包装还停留在塑料袋的水平上①。

（6）产业发展资金不足

枸杞行业需要高投入，才能获得高产出。据宁夏枸杞协会的统计数据显示，正常情况下枸杞年亩均投入过千元。而随着工资的增加，枸杞采摘成本也急剧上升。对于枸杞企业来说，资金不足、贷款难是企业面临的最大困难。在金融机构苛刻的贷款政策和政府少量的补贴政策下，企业的发展资金远远不够。

（7）产业发展存在诸多不确定风险

1）自然灾害风险。由于枸杞属于农产品，而农业生产具有季节性强，受自然环境影响大的特点；并且我国枸杞产区主要位于宁夏、甘肃、青海、内蒙古等地区，容易受到大风、沙尘暴、干旱等自然灾害的影响。所以，自然灾害导致的枸杞产量波动会对枸杞食品加工行业的生产经营产生较大影响②。

2）行业监管风险。枸杞食品加工行业受到诸多行业监管部门监管，行业内企业在原材料质量控制、工艺选择、生产工艺流程控制等方面的管理不力，将有可能产生产品质量问题，监管部门可能会对该等企业进行整顿，该等事件对行业发展会造成不利影响。

3）市场竞争风险。农业种植具有明显的季节性特征，春季耕种、秋季收获，枸杞一年只能收获一季。一般每年的 6～11 月份是枸杞的收获期，由于行业的种植规律，枸杞加工行业经营业绩存在季节性波动风险。

4）个人客户和供应商不稳定的风险。枸杞加工行业所从事的农林牧行业属于传统行业，客户和供应商为自然人的情况在本行业内普遍存在。一般情况下，自然人与机构相比在采购能力、经营规模、经营拓展能力和自身业务管理水平等方面均存在一定的波动性、不确定性和局限性，这种波动、不确定性和局限性可

---

① https：//www.docin.com/p-1010044032.html.
② 同②。

能会对枸杞加工行业生产经营带来一定的不利影响①。

1.2 枸杞产业产品与市场发展现状

1.2.1 枸杞产业产品现状

1.2.1.1 产品体系

在竞争日趋激烈的国际国内市场环境中，枸杞生产企业为了生存和发展，不断根据消费状况和市场细分，从不同层面开发了枸杞产品，形成了覆盖低端、中端和高端的产品结构（图1.5）。从市场调研结果来看，我国枸杞产业低端产品主要是以枸杞鲜果和干果为主，包括中宁枸杞、甘肃靖远枸杞、新疆精河枸杞，以及近年来发展较快的青海有机枸杞和黑枸杞，且消费市场主要面向国内；中低端产品主要为主要是以枸杞为辅助材料或原料开发的枸杞茶、枸杞果脯和枸杞粉汁，包括枸杞蜜饯、全粉胶囊、浓缩汁、枸杞芽茶和含茶制品等；中高端产品主要是枸杞果酒、枸杞提取物和枸杞籽油等，包括多糖、色素、叶黄素、胡萝卜素和玉米黄素等提取物，多糖胶囊和籽油胶囊等；枸杞高端产品主要为美容化妆品、医药保健品，以及依托枸杞种植、采摘、加工等延伸的文化旅游产品。枸杞产品中，中高端和高端中关于养生、保健、医疗等产品消费主要面向国际市场②。

1.2.1.2 枸杞产品分类

（1）枸杞干果、鲜果

宁夏枸杞是唯一记载进2010年版《中国药典》的品种。日常人们药用和食用的枸杞大部分是枸杞的果实"枸杞子"③。

枸杞既是传统名贵中药材，又是一种营养滋补品，枸杞果、柄、叶及根皮可用作药材。在原卫生部公布的63种药食两用的名单中，名列榜首。作为传统中药，枸杞性平味甘，有滋补肝肾、润肺和益精明目的功效，为养生佳品。"枸杞

① https://www.docin.com/p-1010044032.html.

② 任珩，王君兰.2019.我国枸杞产业发展现状及提升路径［J］.科技促进发展，15（3）：310-317.

③ 李伟.2015.宁夏回族自治区优质枸杞产业发展影响因素及对策研究［D］.北京：北京林业大学博士学位论文.

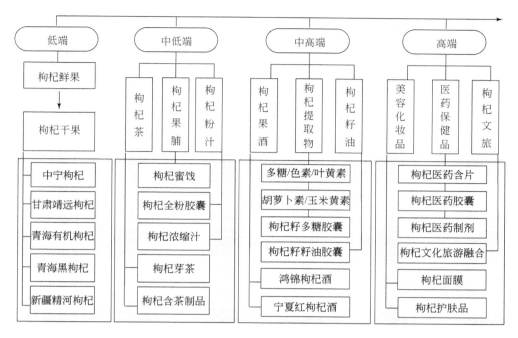

图 1.5　我国枸杞产业产品体系

子"之名始见于《神农本草经》，并列为上品，千百年来深受人们的喜爱。经研究证明，枸杞不仅含有多种维生素、枸杞多糖及氨基酸，还含有磷、钙、铁和有助于儿童智力发育的锌、锂等元素，并且可以促进造血功能和调节人体免疫功能①。

（2）以枸杞为原料的保健食品

目前，已经开发的以枸杞为原料的保健食品主要包括枸杞汁（以枸杞为主要原料，同时适当加入其他的果汁与营养成分）、枸杞酒（分为配置型与发酵型枸杞酒两种，均以新鲜枸杞作为主要原料）、枸杞茶（以枸杞叶、果与果柄为原料，经科学配方加工作为具有天然保健功效的枸杞茶）、枸杞籽油（以枸杞种子作为原料，经过现代科学萃取技术精制而形成）、枸杞乳酸发酵饮料（保留枸杞饮品本身丰富有效成分，增加了乳酸菌特有的功能）、枸杞软糖（以白砂糖、淀粉糖等辅料与枸杞混合加工而成，具有保健作用）。

---

①　李伟. 2015. 宁夏回族自治区优质枸杞产业发展影响因素及对策研究［D］. 北京：北京林业大学博士学位论文.

（3）以枸杞为配料的复合食品

除了将枸杞作为主要原料加工成保健食品外，还用来作为配料生产多种复合食品。这些食品主要有果茶（以胡萝卜等作为主要原料，以枸杞作为配料）、果酱（以胡萝卜、山药等作为主要原料，把枸杞打碎后加入而成的粒状果酱）、清汁饮料（以枸杞等浸润而成的汁液为原料，配以蜂蜜、白糖、梓檬酸等辅料制成）、含枸杞乳饮料（以核杏仁、桃仁、牛奶等和枸杞调配形成的枸杞杏仁露、枸杞核桃乳等）、固体饮料（以枸杞和白砂糖、全脂甜奶粉、可可粉或蜂蜜、奶油等的一种或几种复合形成固体饮料）①。

（4）枸杞提取物产品

1）枸杞多糖提取产品。从枸杞中可以分离得到多种枸杞多糖组分及其复合物——枸杞糖蛋白（LbGP），统称为枸杞多糖（LBP），属于多聚糖类，以阿拉伯糖、鼠李糖、木糖、甘露糖、半乳糖、葡萄糖与半乳糖醛酸组成的酸性杂多糖与多肽或蛋白质构成的复合多糖为主，还含有中性杂多糖和葡聚糖与多肽或蛋白质构成的复合多糖。复合多糖中的糖链呈多分枝的复杂结构，肽链的氨基酸含量在 5%～30%②。

2）枸杞色素提取产品。枸杞色素是存在于枸杞浆果中的各种呈色物质的总称，是枸杞的重要生理活性成分，具有提高人体免疫功能，防止肿瘤形成及预防动脉粥样硬化的作用。枸杞中的色素有玉米黄质及其软脂酸质——酸浆果红素和隐黄质，以及类胡萝卜素、一羟叶黄素和二羟叶黄素③。

3）枸杞 β-胡萝卜素提取产品。枸杞子中类胡萝卜素可分为游离胡萝卜素和类胡萝卜素脂肪酸酯。游离类胡萝卜素包括 β-胡萝卜素、β-隐黄质和玉米黄质；类胡萝卜素脂肪酸主要为玉米黄质双棕榈酸酯、玉米黄质单棕榈酸酯和 β-隐黄质棕榈酸酯④。

4）叶黄素提取产品。叶黄素对老年性视网膜黄斑退化（AMD）有预防作用，可改善老年人视力衰退，预防老年性黄斑变性所导致的盲眼病及肌肉退化症引发的不能恢复的盲眼病，还可以增加眼睛的营养，改善眼睛疾病的症状，如眼胀、眼痛、干涩、眼睛流泪、畏光等。另外叶黄素对预防乳腺癌的发生、降低心脏病的发病率也有一定的作用。

5）玉米黄素提取产品。玉米黄素是一种油溶性色素，已被欧美等许多国批

---

① 李伟. 2015. 宁夏回族自治区优质枸杞产业发展影响因素及对策研究 [D]. 北京：北京林业大学博士学位论文.

② 同①。

③ 张惠玲. 2012. 枸杞的综合开发与利用 [J]. 食品研究与开发，33（2）：223-227.

④ 同②。

准为食用色素。大量流行病学的调查和研究也表明，玉米黄素在减少癌症的发生和发展、增强免疫功能、减少心血管疾病发病率和视觉保护等方面具有独特的生理功能。因此，玉米黄素既可以作为生产保健食品的添加剂，还可以做食品抗氧化剂和天然着色剂。枸杞中的玉米黄素含量在所有蔬果中是最高的——玉米黄素14.90mg/100g、β-隐黄素棕榈酸酯 14.57mg/100g、玉米黄素双棕榈酸酯192.20mg/100g①。

（5）枸杞花粉

枸杞花粉具有优良的营养特性且资源丰富，具有潜在的开发与利用价值。目前关于枸杞花粉的研究主要集中在多酚和黄酮方面，冉林武等②用超声波法提取并测定了枸杞蜂花粉中黄酮的含量，结果表明枸杞蜂花粉中总黄酮质量分数为3.03%；李红兵等③对枸杞蜂花粉等 6 种蜂花粉总酚含量进行了比较研究，发现油菜花粉中总酚含量最高，枸杞蜂花粉中含量次之；楚元奎等④研究了枸杞蜂花粉水提物、醇提物对丙酸睾酮复制的大鼠前列腺增生的抑制作用，结果表明枸杞蜂花粉水提物具有一定的抑制前列腺增生作用。

枸杞花粉的主要成分为：蛋白质20%~25%，氨基酸总量20%以上，游离氨基酸1%~2%，碳水化合物40%~50%，脂肪5%~10%，矿物质2%~3%，木质素10%~15%，3%~4%的未知物质，还有丰富的维生素、微量元素、酶类、核酸、激素、黄酮类、生物活性物质等多种营养物质。因此，枸杞花粉具有补充人体营养要素，提高免疫力，增强新陈代谢、调节内分泌功能，促进和提高机体免疫，增加应激能力等许多方面功能⑤。

（6）枸杞叶、芽

枸杞叶含甜菜碱、芸香甙、维生素、β-谷瑠醇-β-D-葡萄糖甙。干枸杞叶的热水浸出液中，含有肌甙、6-氧嘌呤、胞啶酸、尿甙酸、极少量的琥珀酸、焦谷氨酸、草酸及多量的谷氨酸、天门冬氨酸、脯氨酸、丝氨酸、酪氨酸和精氨酸等⑥。

① 张惠玲.2012.枸杞的综合开发与利用［J］.食品研究与开发，33（2）：223-227.
② 冉林武，闫亚美，曹有龙，等.2012.响应面试验优化超声波法提取枸杞蜂花粉黄酮类化合物工艺［J］.食品科学，33（12）：37-40.
③ 李红兵，米佳，张林锁，等.2015.不同花粉多酚类物质组成比较［J］.食品研究与开发，36（20）：111-114.
④ 楚元奎，杨丽，冉林武，等.2014.枸杞蜂花粉提取物对SD大鼠前列腺增生的影响［J］.宁夏医科大学学报，（6）：597-599.
⑤ 张惠玲.2012.枸杞的综合开发与利用［J］.食品研究与开发，33（2）：223-227.
⑥ 同④。

1）枸杞叶茶。枸杞叶经过炒制成茶，茶色泽褐绿，茶汁为绿黄色，口感清香甘醇，具有滋补健身之功效。常饮无任何副作用，也用作其他保健饮料的原料①。

2）无果枸杞芽。无果枸杞芽是采用在深山中生长的野生枸杞与优质品种"宁杞1号"进行种间杂交，培育出的新品种。它不开花、不结果，采摘食用的是嫩芽部，营养很丰富，可以炒制成茶泡饮，或直接作为蔬菜食用。枸杞芽具有消热毒、散疮肿、消青春痘、祛风明目、防止高血压及高血脂、提高身体免疫、减肥等功效。现在枸杞嫩芽不仅是宁夏当地人餐桌上的"绿色蔬菜"，而且推上了酒店、餐厅等大雅之堂②。

（7）枸杞柄

枸杞柄是生产枸杞过程中的废弃物，一直被作为废品处理，但枸杞柄中含有多种微量元素和十多种人体所需的各种营养元素，尤其是所含的甜菜碱和锌、钒的含量比枸杞果还多，经过有效处理和应用，它是一种非常好的保健食品。可以把枸杞柄粉碎成1000~2000目的超细粉，可以做食品膳食纤维添加剂或作为药材配伍，也可以制成袋装茶饮用。枸杞柄中所含的叶绿素也有助于肝脏的解毒，同时还能改善肝功能；同时，研究证明其对人胃腺癌细胞、宫颈癌细胞均有明显的抑制作用③。

（8）枸杞籽油

枸杞籽是枸杞的种子，含有孕育生命发育和生长的丰富而全面的生物活性物质，枸杞籽油中含亚油酸68.3%，油酸19.1%，γ-亚麻酸3.1%，α-亚麻酸1.3%，V_E 27mg/100g，β-胡萝卜素170mg/100g，磷脂0.25%，并含有铜、锰、锌多种微量元素和生物活性物质表皮生长因子等，具有丰富的营养、药用、保健作用，能够降低血管胆固醇，防止动脉粥样硬化，增强视力，防止青光眼，对预防及辅助治疗肥胖症、糖尿病、高血压等有一定功效，同时对婴儿大脑和幼儿心脏发育及组织细胞生长发育有益。枸杞籽油中的磷脂可以抗衰老、降血脂、防止肝内脂肪聚集。另外，枸杞籽油含有85%以上的必需脂肪酸（EFA），如亚麻油仁酸、次亚麻油仁酸、花生四烯酸等，均是人体生理需求不可或缺的。SOD在枸杞籽油中含量为84 390U/g，仅低于人体肝脏组织的含量，能清除生物氧化产生的阴离子而起到保护细胞作用，对抗衰老及护肤养颜有重要的应用价值。枸杞籽油中的硒含量为0.093μg/g，而硒是联合国卫生组织确认的人体必需的微量元素

---

① 张惠玲.2012. 枸杞的综合开发与利用［J］. 食品研究与开发，33（2）：223-227.

② 同①。

③ 同①。

之一，具有维持人类机体抗病能力，保护眼组织和皮肤，保护心脏和肝脏，防止体内产生毒性物质等重要功能。目前，市场最多见的产品是枸杞油丸，是非常好的抗衰老的保健食品①。

（9）枸杞根（地骨皮）

枸杞的干燥根皮中医称之为地骨皮，含有丰富的生物碱类、有机酸类、八肽化合物，以及大黄素甲醚、大黄素、东莨菪甙、香草酸、芹菜素、蒙花苷、紫丁香酸葡萄糖苷、地骨皮苷甲、β-谷甾醇、盐酸甜菜碱、莨菪亭、阿魏酸二十八酯等化合物②。

总之，现代科学测试分析和临床试验证明，枸杞全身是宝，如果能够做到物尽其用，不但能够使其变废为宝，而且利用副料提取高附加值产物，开发新产品，大大提高枸杞加工企业的经济效益，促进产业升级，对推动枸杞加工产业具有重要意义。

1.2.1.3 枸杞产品成分与功效

枸杞，是中华传统的一种滋补养生保健药材，也是我们日常药膳、食补必不可少的一味药材。枸杞中含有枸杞多糖、甜菜碱、阿托品、天仙子胺；另含玉米黄素、酸浆红素、隐黄质、东莨菪素、胡萝卜素、核黄素、烟酸、维生素（B_1、B_2、C、E），同时还含有人体所必需的氨基酸与矿物质等。

（1）枸杞成分

枸杞中的成分比较复杂，主要包括蛋白质、氨基酸、微量元素、糖类、脂肪、脂肪酸、甾醇类、维生素、色素类、生物碱类等③。

1）蛋白质和氨基酸。蛋白质和氨基酸都是枸杞中的重要含氮物质，每百克枸杞果中含粗蛋白4.49g。枸杞子中含有多种氨基酸，因其种类、产地、生长环境不同，氨基酸的种类、含量也有所差异。研究表明，宁夏枸杞、北方枸杞、津枸杞中，18种氨基酸含量均较高，这18种氨基酸中有8种是人体必需的氨基酸④。

2）微量元素。枸杞中含有锰、锌、铁、铜、钴、铬、镉、镍、钠、钙、镁、钾、锶、硒等微量元素。研究表明，枸杞在不同生长期果实中所含的微量元素含量不同，其中色变果和成熟果铁含量较高，幼果含铜、锌、锰较高⑤。

① 张惠玲.2012. 枸杞的综合开发与利用［J］. 食品研究与开发，33（2）：223-227.
② 同①.
③ 朱彩平.2006. 枸杞多糖的结构分析及生物活性评价［D］. 武汉：华中农业大学博士学位论文.
④ 姬中伟.2008. 枸杞黄酒酿造工艺的研究和开发［D］. 无锡：江南大学硕士学位论文.
⑤ https：//www.doc88.com/p-075309354902. html.

3）糖类。枸杞中不含淀粉，含有丰富的糖类，占其总含量为 39.50%。其中，果糖、葡萄糖、木糖三种单糖含量分别为 7.49%、5.73%、0.43%，蔗糖含量为 5.60%。枸杞多糖、果胶、半纤维素含量分别为 0.43%、2.09%、3.22%[①]。

4）脂肪和脂肪酸。枸杞鲜果中粗脂肪的含量一般为 1%~2%，枸杞干果中含量为 8%~12%，枸杞果实中含有亚油酸、亚麻酸及蜂花酸[②]。

5）维生素类。枸杞鲜果中胡萝卜素含量为 19.61mg/100g，几乎是所有食品中含量最高的。胡萝卜素在人体肝脏酶作用下可转变成维生素 A，故维生素 A 的活性较高，枸杞子明目作用与此有关。此外枸杞中的维生素 B、烟酸、维生素 C 含量分别为 1.39mg/100g、3.66mg/100g 和 21.40mg/100g[③]。

6）色素类。枸杞色素是存在于枸杞浆果中各类呈色物质的总称，主要由胡萝卜素及其他有色物质组成，主要包括 β-胡萝卜素、β-隐黄质、玉米黄质、β-隐黄质棕榈酸酯、玉米黄质双棕榈酸酯等。

7）生物碱类。枸杞的果实、根皮、叶中均含有甜菜碱。甜菜碱是一种碱性物质，具有强烈的吸湿性能，极易溶于水，味甜；具有抗肿瘤、降血压、抗消化性溃疡及胃肠功能障碍等作用，也可治疗肝脏疾病。

（2）枸杞功效

枸杞丰富的成分构成造就了其多样的医疗保健功效，包括维持机体正常活动、促进生长发育、参与血糖控制、延缓衰老、预防骨质疏松、预防贫血、抗癌抗肿瘤、预防心脑血管疾病、养肝明目、抗疲劳、增强免疫功能、降血脂、抗氧化等一系列功效。不同的成分具有不同的功效，具体如表 1.5 所示。

1）枸杞多糖。枸杞独有的枸杞多糖是由多糖或蛋白质和酸性杂多糖构成。枸杞多糖有明显的降血糖作用，并能明显地降低血清胆固醇及甘油三酯，有效率达 100%，长期摄入枸杞多糖将能有效降血糖降血脂，对于糖尿病、高血压患者具有极佳功效。除此之外，枸杞多糖对机体许多功能细胞具有激活与促进作用，能有效提高白细胞增殖反应，增强机体免疫力；提高机体血液、肝脏组织的超氧化物歧化酶（SOD）的活性含量，延缓机体衰老；另外枸杞多糖还能增加机体肌糖原、肝糖原储备量，降低机体激烈运动后血尿素增量，并加快其清除速率，从而使机体达到抗疲劳的效果。

---

① 陈致印. 2010. 枸杞速溶粉的研制及品质评价［D］. 兰州：甘肃农业大学硕士学位论文.
② https：//www.doc88.com/p-075309354902.html.
③ 姬中伟. 2008. 枸杞黄酒酿造工艺的研究和开发［J］. 无锡：江南大学硕士学位论文.

表 1.5　枸杞成分与功效对比

类别	项目	主要功效作用	类别	项目	主要功效作用
宏量元素	热量	维持机体正常活动的能量	标志性成分	枸杞多糖	增强免疫功能，降血脂、保护肝脏、抗氧化、抗衰老、抗肿瘤
	碳水化合物			甜菜碱	清除肝脏炎症，预防脂肪肝的形成，对各类慢性肝病具有辅助性治疗作用
	粗脂肪			氨基酸	调节代谢平衡，促进生命物质合成
	粗蛋白			牛磺酸	滋养强壮、改善肝功能
维生素	B₁	协助碳水化合物的新陈代谢和能量产生		类黄酮	抗氧化、清除自由基、抗衰老
	B₂	参与新陈代谢，促进生长发育		类胡萝卜素	明目，有效改善视疲劳及暗适应能力。对神经萎缩、视神经炎、视网膜炎等眼部疾病及早期青光眼、白内障、夜盲症等多种眼病有良好的防治作用
	烟酸	维持皮肤健康，参与血糖控制		隐黄质	
	抗坏血酸	有助于人体增强免疫力，预防疾病		玉米黄质	
	维生素 E	保护机体，延缓衰老			
微量元素	钙	预防骨质疏松，有助于升级系统正常活动		AA-2βG	黑色素合成，抗氧化
	铁	预防贫血			
	锌	促进生长发育			
	硒	抗癌，预防心脑血管疾病，养肝明目抗疲劳			

2）甜菜碱。甜菜碱是枸杞中重要的成分组成，机体长期摄入甜菜碱可以升高血及肝中的磷脂水平；可对抗机体肝中磷脂、总胆固醇含量的减低，并有所提高；对 BSP、SGPT、碱性磷酸酯酶、胆碱酯酶等试验均有所改善作用。枸杞对脂质代谢或抗脂肪肝的作用，主要是由于其中含有甜菜碱[①]。

---

① https：//wenku. baidu. com/view/a6e70ff4ba0d4a7302763a0e. html.

3）维生素 B_1、B_2、C 及 E。枸杞中含有丰富的维生素，主要为维生素 B_1、B_2、C 及 E，具有抗衰老、补肾壮阳、美容养颜、抑制癌细胞的功效。

维生素 B_1 是机体糖代谢所必需的，同时也是维持心脏、神经及消化系统正常功能的必需品。当维生素 B_1 缺乏时，按其程度，依次可出现下列反应：神经系统反应（干性脚气病），心血管系统反应（湿性脚气病）、Wernicke（韦尼克氏）脑病及 Korsakoff 综合征（遗忘综合征）[1]。

维生素 B_2 为体内黄酶类辅基的组成部分，参与体内生物氧化与能量代谢及细胞的生长代谢，是人体必不可少的维生素之一。当缺乏时，会影响机体的生物氧化，使代谢发生障碍。其病变多表现为口、眼和外生殖器部位的炎症，如口角炎、唇炎、舌炎、眼结膜炎和阴囊炎等[2]。体内维生素 B_2 的储存是很有限的，因此每天都要由饮食提供。适量摄入维生素 B_2 能够消除炎症，明目安神。

维生素 C 参与苯丙氨酸、酪氨酸、叶酸的代谢，铁、碳水化合物的利用，脂肪、蛋白质的合成，维持免疫功能，保持血管的完整，促进非血红素铁吸收等所必需，同时维生素 C 还具备有抗氧化，抗自由基，抑制酪氨酸酶的形成，从而达到美白、淡斑的功效，也是女性常用来美容美白的营养物质[3]。另外，经常食用维生素 C 含量丰富的水果，能够有效降低胃癌、食管癌、口腔癌、咽癌及宫颈癌发病率。同样维生素 C 也是人体不可缺少的营养物质，缺乏维生素 C 会造成坏血病。

维生素 E 的功效主要是抗氧化、延缓衰老。此外，维生素 E 能够促进性激素分泌，使男子精子活力和数量增加，起到补肾壮阳的作用。维生素 E 缺乏时会出现睾丸萎缩和上皮细胞变性，导致孕育异常。另外，维生素 E 还能保护 T 淋巴细胞、保护红细胞、抗自由基氧化、抑制血小板聚集从而降低心肌梗死和脑梗死的危险性[4]。

4）氨基酸与矿物元素。枸杞中含有天冬氨酸、脯氨酸、丙氨酸、亮氨酸等人体必需氨基酸和钾、钠、钙、镁、铁、铜、锰、锌、硒等人体必需矿物质。这些营养物质是人体正常运行的基础，有的是负责控制血糖、提供能量，有的协助身体代谢，有的是神经组织、肌肉组织、骨骼的重要成分。除了维持身体的正常运行之外，这些元素自然还有其他的用途，如枸杞中含有的微量元素——锗就有

---

① https：//baike. baidu. com/item/% E7% BB% B4% E7% 94% 9F% E7% B4% A0B1？func＝retitle.

② 王镇南，余忠华，周和超，等 .2010. 核黄素磷酸钠防治鼻咽癌同期放化疗黏膜炎的临床观察 [J] . 肿瘤基础与临床，23（5）：403-405.

③ 张玲，刘平怀，罗宁，等 .2016. 小球藻 Chlorella sorokiniana C74 营养素分析 [J] . 食品研究与开发，37（10）：10-15.

④ https：//www. xuexila. com/fangfa/3681336. html.

明显抑制癌细胞的作用，可使癌细胞完全破裂，抑制率达 100%。

5）碳水化合物。碳水化合物是由碳、氢和氧三种元素组成的生命细胞结构的主要成分及主要供能物质，并且有调节细胞活动的重要功能[1]。适当的碳水化合物有助于人体补充能量、节约蛋白质、维持大脑细胞的正常功能、调整脂肪代谢等。

6）类胡萝卜素。类胡萝卜素由植物合成，以色素形式存在于自然界。类胡萝卜素在人体中，可起到维持皮肤黏膜层的完整性，防止皮肤干燥，粗糙，促进人体骨骼成长发育等作用。此外，类胡萝卜素在人体中还可转化成维生素 A，发挥维生素 A 的生理作用，对保护视力，预防近视、白内障、改善夜盲症等多种眼部问题有重要帮助。

1.2.2 枸杞产业种植现状

1.2.2.1 国外枸杞种植现状

全球 90% 的枸杞产品产自于中国，国外枸杞种植和加工数量和规模较小。据史料考证宁夏枸杞于清乾隆五至八年（1740～1743 年）传入法国和地中海沿岸一带进行栽培，后逸生为野生。例如，捷克布拉迪布拉瓦的摩拉瓦河边有生长茂密的枸杞；匈牙利布达佩斯"自由纪念碑"的周边一带有枸杞的大群落；从罗马尼亚的布加勒斯到多瑙河德尔他地带再到南斯拉夫的贝尔格勒，以及在布加勒斯特卡美勒古坦要塞，尤其在多瑙河和萨瓦河汇合处山的斜面有枸杞群落分布[2]。

日本、韩国和朝鲜是继中国之后较早对枸杞进行利用与栽培的国家。日本主要在秋田县、静冈县、德岛县等地进行人工栽培。在日本的本州、九州有许多野生枸杞（*Lycium chinense* Mill.）和宁夏枸杞（*Lycium barbarum* L.）。朝鲜半岛也分布有许多野生枸杞资源[3]。韩国自 1992 年在忠南建立枸杞专业研究机构——"枸杞子试验站"之后，长期开展枸杞的引种保存、品种选育及配套栽培研究[4]。

目前，日本在德岛县模范农场枸杞园，栽培面积约 3000 坪（约 15 亩）。韩国枸杞种植面积约有 278hm²，其中在东南地区忠南道，种植面积约有 128hm²，年产量 200 万 kg。

① 刘扬 . 2022. 食品中营养素含量的检测技术分析［J］. 内蒙古科技与经济，（12）：117-118.
② 安巍 . 2010. 枸杞栽培发展概况［J］. 宁夏农林科技，（1）：34-36，26.
③ 同①。
④ 同①。

1.2.2.2　国内枸杞种植现状

随着气候条件的变化和栽培技术的改进，国内枸杞的地产范围呈现逐渐扩大趋势，由原来传统的宁夏中宁产区扩展到以宁夏为核心区，内蒙古及甘肃、青海、新疆为两翼的大枸杞产区[①]。

我国枸杞种植面积、产量和工业总产值均呈现逐年增长趋势。2010～2014年，我国枸杞种植面积从154.73万亩增长至223.94万亩，增长率为49.48%；我国枸杞产量从19.05万t增长至22.96万t，增长率为53.70%，2021年我国枸杞产量已达到42.16万t；我国枸杞产业工业总产值从2010年的57.6亿元增长至2013年的86.1亿元，增长率为44.73%（表1.6）。

表1.6　2010～2017年我国枸杞产业发展情况

项目	2010年	2011年	2012年	2013年	2014年	2015年	2016年	2017年
种植面积（万亩）	154.73	162.99	209.17	220.67	223.94	—	—	—
产量（万t）	19.05	20.49	22.13	22.96	29.32	36.09	41.06	36.2
工业总产值（亿元）	57.6	68.67	77.44	86.1	—	—	—	—

数据来源：2010～2017年产量数据来自于《中国林业统计年鉴》（2011～2018年）；工业总产值数据来自《中国商业经济统计年鉴》（2011～2014年）；种植面积为青海、宁夏、甘肃、内蒙古、新疆、河北、黑龙江等主要省区种植面积总和，数据来自各地统计年鉴

我国枸杞种植省份主要包括宁夏、青海、甘肃、新疆（包括新疆兵团）、内蒙古、河北、河南、湖北、辽宁、山西、陕西、贵州、重庆、黑龙江、安徽、四川、广东、山东、湖南、江苏、江西等23个省份，其中，宁夏、青海、甘肃、新疆、内蒙古、河北等6个省区是主要的种植地区，种植面积和产量相对较大（表1.7、表1.8）。

表1.7　2010～2017主要省区枸杞产量　（单位：t）

地区	2010年	2011年	2012年	2013年	2014年	2015年	2016年	2017年
宁夏	83 053	87 742	90 935	71 687	77 905	110 960	108 473	86 857
青海	16 300	19 702	24 335	52 032	93 625	81 699	95 000	84 600
甘肃	21 642	30 208	41 915	42 692	50 426	71 269	105 757	91 918
新疆（包括新疆生产建设兵团）	22 223	30 388	31 379	33 205	49 342	82 067	88 412	73 392

---

① 刘志鹏.2013.新疆精河县枸杞产业发展研究［D］.长春：吉林大学硕士学位论文.

续表

地区	2010 年	2011 年	2012 年	2013 年	2014 年	2015 年	2016 年	2017 年
内蒙古	19 068	15 283	14 652	12 977	13 514	17 197	15 230	10 454
河北 (《林业统计年鉴》)	12 513	12 201	12 144	12 235	12 097	12 112	14 366	29 902
河北 (《河北统计年鉴》)	35 507	35 764	38 480	39 466	—	—	—	—
河南	46	158	441	3 052	2 019	1 904	1 990	1 910
湖北	114	144	378	383	619	1 759	1 834	1 886
辽宁	56	2	277	356	1 261	2 693	299	186
山西	82	—	—	210	—	—	—	178
陕西	9 558	766	282	203	162	171	106	182
贵州	225	257	262	164	143	109	173	78
重庆	136	140	143	145	396	402	256	30
新疆生产建设兵团	2 904	1 602	3 709	120	8 597	22 012	21 859	20 136
黑龙江	15	182	8	117	33	7	61	66
安徽	75	74	100	93	82	96	93	1
四川	2 202	2 356	1 552	92	91	85	80	—
广东	—	—	—	50	—	—	—	—
山东	117	30	—	10	—	72	73	100
湖南	—	—	4	3	1	3	1	1
江苏	29	14	64	2	2	2		
江西	—	525	2	2	—	—		
吉林	5 245	6 223	5 574	—		210	260	
广西	703	75	586	—	98	68		
西藏	—	—	—	—	—	—	3	400
云南	—	—	—	—	1	—	—	—

数据来源：历年《中国林业统计年鉴》(2011~2018 年)

表 1.8　2010～2014 年主要省区枸杞种植面积　（单位：万亩）

地区	2010 年	2011 年	2012 年	2013 年	2014 年
青海	15.65	20.03	31.62	32.55	33.86
宁夏	73.6	77	80	85	85
甘肃	23	22.08	49.11	55	55
内蒙古	18.1	19.1	20.1	21.1	21.1
新疆	23.87	23.93	27.62	25.32	25.32
河北	—	—	—	7.12	7.53
黑龙江	0.52	0.86	0.72	1.23	3.17

数据来源：根据各地统计年鉴和调研数据整理

1.2.2.3　我国枸杞适宜种植区分布情况

我国枸杞种植可分为 9 个区域，7 个大类，分为最适宜区、优质次适宜区、南疆博斯腾湖高产次优质区、北疆东部一般区、品质略差次适宜区、多余品质差区、华北低品质区[①]。

（1）枸杞最适宜区

枸杞最适宜区包括宁夏灌区中南部和北部的惠农、河套西北的杭锦后旗、毛乌素沙漠西缘、腾格里沙漠、河西走廊南部张掖东南至武威、白银、民勤、新疆天山北麓等地区[②]。

该地区枸杞生育期间气温≥10℃，活动积温为 3200～3600℃·d，可利用生长季有 190d，降水量为 100～240mm[③]；枸杞主要病虫害——黑果病北疆地区很少，宁夏地区较少，河套西部地区略多；枸杞幼果期北疆地区发生干热风较多，河西走廊南段、宁夏、河套西部发生较少。该区枸杞干果产量高、品质优、药用成分含量高。该区域中现有宁夏、河西走廊、杭锦后旗、北疆石河子、新疆生产建设兵团 5 个枸杞产区。

（2）优质次适宜区

优质次适宜区包括两部分：一是内蒙古阿拉善盟和河西走廊西段，二是新疆北疆西北沙漠边缘。

该地区枸杞生育期间气温≥10℃，活动积温为 3000～3200℃·d，可利用生

---

① 刘静，杨有林，叶殿秀，等.2003.中国北方地区枸杞气候适宜性区划［A］//刘静.宁夏枸杞气象研究.北京：气象出版社.
② 任珩，王君兰.2019.我国枸杞产业发展现状及提升路径［J］.科技促进发展，15（3）：310-317.
③ 同①。

长季为 170～190d，降水量为 100～240mm。该区枸杞品质较好，总糖适中，多糖高，药用成分高，但油果偏多。枸杞幼果期发生干热风频率较高，成熟快，果实偏小，产量偏低。

（3）南疆博斯腾湖高产次优质区：博斯腾湖周边

该地区枸杞生育期间气温≥10℃，活动积温为 3600～3900℃·d，热量丰富，可利用生长季在 150～170d，降水量为 100mm 以上。该区枸杞总糖含量高、多糖略偏低，几乎无黑果。枸杞幼果期干热风严重。目前，该区主要为新疆建设兵团种植枸杞[1]。

（4）北疆东部一般区：北疆东部沙漠边缘

该地区枸杞生育期间气温≥10℃，活动积温为 2900～3100℃·d，热量略为不足，产量较低，勉强能栽培，夏季能成熟；可利用生长季在 190～210d，降水量不足 100mm；偶发干热风，产量正常。该区枸杞总糖含量略高、果实正常、品质优。目前该区只有吉木萨尔零星种植枸杞。

（5）枸杞品质略差次适宜区

枸杞品质略差次适宜区包括宁夏山区长山头以南至固原黑城以北地区、甘肃兰州以西地区、陕北和山西北部地区。

该区枸杞生育期间气温≥10℃，活动积温为 2900～3300℃·d，热量略欠缺，可利用生长季在 170～190d，降水量为 240～380mm。该区枸杞品质一般，总糖和多糖偏低，黑果率较高。枸杞果期基本无干热风。目前该区有宁夏山区、陕北和内蒙古托克托县 3 个种植区，与之毗邻的还有河套灌区的乌拉特前旗枸杞种植区[2]。

（6）枸杞多余品质差区

枸杞多余品质差区包括甘肃陇东、陕北延安、山西中部、河北中部太行山山区。

该地区枸杞生育期间气温≥10℃，活动积温为 3300～3900℃·d，热量富裕，鲜果产量较高，可利用生长季在 190～210d，降水量为 380～530mm。该区枸杞总糖和多糖含量低、果实偏小，品质差，黑果率高。目前，该区仅在陕北有零星枸杞种植[3]。

（7）华北低品质区

该区域为河北中部石家庄地区。该区域枸杞生育期间气温≥10℃，活动积温

---

① 任筣，王君兰．2019．我国枸杞产业发展现状及提升路径 [J]．科技促进发展，15（3）：310-317.

② 同①。

③ 同①。

为 3300～3900℃·d，生长季持续 210d 以上，降水量为 500mm 左右。该区枸杞果实小，品质差，总糖、多糖含量低，果味酸含量高，黑果率非常高，取样时基本没见过不用硫黄熏蒸的果实，不适宜发展干果，但鲜果产量高，适宜做鲜果食品，但不足以入药。目前，该区毗邻地区种植枸杞的有河北巨鹿县、辛集市和天津市静海县（至 2022 年静海县枸杞种植已基本绝迹）。

综上所述，我国有一些适宜区和次适宜区可以发展枸杞产业，如河套西部的枸杞与宁夏枸杞产量、质量上相差不大，处在同一水平。内蒙古巴彦淖尔的枸杞品质总体良好，多糖含量、百粒重、色泽、坏果率等项指标均良好，这也是内蒙古枸杞冲击宁夏枸杞市场的根本原因。河北枸杞品质一般，可能与河北降水量多，光能资源不如西北和内蒙古有关，其枸杞多糖和百粒重偏低，灰分偏高。新疆枸杞果长短、总糖含量高、多糖含量低，不利于枸杞品质的提高①。

1.2.2.4 我国枸杞主产区种植现状

从地区分布上来看，我国枸杞的种植地区包括宁夏、青海、甘肃、新疆（包括新疆生产建设兵团）、内蒙古、河北、河南、湖北、辽宁、山西、陕西、贵州、重庆、黑龙江、安徽、四川、广东、山东、湖南、江苏、江西等②。其中，宁夏、青海、甘肃、新疆（包括新疆生产建设兵团）、内蒙古、河北等地是主产区，产量产值相对较大。

（1）宁夏枸杞种植生产情况

宁夏是我国枸杞种植面积最大、产量最高、产值最突出的地区（表 1.9）。从 2010 年起，宁夏枸杞产业呈现快速发展阶段，种植面积、产量、产值呈现快速增长趋势，到 2014 年，枸杞种植面积达 85 万亩，至 2021 年种植面积为 43 万亩；到 2021 年，枸杞总产量从 2010 年的 6.9 万 t 增加至 8.6 万 t；到 2021 年，枸杞总产值达 250 亿元（表 1.9、表 1.10）。

表 1.9 2010～2021 年宁夏枸杞产量情况

年份	2010	2011	2012	2013	2014	2015	2016	2017	2018	2019	2020	2021
总产量（万 t）	6.9	11	9.9	12.9	8.8	11.1	10.9	8.7	14	15	9.8	8.6

数据来源：《宁夏统计年鉴》（2011～2015 年）；《中国林业统计年鉴》（2015～2017 年）；宁夏统计局统计的 2018～2021 年枸杞总产量

① https://www.xzbu.com/6/view-2303486.htm.
② 同①。

表 1.10　宁夏枸杞种植面积产值情况（2010～2014 年）

项目	2010 年	2011 年	2012 年	2013 年	2014 年
种植面积（万亩）	73.6	77	80	85	85
产值（亿元）	15.8	32.1	35.2	49.9	50

数据来源：《宁夏统计年鉴》（2011～2015 年）

（2）青海枸杞种植生产情况

青海枸杞种植业呈现出快速发展的趋势（表 1.11）。2010～2019 年，青海枸杞产量从 2011 年 18 160t 增长至 92 301t，增幅为 108.26%；种植面积从 15.65 万亩增长至 33.96 万亩，增幅为 117.07%。青海省枸杞的主要产地为都兰、德令哈、格尔木、乌兰等[①]。

表 1.11　青海枸杞产量产值情况

项目	2010 年	2011 年	2012 年	2013 年	2014 年	2015 年	2016 年	2017 年	2018 年	2019 年
产量（t）	—	18 160	26 411	40 373	53 070	28 701	65 586	78 885	85 622	92 301
种植面积（万亩）	15.65	20.025	31.62	32.55	33.855	29.59	31.9	33.55	35.53	33.96

数据来源：《青海统计年鉴》（2011～2020 年）

（3）新疆枸杞种植生产情况

从种植面积来看，2010～2013 年，新疆枸杞种植面积变化不大；但在枸杞价格大幅上升的带动下，枸杞产值呈现快速增长趋势，从 2010 年的 4.32 亿元增长至 2014 年的 7.31 亿元（表 1.12）。从新疆枸杞总产量来看，2010～2016 年，枸杞总产量整体呈增长趋势，到 2016 年，枸杞总产量高达 8.9 万 t，之后产量逐渐降低。

表 1.12　新疆枸杞产量产值情况（2010～2014 年）

年份	种植面积（亩）	挂果面积（亩）	总产量（万 t）	产值（亿元）
2010	238 695	177 000	2.03	4.32
2011	239 295	192 000	1.75	11.33
2012	276 195	242 505	2.72	6.40
2013	253 200	219 195	2.40	6.68

---

① 武振利，王健 .2014. 青海省特色枸杞产业竞争力评价研究 [J]. 青海师范大学学报（社科版），36（1）：11-16.

年份	种植面积（亩）	挂果面积（亩）	总产量（万 t）	产值（亿元）
2014	—	—	3.20	7.31
2015	—	—	5.2	
2016	—	—	8.9	
2017	—	—	8.6	
2018	—	—	5.9	

数据来源：《新疆统计年鉴》（2011~2019 年）

（4）甘肃枸杞种植生产情况

从种植、生产情况来看，2010~2016 年，甘肃枸杞种植面积、产量处于快速增长的趋势（表 1.13）。2010~2014 年，种植面积从 23 万亩增长至 55 万亩。2010~2016 年，枸杞产量从 1.4 万 t 增长至 10.6 万 t，2016 年之后产量逐渐降低。白银、酒泉、武威、金昌、张掖是甘肃省种植枸杞的主要地区。

表 1.13　2010~2018 年甘肃枸杞产量和种植面积情况

项目	2010 年	2011 年	2012 年	2013 年	2014 年	2015 年	2016 年	2017 年	2018 年
产量（万 t）	1.4	2.1	3.0	4.2	4.3	7.1	10.6	9.2	5.0
种植面积（万亩）	23.00	22.08	49.11	55.00	55.00	—	—	—	—

数据来源：《甘肃统计年鉴》（2011~2019 年）；《中国林业统计年鉴》（2011~2019 年）

（5）内蒙古枸杞种植生产情况

从产量和种植面积来看，内蒙古枸杞种植面积相对稳定。2010~2017 年，枸杞产量维持在 1.5 万 t 左右，种植面积维持在 20 万亩左右（表 1.14）。

表 1.14　2010~2017 年内蒙古枸杞种植面积和产量情况

项目	2010 年	2011 年	2012 年	2013 年	2014 年	2015 年	2016 年	2017 年
种植面积（万亩）	18.1	19.1	20.1	21.1	—	—	—	—
产量（t）	16 159	19 068	15 283	14 652	12 977	13 514	17 197	15 230

数据来源：《内蒙古统计年鉴》（2011~2018 年）；《中国林业统计年鉴》（2015~2017 年）

（6）河北枸杞种植生产情况

从产量和种植面积来看，河北枸杞种植面积相对稳定（表 1.15）。2010~2018 年，河北枸杞产量维持在 4 万 t 以内，种植面积维持在 7 万亩左右。从种植区域看，河北枸杞种植主要分布在秦皇岛、邢台等地。

表 1.15　2010～2018 年河北枸杞种植面积和产量情况

项目	2010 年	2011 年	2012 年	2013 年	2014 年	2015 年	2016 年	2017 年	2018 年
产量（t）	38 778	35 507	35 764	38 480	39 466	12 097	12 112	32 788	36 442
种植面积（亩）	—	—	—	71 160	75 270	—	—	69 555	84 435

数据来源：《河北统计年鉴》（2010～2014 年）；《中国林业统计年鉴》（2015～2016 年）；《河北农村统计年鉴》（2017～2018 年）

（7）黑龙江枸杞种植生产情况

从产量和种植面积来看，黑龙江枸杞种植面积呈现先快速增长后急剧萎缩的趋势，而产量上下波动较大（表 1.16）。2010～2014 年，枸杞种植面积从 5190 亩增长至 31 650 亩；2014～2020 年，枸杞种植面积大幅减少，2020 年种植面积减少为 1605 亩。产量从 2010 年的 1117t 增长至 2013 年的 2095t，2014～2016 年产量大幅减少，而 2017 年产量剧增（8595t），之后急剧萎缩，至 2020 年产量减少为 152t。

表 1.16　2010～2020 年黑龙江枸杞产量与种植面积情况

项目	2010 年	2011 年	2012 年	2013 年	2014 年	2015 年	2016 年	2017 年	2018 年	2019 年	2020 年
种植面积（亩）	5 190	8 550	7 230	12 285	31 650	1 545	1 200	2 085	1 095	1 740	1 605
产量（t）	1 117	1 328	1 759	2 095	707	373	368	8 595	173	173	152

数据来源：《黑龙江统计年鉴》（2011～2021 年）

1.2.3　枸杞产业品牌建设现状

1.2.3.1　宁夏枸杞品牌发展现状

在市场竞争的过程中，具有品牌的农产品相对于没有品牌的农产品来说有比较优势，企业可以把某种农产品的特点用特定的品牌表现出来，使消费者通过品牌联想到此种农产品的质量、价格、特色、售后服务等优势，从而形成对该农产品的偏好和品牌忠诚度，即固定购买某种特殊品牌农产品的行为。2001 年 01 月"中宁枸杞"证明商标结束了长达四年的艰苦申办，正式通过了国家工商行政管理局商标局的注册，标志着"中宁枸杞"名牌产品的保护正式纳入了国家法律的保护行列，同时也使"中宁枸杞"证明商标成为全国唯一的以产品生产原产地命名的枸杞证明商标。

"中宁枸杞"证明商标启用实施对于原产地中宁枸杞品牌起到了很好的保护

作用,近几年宁夏区域内枸杞营销市场运作秩序良好,但宁夏之外各大城市枸杞销售市场则比较混乱,具体表现在:无序竞争,经销商各自为政,分散经营,相互拆台,压级压价等方面。由于缺乏配合运作、共同出击的意识,更缺乏对"中宁枸杞"品牌产品的必要保护意识,使一些有相当规模和经营能力的中宁枸杞品牌专营运销户利益受到伤害。

目前,宁夏在枸杞品牌方面培育出了"宁夏红""杞浓""早康""宁杞堂"等枸杞产品系列品牌,尤其是"宁夏红""沃福百瑞""百瑞源"等已成为国内外知名品牌(表1.17)。枸杞品牌的培育和提升,对宁夏枸杞产业发展起到了积极的促进作用。但也要注重对"宁夏枸杞""中宁枸杞"品牌的保护仍然不足,对"中宁枸杞"证明商标进行地理标志产品保护。

表 1.17　宁夏部分枸杞企业与品牌

宁夏枸杞深加工企业名称	品牌名称
宁夏中宁县的枸杞	中宁枸杞
宁夏百瑞源枸杞制品公司	百瑞源
宁夏枸杞企业集团	南梁、碧宝
宁夏红枸杞产业集团公司	宁夏红
宁夏华宝枸杞产业有限公司	亮杞
中石化宁夏易捷石化有限公司	国杞天香
宁夏宁安堡土特产有限公司	宁安堡
宁夏杞天下生物科技有限公司	杞天下
宁夏千岁枸杞有限公司	千岁枸杞
宁夏沃福百瑞枸杞产业股份有限公司	沃福百瑞
宁夏育新枸杞种业有限公司	育新
宁夏早康枸杞股份有限公司	早康
宁夏志诚公司	圣杞乐
银川杞家贸易有限公司	杞家
银川雅丽贸易有限公司	雅丽
宁夏杞芽食品科技有限公司	杞芽
宁夏红枸杞商贸有限公司	杞王
银川育新枸杞种业有限公司	杞争红

1.2.3.2　其他省份枸杞品牌发展现状

新疆、青海等枸杞种植大省在品牌建设方面也投入大量人力物力，提升品牌影响力，推动本地的枸杞产业发展。

（1）新疆

新疆精杞神枸杞开发有限责任公司开发的"精杞神"品牌，带动了枸杞干鲜果、浓缩汁、多糖、色素、籽油、枸杞果酱、枸杞芽茶、枸杞休闲食品等枸杞系列产品，[①] 市场向罗马尼亚、澳大利亚、意大利、德国、瑞典、捷克、比利时、荷兰、巴西、智利、美国洛杉矶等国家及香港、澳门、台湾等地区拓展。除此之外，比较知名的还有"顺元堂""无极限"等。"精杞神"专注于加工制品，"顺元堂"专注于东南亚市场干果流通，"无极限"则以新疆枸杞作为多糖制品的主要原料。

新疆鸿锦枸杞实业有限公司打造"鸿锦""杞元春"品牌，开发枸杞鲜果前处理、枸杞发酵酒和蒸馏酒、枸杞饮料、枸杞浓缩汁无菌罐装、植物提取、枸杞籽油等深加工产品。[②]

（2）青海

青海省大力实施枸杞产品品牌战略，着力打造有机、绿色、无公害品牌，柴达木枸杞的知名度和市场占有率显著增强，深受广大消费者和商家的青睐。2011年，青海省枸杞在第二届中国国际林业产业博览会上获得两个金奖。2012年，在第五届中国义乌森林产品博览会上，青海省推出的"诺木洪"枸杞产品和大雪山公司枸杞产品分别获得优质产品金奖和优质产品奖，两家企业获得最佳参展奖。[③]

1.2.4　枸杞产业对外贸易现状

1.2.4.1　我国枸杞产业对外贸易历程

以宁夏为主要代表的枸杞产业对外贸易基本可分为三个阶段，即古代小农经济状态下农户自给自足的有生产、无对外贸易时期；新中国成立后至改革开放前国家实行统购统销的有生产、无对外贸易时期；改革开放以来农户自主生产，企

① 刘志鹏 . 2013. 新疆精河县枸杞产业发展研究 ［D］. 长春：吉林大学硕士学位论文 .
② 同①。
③ 李冰 . 2013. 青海枸杞产业现状分析与趋势研究 ［J］. 林业经济，（4）：60-64.

业自主组织出口的枸杞对外贸易形成和快速发展时期。

（1）小农经济状态下自给自足时期

宁夏枸杞种植历史源远流长，据古代文献记载，"枸杞"最早见于殷商时期的甲骨文。明朝弘治年间，宁夏枸杞被列为"贡果"。明代杰出医药学家李时珍将宁夏枸杞列为《本草纲目》之上品，称"全国入药杞子，皆宁产也"。清朝时期，宁夏枸杞也一直保持了"贡果"的身份。乾隆年间，宁夏中卫知县黄恩锡在其《竹枝词》中以："六月杞园树树红，宁安药果擅寰中，千金一斗矜时价，绝胜肤田岁早丰。"的佳句描述了宁夏中宁枸杞的种植规模、市场占有率、品牌地位、高昂价格。在从原始社会到奴隶社会、封建社会这一漫长的历史时期内，自然经济一直占统治地位，宁夏枸杞没有对外贸易的记载。

（2）新中国成立后国家实行统购统销时期

新中国成立后，政府对宁夏枸杞生产十分重视，大力扶持宁夏的枸杞生产，1961年宁夏中宁县被国务院确定为全国唯一的枸杞生产基地县。但这一时期，枸杞主要是作为中药材使用，由国家实行统购统销，没有出口贸易（表1.18）。

表1.18　统购统销时期枸杞产品的产量与出口量

年份	年产量（t）	出口量（t）
1952	141	0
1957	403	0
1958	502	0
1960	166	0
1962	147	0
1965	234	0
1970	278	0
1975	643	0

数据来源：《宁夏农业志》

（3）改革开放以来对外贸易形成和快速发展时期

根据宁夏统计年鉴数据显示，宁夏枸杞有记载的出口最早是1978年，当年出口了47t，出口国家主要是日本和东南亚一些国家。1980年、1985年也有少量出口，期间多数年份都没有枸杞出口的记录。直到1990年，宁夏枸杞才开始形成较为稳定的出口贸易，自此，我国枸杞产品进入了稳定对外贸易阶段（表1.19）。

表 1.19　改革开放以来宁夏枸杞产品的产量与出口量

年份	年产量（t）	年出口量（t）	年份	年产量（t）	年出口量（t）
1978	412	47	1997	1 437	636
1980	418	152	1998	1 395	853
1981	275	—	1999	3 400	375
1982	253	—	2000	4 800	294
1983	294	—	2001	13 950	342
1984	647	—	2002	23 462	348
1985	792	137	2003	32 000	365
1986	853	—	2004	40 000	336
1987	1 098	—	2005	50 000	321
1988	912	—	2006	65 000	632
1989	819	—	2007	50 000	728
1990	758	305	2008	76 200	898
1991	635	331	2009	68 100	1 190
1992	851	309	2010	73 600	—
1993	1 261	828	2011	110 019	—
1994	1 201	1 140	2012	99 069	—
1995	1 070	1 000	2013	129 311	9 305
1996	1 155	882	2014	88 000	5 363

数据来源：历年《宁夏统计年鉴》

从宁夏枸杞产品对外贸易来看，经历"增长—下降—增长"的波动变化趋势，在第一轮增长过程中 1994 年的对外贸易量达到最大值，为 1140t。2006 年开始，宁夏枸杞出口呈第二轮快速增长趋势，2013 年出口量达到 9305t。

1.2.4.2　我国枸杞产业对外贸易现状

（1）枸杞产品进口情况

从我国枸杞产品进口数据来看，2014 年开始，我国开始进口一些枸杞产品，主要进口国家为朝鲜（表 1.20）。

表 1.20　我国枸杞产品进口情况（2014～2020 年）

年份	朝鲜		加拿大		中国（保税区）		中国香港	
	进口量（t）	金额（万美元）	进口量（t）	金额（万美元）	进口量（t）	金额（万美元）	进口量（t）	金额（万美元）
2014	1.00	7.99						
2015	1.35	9.46						
2016（1～5 月）	2.11	1.26	0.114	0.984 7	2.700	2.507 3		
2017	48.85	24.19						
2018	5.79	3.48						
2019					23.63	26.71	0.008	0.011 3
2020					41.43	45.71		

数据来源：海关数据

（2）枸杞产品出口情况

整体上来看，我国枸杞产品出口呈现"长期平稳增长、短期回落波动"的趋势。2001～2015 年，我国枸杞出口量从 5802t 增长至 9799t，增长率为 68.89%，出口额从 783 万美元增长至 10 757 万美元，增长率 1273.82%（表 1.21）。

表 1.21　我国枸杞产品出口情况

年份	出口量（t）	价格（美元/t）	出口额（万美元）
2001	5 802	1 349	783
2002	5 727	1 017	582
2003	5 840	1 395	815
2004	0	1 287	0
2005	4 043	2 077	840
2006	5 053	2 941	1 486
2007	4 642	4 330	2 010
2008	3 706	5 757	2 134
2009	5 952	5 349	3 184
2010	6 191	6 580	4 074
2011	——	——	——
2012	——	——	——
2013	9 305	8 645	8 044

年份	出口量（t）	价格（美元/t）	出口额（万美元）
2014	12 279	9 968	12 239
2015	9 799	10 977	10 757
2016（1~5月）	1 094	9 117	997
2017	12 680.914	8 027.76	10 179.933 0
2018	11 963.818	7 669.96	9 176.195 6
2019	11 563.368	8 169.16	9 446.303 0
2020	12 766.501	8 524.05	10 882.226 0
2021	12 090.642	8 329.17	10 070.501 9

数据来源：海关数据

随着高效栽培技术推广，以及各大枸杞生产基地规模效益体现，2001~2003年，我国枸杞出口量一直维持在5500t左右，出口价格也大幅上涨，均价为1200美元/t。

之后，由于日本"肯定列表制度"实施与欧美各国也不断提高对我国食品和农产品的检验标准，我国枸杞干果和其他枸杞产品遭受到空前压力，仅2007年共有21批出口到美国的枸杞产品，因检出农药残留等问题而被拒绝入境，导致2007~2008年，我国针对美国的枸杞出口量大幅减少[①]。2004~2008年，我国枸杞出口量一直低于5000t，但在市场需求驱动下产品整体出口均价却持续上涨。

检验标准提升也刺激了国内枸杞种植和加工能力提升，国内通过品种改良和生产标准化促使我国枸杞产品的出口竞争力大大增强。2009年之后，出口量整体处于上涨趋势，2020年出口量再创历史新高。

从我国枸杞出口国家（地区）来看，亚欧是我国枸杞产品的主要市场。近几年，我国对欧洲的枸杞出口所占份额基本维持在30%左右，对亚洲的枸杞出口所占份额基本维持在50%左右（表1.22）。

2021年，我国对亚洲国家（地区）枸杞的出口额达5783.56万美元，我国枸杞产品对欧洲的出口额达2276.56万美元，我国枸杞产品对南美洲的出口额达131.19万美元，我国枸杞产品对北美洲的出口额达1508.57万美元。

① https：//www.doc88.com/p-898111887097.html.

表 1.22 我国枸杞主要出口国（地区）及出口情况

国家（地区）	2014年 出口量(t)	2014年 金额(万美元)	2015年 出口量(t)	2015年 金额(万美元)	2016年(1~5月) 出口量(t)	2016年(1~5月) 金额(万美元)	2017年 出口量(t)	2017年 金额(万美元)	2018年 出口量(t)	2018年 金额(万美元)	2019年 出口量(t)	2019年 金额(万美元)	2020年 出口量(t)	2020年 金额(万美元)	2021年 出口量(t)	2021年 金额(万美元)
荷兰	2171.44	2273.67	1291.42	1661.41	607.35	532.71	1312.27	974.83	929.58	776.49	41.84	31.85	583.63	503.61	36.8	32.69
中国香港	1672.05	1392.57	1487.41	1405.82	686.29	667.09	2501.51	1959.32	1653.69	1180.83	101.03	85.94	1923.17	1633.3	155.33	105.58
美国	1090.79	1629.6	1022.14	1469.24	371.63	428.1	1329.03	1285.09	1511.08	1503.67	37.52	36.82	1094.22	1019.81	151.5	148.89
巴西	661.49	562.61	422.6	422.69	73.5	56.76	380.31	168.95	232.36	85.97	—	—	117.56	53.27	—	—
德国	520.16	678.41	289.08	365.14	221.56	236.43	504.67	423.91	604.88	515	147.87	126.32	932.87	905.86	103.72	94.15
越南	508	149.15	0.52	0.49	—	—	321.62	407.93	40.23	35.46	20.75	25.22	325.57	405.86	34.39	21
意大利	457.21	527.52	346.12	357.1	123.8	114.55	207.39	177.78	191.39	137.89	39	29.6	120.69	93.34	2.32	2.25
马来西亚	419.42	449.87	673.14	622.62	262.47	212.15	833.48	662.22	823.58	606.02	46.4	35.09	1220.61	936.8	134.75	103.66
英国	392.57	430.63	331.85	382.36	116.3	127.46	348.13	287.66	284.67	240.01	51.88	35.79	296.6	245.8	0.392	0.303
俄罗斯	371.49	322.52	46.8	42.48	—	—	17.23	12.01	27.66	19.8	0.6	0.38	43.64	25.89	6.65	4.83
西班牙	342.21	344.27	145.63	165.92	—	—	100.42	78.23	109.32	94.13	11	6.54	90.82	84.44	—	—
捷克	339.63	240.99	146.41	130.2	93.57	69.43	140.29	78.45	110.07	70.83	—	—	73.2	55.23	—	—
澳大利亚	334.21	337.39	369.46	417.68	173.38	163.63	390.08	280.87	356.85	264.08	35.92	27.33	355.44	286.43	18.24	13.48
法国	320.16	423.25	263.39	375.7	167.43	199.82	505.5	487.04	432.84	453	40	34.99	382.58	378.42	42.88	32.13
韩国	285.43	172.15	153.07	138.9	261.08	194.54	821.32	488.22	560.04	354.01	101.03	71.76	374.5	221.82	97.55	91.93

续表

国家（地区）	2014 年 出口量（t）	2014 年 金额（万美元）	2015 年 出口量（t）	2015 年 金额（万美元）	2016 年（1~5 月） 出口量（t）	2016 年（1~5 月） 金额（万美元）	2017 年 出口量（t）	2017 年 金额（万美元）	2018 年 出口量（t）	2018 年 金额（万美元）	2019 年 出口量（t）	2019 年 金额（万美元）	2020 年 出口量（t）	2020 年 金额（万美元）	2021 年 出口量（t）	2021 年 金额（万美元）
日本	273.89	280.54	227.47	251.25	130.36	140.76	270.84	255.76	270.97	236.54	29.03	23.87	295.86	287.64	40.4	38.8
新加坡	270.69	325.87	391.73	436.93	151.69	157.58	366.91	382.31	406.28	360.47	43.98	37.13	745.93	605.84	81.96	81.95
希腊	265.97	230.16	63.12	63.1	—	—	87.1	41.67	108.18	56.79	2.88	1.84	139.2	98.9	11.3	7.78
波兰	245.9	204.4	134.12	112.31	116.5	80.21	206.5	171.21	144.5	111.7	1.5	1.55	197.6	144.75	11	8.59
罗马尼亚	175.99	153.65	125.4	118.04	—	—	85.07	52	100.68	51.72	—	—	72.7	49.86	—	—
中国台湾	—	—	597.98	514.66	338.04	297.52	777.56	662.51	3 399.69	2 255.76	232.17	149.06	1 771.81	1 389.35	232.25	193.64
伊朗	—	—	211.26	188.55	721.8	513.83	—	—	—	—	—	—	—	—	—	—
加拿大	—	—	124.87	154.34	56.73	59.2	162.93	136.16	177.96	138	13.17	9.69	235.92	223.97	12.12	13.48
泰国	—	—	134.43	140.34	112.2	95.94	232.86	196.66	365.35	257.98	60.7	39.54	471.2	446.78	37.21	37.55
土耳其	—	—	16	22.01	46.95	44.75	8.1	8.07	4.35	4.22	—	—	3	2.61	—	—
比利时	—	—	88.57	102.97	—	—	50.09	52.93	50.23	57.95	10	12.92	73.96	81.33	0.356	0.5
总出口量	12 278.7	12 238.9	9 799.41	10 756.68	1 094.02	997.42	12 680.91	10 179.93	11 963.82	9 176.2	11 563.4	9 446.3	12 766.5	10 882.23	12 090.64	10 070.5

数据来源：海关数据

近年来，随着欧美乃至世界市场对枸杞的了解，枸杞逐渐由传统的亚洲和华裔市场进入西方主流社会，拓展了欧盟、美国、澳大利亚等市场。

2018 年之前，荷兰为我国枸杞出口欧洲的第一大市场，经过枸杞产业专利分析，得到荷兰枸杞专利技术主要在枸杞玉米黄素提取领域布局，因此，荷兰进口枸杞主要作为玉米黄素等提取物的原料，增加产品附加值。2018 年以来，德国成为我国枸杞出口欧洲的第一大市场，2020 年，德国枸杞出口量为 932.87t，出口额为 905.86 万美元。中国香港地区为内地枸杞输出的全球第二大市场，2020 年，枸杞输出量为 1923.17t，金额为 1633.30 万美元。从中国香港的专利技术布局来看，枸杞化妆品是主要的技术布局领域，因此，推测化妆品加工是中国香港进口枸杞的主要利用途径之一。在美国健康食品市场上，枸杞健康饮料也日渐流行。2014 年以来，美国已经成为我国枸杞出口的全球第三大市场，2020 年枸杞出口量为 1094.22t，出口额为 1019.81 万美元。

1.2.4.3 我国枸杞主产区贸易现状

（1）宁夏枸杞产品出口情况

从宁夏枸杞出口平均价格来看，整体上均呈现增长趋势（表 1.23）。2009~2015 年，枸杞出口平均价格从 43.846 元/kg 上升至 74.427 元/kg，增幅为69.75%；2015 年之后枸杞出口平均价格降低且基本保持平稳，平均价格在55.421 元/kg~60.994 元/kg 波动。

表 1.23　2009~2021 年宁夏枸杞出口平均价格

年份	平均价格（元/kg）
2009	43.846
2010	52.217
2011	64.353
2012	62.351
2013	62.035
2014	65.313
2015	74.427
2016	57.412
2017	55.421
2018	55.536

年份	平均价格（元/kg）
2019	58.459
2020	60.994
2021	55.565

数据来源：银川海关

从宁夏枸杞出口地来看，美国、荷兰、巴西、澳大利亚、德国、中国台湾、英国、伊朗、中国香港是主要的出口国家或地区（表1.24）。美国和荷兰是主要的出口市场，2015年出口额分别达5202万元和4111万元。2021年，美国、德国、荷兰、新加坡的出口额分别达到6163万元、2865万元、1946万元和1030万元。

到2021年，出口企业数量达到35家。主要包括宁夏众联恒诺贸易有限公司、宁夏沃福百瑞枸杞产业股份有限公司、宁夏吉宝利商贸有限公司、宁夏通洋贸易有限公司、宁夏塞上江南枸杞开发有限公司、宁夏森祺食品有限公司、宁夏正九品贸易有限公司、宁夏常春藤生物科技有限公司、宁夏春杞国际贸易有限公司、宁夏伊莎食品发展有限公司等。

（2）青海枸杞产品出口情况

从青海枸杞出口地来看，荷兰、法国、马来西亚、比利时、美国、西班牙、德国、印度尼西亚是主要的出口国家（地区）（表1.25）。2015年，荷兰、法国、马来西亚是主要的出口市场，出口量分别达到143 635kg、113 000kg和75 795kg。2021年（表1.25）对德国、法国、中国台湾和比利时出口量分别达到155 508kg、96 000kg、91 209kg和30 024kg。

从青海枸杞出口金额来看，荷兰、法国是主要的出口国家（地区）（表1.26）。2014对荷兰出口额达2000万元以上，2014~2018年对法国出口额均在1000万元以上。

青海从事枸杞产品进出口业务的企业2010年有4家，分别为青海佳禾生物工程有限公司、青海康普生物科技股份有限公司、格尔木亿林枸杞科技开发有限公司、青海青美生物资源研究开发有限公司。到2015年增加到9家，分别有格尔木亿林枸杞科技开发有限公司、青海康普生物科技股份有限公司、格尔木源鑫堂生物科技有限公司、青海佳禾生物工程有限公司、青海红杞枸杞科技有限公司、青海金色沙漠农业开发有限公司、青海伊纳维康生物科技有限公司、西宁芎川商贸有限公司、西宁迈卓商贸有限公司。

表1.24 2009~2021年宁夏枸杞出口情况

（单位：万元）

国家（地区）	2009年	2010年	2011年	2012年	2013年	2014年	2015年	2016年	2017年	2018年	2019年	2020年	2021年
美国	102	224	1 205	1 688	3 977	4 395	5 202	479	4 173	5 411	4 732	5 439	6 163
荷兰	1 131	818	384	1 095	1 295	5 468	4 111	366	2 892	2 721	2 454	1 754	1 946
巴西					281	1 174	1 692	92	687	161	261	1 151	218
澳大利亚	130	325	95	405	484	565	1 315	965	741	951	631	898	807
德国	313	112	50	34	848	968	1 306	1 614	1 669	2 833	5 709	4 971	2 865
中国台湾	203	2 111	897	72		39	1 216						
英国	691	651	422	620	972	1 180	1 176	92	1 460	1 068	1 123	1 263	888
伊朗			47	64			1 078	346					
香港	275	141	255	1 102	2 717	807	1 051						
日本	395	526	624	636	704	592	703	696	740	756	614	811	895
法国	408	743	1 063	499	452	409	658	71	1 138	1 347	1 458	1 350	617
葡萄牙	3	20			158	85	541	238	53	211	61	126	86
意大利		55			86	1 731	474	17	63	120	502	322	387
加拿大	169	254	416	177	432	471	414	182	225	300	319	735	801
西班牙	747	1 025	190	194	176	329	256	178	255	102	156	141	143
波兰			20	172	382	928	255	81	9	122	157	187	27
新加坡	12	166	274	1 028	177	192	229	32	617	636	725	821	1 030
捷克	29	24	8	57	59	243	217	425	261	183	52	155	41
马来西亚	135	348	217	277	197	198	182	158	358	289	344	1 161	608
以色列			7	7	53	107	159	39	258	351	238	410	250
比利时	54	93	535	621	515	373	144	242	152	109	18	36	

续表

国家（地区）	2009年	2010年	2011年	2012年	2013年	2014年	2015年	2016年	2017年	2018年	2019年	2020年	2021年
克罗地亚共和国				20			116						
智利							100	17	434	82			
斯洛伐克			8	17	13	49	48	42	78	14			
南非	94	51		13	45		44	69	22	85	43	33	25
新西兰						10		4			113	264	401
希腊			6	46		23	32	55	54	48	5	7	59
土耳其	2	10			79	164	29	198		25	18		
丹麦	32	36					19	16		15			
泰国		1		42			17	8	39	56	196	105	104
保加利亚							13			7			6
沙特阿拉伯		6											
匈牙利	6	4	5	8	17	23	12	72	5	9	21		4
俄罗斯联邦			3	1		33	12	6	37	3		23	
韩国		4	3	26	3	19	7	117	13	34	4	50	67
印度						1	5	32	41	4		5	
哥斯达黎加		1					5	4		8	3	7	3
爱沙尼亚							4						
芬兰						6							
哥伦比亚		1								8	11	44	
哈萨克斯坦						2							7

续表

国家（地区）	2009年	2010年	2011年	2012年	2013年	2014年	2015年	2016年	2017年	2018年	2019年	2020年	2021年
拉脱维亚			4	2	1	7							
留尼汪						3							
罗马尼亚			43	102	250	137		116	173	117	143	222	199
毛里求斯	34	12											
墨西哥	40	111	40	54	0	19		5		3	8	4	52
瑞典	23	152		60	21	14		14	12	15	17		
瑞士	201	428	184										
斯洛文尼亚共和国		29	91	178				46			30		
乌克兰						2		4			4		
伊拉克				6				5					
阿根廷								4	140				
阿联酋								34	32	25	36	55	23
埃及								14	7	7		14	
奥地利									0.7				
波黑													
厄瓜多尔								4			2	5	3
菲律宾											1	11	3
吉尔吉斯斯坦													17
科威特												6	

续表

国家（地区）	2009年	2010年	2011年	2012年	2013年	2014年	2015年	2016年	2017年	2018年	2019年	2020年	2021年
挪威									7				
塞尔维亚													
特立尼达和多巴哥										2		2	
危地马拉								2					
印度尼西亚											3	8	70
越南								264	2		12	33	40
中国台湾								1 855	1 161	590	208	1 433	704
中国香港								9					
黎巴嫩													

表 1.25　2010～2021 年青海枸杞出口情况

（单位：kg）

国家（地区）	2010 年	2011 年	2012 年	2013 年	2014 年	2015 年	2016 年	2017 年	2018 年	2019 年	2020 年	2021 年
荷兰			14 080	24 500	267 741	143 635	4 7620	63 207	9 450	83 527	12 000	8 550
法国	500	500	27 575	43 410	159 900	113 000	155 920	129 001	132 001	107 100	70 360	96 000
马来西亚			61 719	21 160	28 789	75 795	168 937	56 710	33 084			5 510
比利时		12 000	12 000	5 760	22 070	35 195	46 806	20 016	30 024	41 172	42 124	30 024
美国	22 390	37 100	73 888	154 170	101 405	33 490	33 048	54 673	47 000	30 370	25 811	
中国台湾	2 000	3 720		1 000	13 500	25 400	13 811	22 073	18 583	24 129	83 554	91 209
中国香港	1 000	2 000	41 353	91 715	24 931	23 463	12 145	117 030	413	150	1 306	363
西班牙		3 000	15 600	28 800	18 600	18 000						
德国	22 100	55 700	27 700	39 190	26 600	94 96	30 487	1 803		20 007	102 036	155 508
印度尼西亚						5 016						
中国澳门						700						
斯洛文尼亚				500	2 175	150						
日本							5 800	700	4 450	6 530	5 751	5 650
奥地利	5 000	12 000					500					
澳大利亚		1 000		2 000			4 000		8 500	1 000		
保加利亚				2 000								
波兰	1 000											
丹麦		1 500										
俄罗斯			500									

续表

国家（地区）	2010年	2011年	2012年	2013年	2014年	2015年	2016年	2017年	2018年	2019年	2020年	2021年
加拿大	7 000	7 510	13 100	24 000			23 995	5 126	26 714	21 663	25 739	3 840
秘鲁		1 000										
瑞典	13 500	5 300	12 000			100	500					
瑞士	1 200		475	840		30		1				
沙特阿拉伯		5 010										
新加坡				9 544				17 426	17 478	21 502	4 376	6 238
新西兰			150	500								
匈牙利		1 005										
以色列			5 000	10 000								
英国					150							
厄瓜多尔							19 940				47	
捷克							500		600		600	
摩纳哥											25	
泰国							100	1 400	2 216	1 496	2410	600
土耳其							200	100	350	1017		
意大利									12 000		5 000	
印度尼西亚									0			
英国								11 230	4 501	3 398	2 290	8 050

数据来源：西宁海关

表 1.26　2010～2021 年青海枸杞出口金额

（单位：万元）

国家（地区）	2010 年	2011 年	2012 年	2013 年	2014 年	2015 年	2016 年	2017 年	2018 年	2019 年	2020 年	2021 年
荷兰	6	6	77	149	2 409	1 263	372	429	104	570	84	88
法国			334	503	1 561	1 118	1 245	1 011	1 101	821	603	625
马来西亚			334	108	153	461	860	207	118			41
比利时			121	41	222	300	445	198	264	363	377	253
美国	205	364	762	1 728	1 015	352	271	472	418	242	170	
中国台湾	12	28		13	142	212	90	163	144	178	567	490
中国香港	5	13	244	480	131	150	57	615	10	1	14	3
西班牙		46	163	357	229	195						
德国	238	562	330	368	232	66	108	9		140	745	806
印度尼西亚						29						
中国澳门					27	2						
斯洛文尼亚				6	7	2						
日本					7	1	39	7	28	32	34	43
奥地利	57	143					1					
澳大利亚		7		24			27		43	7		
保加利亚				12								
波兰	10											
丹麦		22										
俄罗斯			2									

续表

国家（地区）	2010年	2011年	2012年	2013年	2014年	2015年	2016年	2017年	2018年	2019年	2020年	2021年
加拿大	59	45	139	299			125	42	114	140	157	36
秘鲁		7										
瑞典	84	30	57				0.8					
瑞士	8		7	11			0.5					
沙特阿拉伯		33										
新加坡				53				118	171	217	43	64
新西兰			2	6								
匈牙利		6										
以色列			30	59								
英国					2			37	22	22	10	41
厄瓜多尔											0.3	
捷克							1		10		12	
摩纳哥											0.3	
泰国							2	30	19	19	17	6
土耳其							1	0.4	1	5		
意大利									62		25	

数据来源：西宁海关

(3) 新疆枸杞产品出口情况

从新疆枸杞出口情况来看，荷兰、德国、澳大利亚、美国、巴西、瑞士、意大利等国家是主要的出口国家（表 1.27、表 1.28）。2014 年新疆枸杞总出口量达到 132t，其中荷兰和德国是主要的出口市场，出口量分别达到 40t 和 23.16t，出口金额分别达到 178.29 万元和 142.41 万元。

表 1.27　2010～2018 年新疆枸杞出口量　　　　　　（单位：t）

国家（地区）	2010 年	2011 年	2012 年	2013 年	2014 年	2015 年	2016 年	2017 年	2018 年
荷兰				0.5	40				
德国			12	10.2	23.16			14	
澳大利亚			4	3	19	3			
美国					17			0.099	
巴西				4	11				
瑞士					10				
比利时				5	5				
中国香港					4.951				
哈萨克斯坦				0.52	1.998				
意大利				0.1	0.2			1	2
新加坡	10.433	1.32							
中国台湾			3.99					1.04	0.336
智利				0.1					
巴拿马	4.221								
加拿大	7.5					0.016		3.6	
新西兰				2					

数据来源：乌鲁木齐海关

表 1.28　2010～2018 年新疆枸杞出口金额　　　　（单位：万元）

国家（地区）	2010 年	2011 年	2012 年	2013 年	2014 年	2015 年	2016 年	2017 年	2018 年
荷兰				2.91	178.29				
美国					142.41			0.41	
德国			48.88	43.40	105.93			52.88	
澳大利亚			24.05	13.94	91.92	18.02			

续表

国家（地区）	2010 年	2011 年	2012 年	2013 年	2014 年	2015 年	2016 年	2017 年	2018 年
巴西				19.74	46.40				
瑞士					42.47				
中国香港					30.49				
哈萨克斯坦				6.534	26.45				
比利时				21.24	22.57				
意大利				0.51	0.64			6.47	10.18
新加坡	48.58	6.58							
中国台湾		33.06						5.82	14.12
智利				0.46					
巴拿马	21.27								
加拿大	37.50					0.14		23.94	
新西兰				12.47					

数据来源：乌鲁木齐海关

（4）甘肃枸杞产品出口情况

从甘肃枸杞出口情况来看，主要出口国家（地区）有南非、加拿大、美国、英国等（表 1.29）。其中，2021 年美国、中国台湾、荷兰是主要的出口市场，出口金额分别达到 178 万元、101 万元、28 万元。

表 1.29　2010～2021 年甘肃枸杞出口金额　　（单位：万元）

国家（地区）	2010 年	2011 年	2012 年	2013 年	2014 年	2015 年	2016 年	2017 年	2018 年	2019 年	2020 年	2021 年
澳大利亚					8	9						
韩国										56		
荷兰							1.75			3		28
加拿大		14	18		20		16.56	0.02	18	4	25	0.1
马来西亚				68			6.96					
美国		83	77			29	0.04	0.02	80	101	80	178
南非	13	45	41	100	33	17			41			0.8
泰国				11						4		
中国香港				90		169			0.1			
意大利								0.4				
印尼			4									
英国			3			18						

国家（地区）	2010 年	2011 年	2012 年	2013 年	2014 年	2015 年	2016 年	2017 年	2018 年	2019 年	2020 年	2021 年
中国澳门							4.02	3				
中国台湾												101
摩尔多瓦							0.13					

数据来源：兰州海关；海关统计数据在线查询平台

　　相较于宁夏，甘肃从事枸杞产品进出口业务的企业较少，2010 年仅有 1 家，到 2015 年，出口企业才有 7 家；出口金额相对较小，出口金额维持在较低水平。

1.3　枸杞产业产品与市场发展问题

　　近年来我国枸杞种植业蓬勃发展，枸杞产品市场需求的逐年上升，枸杞产量大幅增长，加工技术日趋成熟，枸杞产业不断壮大，已经成为拉动农民增收，调整经济产业结构，促进区域经济发展的极具潜力的主导产业。但与此同时，生产成本高、产品以初级加工为主、品牌繁杂、市场秩序不规范等问题也日渐突出。更为严重的是，由于农药残留、亚硫酸盐、色素、恶性杂质等质量问题导致出口美国、欧洲等地的枸杞产品面临被退回困境，直接影响产业市场的可持续性和长远发展。

1.3.1　枸杞种植业发展问题

1.3.1.1　产业规模化程度低

　　目前，我国枸杞种植范围非常广，形成了一定的种植规模，但枸杞种植没有形成规模化经营，产量和贸易也尚未形成规模。近年来，宁夏、青海、甘肃等地虽然加强枸杞标准化生产积极推行农业生产标准体系建设，但是枸杞生产者主要以家庭生产和农民合作社为主，种植技术落后，优良品种研发和推广较慢，枸杞产业化、规模化、机械化程度不高。首先，种植过程中为防止病虫害提高产量，大量使用化学农药、化肥等，增加生产成本。这种粗放式种植，不利于整体管理和病虫害统防统治。其次，企业无法直营出口，多数枸杞产品只作为代理商的货物供应量，由代理商进行出口贸易，枸杞产业规模化程度较低[①]。

---

　　① 董誉婷，庞俊涛，李瑞瑶，等 . 2021. 宁夏有机红枸杞发展现状及提升路径［J］. 全国流通经济，(21)：107-109.

1.3.1.2 产品质量层次不高

枸杞在种植中需要严格防治病虫害，许多种植户为了提高枸杞产量、提升枸杞品质，滥用农药、化肥等投入，但当前采用的农药都带有一定的毒性，这样就出现了枸杞产品农药残留超标和重金属污染等质量安全问题。在枸杞晾晒阶段，有的枸杞生产者添加食用碱、亚硝酸钠等化学品以加快枸杞鲜果水分蒸发、保持色泽鲜美，有的为了节约成本，甚至违规添加硫黄熏制枸杞①。对枸杞进行加工的企业大多数以小作坊为主，环境卫生差，设备落后，拥有 GMP 数字化枸杞生产车间的企业只占少数，枸杞产品质量难以保证②。枸杞批发和销售过程中，不少厂商缺少符合要求的枸杞注册程序和包装措施，使得对于存在质量安全问题的枸杞产品，难以追溯供应商的责任，对实现枸杞产品的品质和规格统一存在很大影响③。此外，就枸杞产品质量安全监管方面来说，地方基层组织的检测能力相对较弱、检测仪器设备相对落后，不能满足枸杞产品主产区的安检需求。

1.3.2 枸杞产业链延伸问题

枸杞产业自古有之，从开始的枸杞种植栽培发展到现在的枸杞加工、交通物流、市场贸易。目前，制约我国枸杞产业发展的主要因素是枸杞产品形式单一，产业发展链条短④。①枸杞种植产区现在仍以传统的农户种植加工生产方式为主，产品质量和产业集中度不高，行业标准、安全指标、产品等级等在很长时间中都没有规范的标准，枸杞产品加工手段少、加工深度低、产品价值增值程度有限。②枸杞产品往往有品类无品牌，产品以零散简单的包装形式在市场上流通。③大部分枸杞生产企业主要以枸杞种植和枸杞干果初加工为主，高端枸杞产品市场开发不足，深加工产品占枸杞生产量比例小，附加值开发利用相对较弱，缺少市场上"叫得响、卖得好"的拳头产品。④枸杞生产加工企业科技研发能力较弱，枸杞药用、保健、美容、养生等功能还没有充分发挥出来。

总的来说，枸杞产业发展前段的枸杞苗木栽培、技术研发等水平较高，但没有形成市场规模，转化效率低；枸杞产业发展后端的枸杞产品研发水平低，枸杞

---

① 王永兰，成娟，徐晶晶，等.2021. 甘肃枸杞质量安全现状与高质量发展建议——基于甘肃靖远县枸杞质量安全现状［J］. 中国林副特产，(6)：87-91.

② 朱丽燕. 2021. 主动融入新发展格局 加快宁夏现代枸杞产业高质量发展——以中宁枸杞为例［J］. 时代人物，(30)：291-293.

③ 同①。

④ 同①。

产品深加工企业少、产品附加值低。此外,与枸杞产业发展密切相关的信息数据分析等现代服务业发展滞后①。

1.3.3 枸杞产业品牌建设问题

1.3.3.1 行业品牌效益不明显

近年来枸杞产业在全国实现了快速发展,宁夏地区的枸杞产品品质好,但是枸杞行业缺乏知名品牌。在宁夏地区枸杞产品这个宝贵的品牌资源中,找不到一个物美价廉、可以代表宁夏枸杞的品牌。在宁夏的枸杞产品市场中,枸杞品牌众多且杂乱,市场认知度低,产品优势不明显。据不完全统计,在宁夏枸杞市场中,"中宁枸杞""宁夏枸杞",以及由企业自己命名的枸杞品牌高达100多个,电商平台上的"宁夏枸杞"品牌也数目众多。即便是同一企业的枸杞产品,在外观形态以及包装上也有很大差别,产品非常杂乱,很多红枸杞产品的文字说明不规范,商标、Logo也没有鲜明特色,导致消费者难以辨识枸杞品牌②。

1.3.3.2 品牌保护难度大

我国红枸杞种植范围非常广,主要分布在青海、宁夏、甘肃、山西、新疆、河北、陕西、内蒙古等地,枸杞产品并不稀缺,但是品牌保护难度大。以宁夏枸杞市场中的"中宁枸杞"品牌为例,市面上销售的"中宁枸杞"之中近八成并非真正的"中宁枸杞",对品牌形象造成极大负面影响。另外,中宁枸杞市场定位比较低,在产品销售之前质量控制不严格。枸杞市场秩序还不够规范,市场准入和退出机制不够完善,市场监管还有漏洞,这都对枸杞品牌保护增加了难度。

1.3.3.3 缺乏龙头企业引领带动

目前市场上枸杞品种仍以"宁杞"为主,现有枸杞品种不能全面满足市场多元化需求,其他地区推出的优良品种如"蒙杞""科杞"等缺乏龙头企业引领和品牌带动,得不到有效推广。另外,枸杞龙头企业共建长效互惠枸杞品牌体系的意识较弱,造成枸杞产业"低端产品比例大、深加工比例小"的头重脚轻型

---

① 朱丽燕.2021.主动融入新发展格局 加快宁夏现代枸杞产业高质量发展——以中宁枸杞为例[J].时代人物,(30):291-293.
② 董誉婷,庞俊涛,李瑞瑶,等.2021.宁夏有机红枸杞发展现状及提升路径[J].全国流通经济,(21):107-109.

产业链条特征，不利于品牌和企业自主品牌的知名度和影响力①。

1.3.4　枸杞产业对外贸易问题

1.3.4.1　消费方式较单一、消费场景不丰富、消费频次不高

枸杞具有提高免疫力、抗疲劳、美白、延缓衰老、养肝明目、抗癌防癌等功效。枸杞产品的药用价值也非常高，但是枸杞产品始终没有在主要生活场景和主流消费人群中被广泛使用，总是作为一个无足轻重的存在。总的来说还是枸杞产品消费形式比较低端，消费场景较少，难以带动消费②。

1.3.4.2　市场营销建设滞后

国内枸杞销售主要以宁夏占主导市场，而青海、甘肃、内蒙古等产区枸杞销售市场相对较窄，市场份额少，中间环节多，终端客户少，无定价权、话语权，受市场价格波动影响大③，枸杞营销渠道平台缺少专业中介组织和经纪人队伍建设及运作。当地生产的枸杞干果基本都是被宁夏客商收购后，贴上"宁夏枸杞"的标签而走向市场。

1.3.4.3　绿色贸易壁垒影响

产品通过已经发布的法律、标准、认证和检验制度等形式，对从国外进货的商品实施严格的检验标准，这样可以使产品的技术提高，国外产品想要引进国内的难度也会因此增加，这种行为就叫绿色壁垒。当前，诸多国家就是通过这种手段，把绿色壁垒创造出来，以保护本国产品不受外来产品的冲击。日本调整了700多个对农药残留的标准，调整的技术指标多达5万多个，美国不仅对外来食品的要求非常的严格，而且还发布了 ISO 9000 系列的对食品质量的认证④。这些对相关的技术标准的要求是只增不减，导致我国枸杞产品在对外贸易中屡遭"绿色壁垒"的限制，口岸退货现象时常发生。

① 王永兰，成娟，徐晶晶，等.2021.甘肃枸杞质量安全现状与高质量发展建议——基于甘肃靖远县枸杞质量安全现状［J］.中国林副特产，(6)：87-91.
② 董誉婷，庞俊涛，李瑞瑶，等.2021.宁夏有机红枸杞发展现状及提升路径［J］.全国流通经济，(21)：107-109.
③ 林兆霞.2006."一带一路"视域下青海省枸杞产业发展现状及建议［J］.现代农业科技，(7)：335-336，338.
④ 郑文勋.2020.绿色贸易堡垒对我国枸杞行业的影响及对策［J］.经济研究导刊，(18)：58-62.

1.4 枸杞产业产品和市场发展战略思考

1.4.1 枸杞种植业发展思考

随着近年来我国枸杞主产区扩大种植规模，枸杞产量呈现快速增长的趋势。与此同时，国内外枸杞产品的消费能力尚未充分调动、市场尚未全面打开，枸杞产品市场需求不能及时对接产品增长量，导致产品滞销、价格波动，出现"高产量、低产值"现状。因此，我国枸杞种植业发展应思考种植规模和产品质量监管两个方面。

（1）控制种植规模，提高产品产地道地性

1）发展品质高优枸杞主产区种植业，逐步减少不适宜区域的种植规模和产量。宁夏、甘肃、内蒙古、新疆等部分区域是我国最适宜枸杞种植的区域，且从地理环境来看，均属于生态环境相对脆弱区域，极易造成水土流失、荒漠化、沙尘暴等生态环境问题。枸杞是兼备生态和经济的林种，在枸杞种植适宜区发展枸杞种植业，符合我国西北地区生态环境种植要求，既可以提高种植户的收入、优化特色产业结构、提升区域经济发展，还可以享受国家退耕还林等生态环境建设的优惠政策。同时，应考虑逐步减少黑龙江、河北，以及品质一般产区的种植规模。

2）适当控制产业种植规模和产量，提升枸杞产品质量。与主产区盲目扩大种植规模和产量形成鲜明对比的是，我国枸杞干鲜果产品过剩、产品价格也随之呈现波动性变化态势，种植户的规模生产未带来产值和收益提升，因而适当控制枸杞种植规模，稳定提升产业产值，避免以种植面积和产量为标准的盲目发展目标是当前急需解决的问题之一。

（2）建立标准生产体系，加强枸杞产品质量监督监管

1）建立统一的枸杞种植标准体系，提升产业发展的层次。面对我国枸杞对外贸易存在的质量问题频发现状，应针对荷兰、美国、马来西亚、日本、欧盟等主要贸易对象的农产品进出口标准体系开展研究，有针对性地修改现行标准，并开展 GAP、有机和绿色等认证工作，形成涵盖品种、水肥管理、种植、虫害控制、采摘、初深加工等各环节的统一生产标准体系与管理规范体系，实现产品质量提升。

2）建立高效的质量监管监督体系。从国内外市场来看，国内市场监管相对较松，枸杞干鲜果产品质量良莠不齐，消费者对产品质量缺乏有效的检验手段和平台，众多消费者只是被动地接受产品；而国外市场监管严格，我国枸杞产品在出口过程中多次由于农药残留、亚硫酸盐、恶性杂质等质量问题导致出口美国、欧洲等地的枸杞产品面临被退回困境，直接影响枸杞产业的可持续性发展。因此，建立高效监管监督体系，提高枸杞产品的产业总产值是当前枸杞种植业发展必经之路。

1.4.2　枸杞产业链条布局思考

目前，我国枸杞产业已经形成覆盖低、中、高等不同档次的产品体系，既包括以干鲜果为主的低端产品，也包括枸杞酒饮、美容化妆品、护肤品等中高端产品，产品附加值高低不一，企业产品归属不同，造成了枸杞产业"初级产品比例大、深加工比例小"的头重脚轻型的产业链条特征。因而，协调产业发展链条，提升产品附加值可以快速提升产业可持续发展，可从以下两个方面开展。

（1）培育壮大龙头企业，助推中小企业向特色链条发展，进一步优化产业链分工

1）通过合并、重组等多种形式，打造3~5家能够开展自主设计、研发，具有核心竞争能力和知识产权的龙头企业，优化各龙头企业在枸杞产业链中的分工，借助龙头企业的能力和自有品牌，积极研发、生产枸杞美容化妆品、医疗保健品等高端产品，形成"涵盖产业链条、生产高端产品"的产业发展模式。

2）积极引导中小企业走"新、精、专"路径，针对某一特定产品开发挖掘，避免同质发展所带来的资源竞争和浪费，最终形成"龙头企业配套中小企业"的发展模式。

（2）积极延伸产业链，发展高附加值产品

围绕枸杞干鲜果、枝条、叶柄、籽等不同原料开展研究，提高原材料的综合利用能力，开发新型产品，改变由干鲜果、初级加工产品为代表的传统枸杞产品体系；发展枸杞面膜、医药制剂、精细提取物等精深加工产品，加快枸杞产业升级转型的速度和途径，促使枸杞产业向"纵向延伸"与"横向扩展"发展。同时，积极挖掘枸杞历史典故，将枸杞产品与我国传统文化相结合，打造蕴含枸杞文化的第三产业，形成集生产环节参观、生产地观光体验、枸杞文化宣传、枸杞饮食品赏尝等为一体的枸杞休闲产业。

1.4.3　枸杞产业品牌建设思考

品牌是一个行业发展的窗口和载体，品牌建设的优劣直接影响产业发展形势。目前，我国枸杞产业混乱无序、各自为政的品牌现状极大地阻碍了产业快速发展。因此，打造国内一流国际知名的高端枸杞品牌，形成具有影响力的品牌体系是当前枸杞产业发展的重要环节。

（1）围绕枸杞产业链条，制定枸杞产业品牌提升计划

结合我国枸杞产业的产品结构，从低、中、高等不同层次推进枸杞产业品牌建设计划，在每一个典型产品类别中建成具有一定影响力的商标，借助"品牌效应"带动产业升级改造。

（2）借助现有品牌，升级品牌档次

在"中宁枸杞""宁夏红""杞浓""早康""宁杞堂""沃福百瑞""百瑞源""大漠红""精杞神"等现有国内枸杞知名品牌的基础上，加大特色品牌的支持力度，提高现有品牌的国内国际影响力，将部分影响力小、使用率低、产品重叠等商标进行注销，提高品牌效应。

（3）保证产品质量、创新产品类型

目前我国枸杞产品已形成一定规模的产品结构，但产品质量良莠不齐，极易造成因产品质量问题导致品牌受挫。因此，提高产品质量危机感，以围绕打造国际知名品牌的最高标准生产每一款产品，避免品牌事故。同时，开展产品创新，研发高附加值的产品类型，通过具有针对性的营销策略提升品牌影响力。

（4）通过国家重大战略，加大枸杞品牌的宣传力度

借助中阿论坛、"一带一路"倡议等国家行动，通过新闻媒体、展销会、推介会、文化交流、国际文化节等多种方式，有针对性、目标性、差异性地开展枸杞产业品牌提升活动，扩大品牌的知名度和影响力。

1.4.4 枸杞产业对外贸易思考

目前，我国枸杞产业对外贸易呈现"长期平稳增长、短期回落波动"的趋势。2001～2015年，枸杞出口量从5802t增长至9799t，增长率为68.89%，出口额从783万美元增长至10 757万美元，增长率达1273.82%。但对外贸易产品价格不稳定、附加值低、供应商互挖墙脚等问题仍然突出。因此，应从以下几个方面开展对外贸易。

（1）实施枸杞产业"走出去"战略

近年来，国家提出了"一带一路""中阿合作"等倡议，枸杞产业应该积极谋划"走出去"发展路径，借助国家重大战略，做大做强对外贸易。

（2）建立统一的监管监督标准，严守出口产品质量

枸杞产业对外贸易涉及商品检疫、知识产权保护、质量监管和信息互通等环节，需要进行统一策划、组织和实施。未来的对外贸易目标是实施检疫一体化、质量监督一体化、知识产权保护一体化、监管一体化，在互通信息、保障产品质量的基础上，实现区域间枸杞贸易合作，让不同区域之间合作程序化简化，提升我国枸杞产业对外贸易能力。

（3）推广枸杞文化，提升产品内涵

可在深入挖掘枸杞古典故事的基础上，结合历史人物、历史事件等资料，完善和提炼枸杞文化，利用国外消费者对中国传统文化好奇心的特点，宣传枸杞产品，提高枸杞产品的文化底蕴和对外贸易水平。

（4）细分消费者市场、有针对性地开发产品类型

根据不同国家、不同地区消费者的喜好和口味，不断创新和研发具有针对性的枸杞产品，满足不同消费者群体的多元化需求。同时，国家级或省级龙头企业要把目标放在国际枸杞市场的开拓上，在借助区域公用品牌知名度的基础上，不断提高企业自身及其产品的品牌在国际市场的美誉度，提升我国枸杞对外贸易水平和产品国际化进程。

| 2 | 枸杞产业技术路线发展战略研究

技术创新进程伴随着传统产业的改造及新兴产业的创立与结构升级。党的十九大、二十大报告中指出，我国经济已由高速增长阶段转向高质量发展阶段，正处于转变发展方式、优化经济结构、转换增长动力的攻关期。要想推动枸杞相关产业的结构升级，就要大力发展相关技术，进行技术创新，着力解决枸杞产业发展中的实际的技术难题。枸杞产业技术的发展依赖科技创新的投入，通过产业规模的发展，吸收相关的技术创新人才，亦有助于枸杞产业结构的升级。

枸杞产业领域包括枸杞的种质资源选育、种植栽培、病虫害绿色防控和监测，以及以枸杞干果销售为目的果实保鲜、烘干等处理技术。经过多年的发展，枸杞产业在育种、种植、栽培以及枸杞干果等处理技术方面已经有了长足的发展，相应的加工技术也更加成熟。同时，鉴于以枸杞干果销售为目的的保鲜、烘干等处理技术是本领域普遍技术，对枸杞产业附加值增加影响有限。因此，枸杞产业领域发展的重点应是能够大幅提升枸杞产业增加值的枸杞深加工产品。

按照枸杞产业生产过程，枸杞产业技术可以分为以下几大类，一是田间管理技术，主要包括枸杞育苗、肥料及施肥、杀虫剂、灌溉、种植。二是枸杞初加工方法与机械，机械主要涉及枸杞采摘、清洗、浆液制备、烘干、分级等环节，枸杞初加工涉及枸杞鲜果/干果的保鲜、冷冻、保存、灭菌、脱硫等技术和方法。三是枸杞有效成分提取，主要包括玉米黄质、棕榈酸酯、枸杞籽油、枸杞多糖、类胡萝卜素、叶黄素、甜菜碱、矮牵牛素、花青素和绿原酸等多种物质的提取。四是枸杞产品深加工技术，主要集中在食品、食料，非酒精饮料，医用或梳妆用配制品，果汁酒及其他含酒精饮料，咖啡、茶及其代用品等。另外，受到"国潮风"的影响，诸如"杞榴嗨""黑美人""枸杞口红"等一系列的枸杞潮品也丰富了传统的枸杞深加工产品[1]。枸杞深加工产品中，医用或梳妆用配制品的专利申请量最多，主要是利用枸杞明目、护肝利肾、延缓衰老、降脂降压降糖等功效，但属于中药配伍产品，枸杞在其中并不是最主要的成分；美容产品的授权申请人较为分散，主要以个人申请为主；枸杞非酒精饮料产品工业化程度较高，投资小见效快，技术难度适中，是枸杞深加工的重要发展方向；枸杞酒精饮料生产

---

① 何晨阳. 2021-10-12. 塞上枸杞正"蝶变"［N］. 经济参考报, (5).

工艺有发酵型和配制型，发酵型枸杞酒开发潜力巨大。

　　本章的分析和研究对于解决枸杞产业发展的关键技术问题具有重大意义。通过大范围收集国内科研院所及相关产业发展中的枸杞产业技术现状的相关材料，进行文献对比和分析，找出枸杞产业发展中的普遍制约的关键技术问题，以期提出解决产业发展链条中相关问题的策略，为致力于枸杞产业的研究人员和从业者提出有意义的决策参考。下面将从枸杞生产的环节，对枸杞产业技术进行逐一分析。

2.1　枸杞产业技术发展现状

2.1.1　枸杞种植和管理技术

2.1.1.1　枸杞育苗育种技术

（1）枸杞资源收集和评价

　　2009 年，宁夏农林科学院枸杞科学研究所获批国家枸杞工程技术研究中心，建成世界唯一的枸杞种质资源圃，面积达 66 700m^2，收集了 2000 余份的种质资源，为枸杞新品种选育奠定了物质基础。国内对枸杞种植资源的收集与研究工作从 20 世纪 60 年代发现黄果枸杞新变种开始，不断持续，这些枸杞研究成果为枸杞的育种提供了基础研究资料（表 2.1）。枸杞资源基础理论研究仍是枸杞产业发展不可或缺的重要环节之一；但是，与其他作物基础研究相比，枸杞在该领域的研究仍处于起步阶段，研究的系统性和深度有待加强[1]。

表2.1　国内枸杞种质资源研究

研究人员	成果
秦国峯[2]	20 世纪 60 年代初期，首次在野生枸杞调查中发现了宁夏枸杞的一个新变种—黄果枸杞
陈冬玲[3]	对一种野生美国枸杞（Lycium americana）的形态特征、生物学特征和染色体进行了详细观察研究，并在武汉进行引种繁殖实验，认为该品种可作为地理远缘杂交的枸杞种质资源

　　① 安巍，章惠霞，何军，等 .2009. 枸杞育种研究进展 [J]. 北方园艺，(5)：125-128.
　　② 秦国峯 .1966. 枸杞品种类型及良种简介 [J]. 宁夏农业科学通讯，1（1）：21-23
　　③ 转引自：胥耀平，李冰 .1996.10 个主要枸杞品系综合评定 [J]. 西北林学院学报，11（3）：48-51，60.

续表

研究人员	成果
秦垦等[1]	首次报道了枸杞雄性不育种质
胥耀平和李冰[2]	于1996年对农家品种大麻叶、小麻叶、白果、圆果、大黄果枸杞、宁杞1号、宁杞2号及72001、72004、72007品种（系）进行调查，采用合理-满意度和多维价值理论综合评价了10个栽培量大品系的生长特性、抗性、枸杞果实品质特性
章英才和张晋宁[3]	对枸杞属5个叶片进行了比较研究，表明茄科枸杞属5种叶片的气孔类型、分布、大小及叶片内部结构存在较大差异
李楠等[4]	1995年，首次报道了中国枸杞属6种枸杞在光学显微镜和扫描电镜下进行研究的花粉形态
樊云芳等[5]	对枸杞属7种3变种及3个种间杂交后代植株的花粉形态进行了电子显微镜观察，首次依据花粉形态建立了枸杞7种3变种的分类检索表
曹有龙和巫鹏举[6]	报道了枸杞的起源与栽培历史；枸杞种质资源研究的主要内容和方法；枸杞属植物种质资源及其分类；枸杞野生种质资源；枸杞栽培种质资源
郑文菊和张承烈[7]	对中生和盐生环境生长的宁夏枸杞叶进行了显微和超微结构研究，探讨其抗逆性，为抗性品种筛选提供理论依据
彭勇等[8]	应用傅立叶变换红外光普法对中国境内的枸杞7种3变种的亲缘关系进行分析，建立了各种及变种的红外指纹图谱
安巍等[9]	对60份枸杞种质资源果实数量性状进行统计分析，提出数量性状数值分类标准和参照品种，为枸杞种质资源描述体系的规范化和标准化提供理论依据

（2）枸杞育种途径及育种成果

枸杞育种目前主要采用自然变异选优、杂交育种、诱变育种、航天育种和分

① 秦垦，吴广生，王俊. 2006. 两个宁夏枸杞品种叶片的解剖比较研究 [J]. 宁夏农林科技，（1）：9-10.

② 胥耀平，李冰. 1996. 10个主要枸杞品系综合评定 [J]. 西北林学院学报，（3）：48-51，60.

③ 章英才，张晋宁. 1999. 几种枸杞属植物叶片的结构比较 [J]. 宁夏大学学报：自然科学版，（4）：374-378.

④ 李楠，杨昌友，马晓强，等. 1995. 中国枸杞属（Lycium L.）花粉形态研究 [J]. 八一农学院学报，（2）：45-50，75.

⑤ 樊云芳，安巍，曹有龙，等. 2008. 枸杞属（Lycium Linn.）13份供试材料花粉形态研究 [J]. 自然科学进展，18（4）：470-474.

⑥ 曹有龙，巫鹏举. 2015. 中国枸杞种质资源 [M]. 北京：中国林业出版社.

⑦ 郑文菊，张承烈. 1998. 盐生和中生环境中宁杞叶显微和超微结构的研究 [J]. 草业学报，（3）：72-76.

⑧ 彭勇，孙素琴，赵中振，等. 2004. 国产枸杞属植物的红外指纹图谱无损快速鉴别研究 [J]. 光谱学与光谱分析，（6）：679-681.

⑨ 安巍，章惠霞，何军，等. 2009. 枸杞育种研究进展 [J]. 北方园艺，（5）：125-128.

子育种等多种途径，并取得了一些突出的科研成果（表2.2）。

表2.2 枸杞育种途径及育种成果

育种途径	育种成果
自然变异选优	在种植历史过程中，经自然选择和人工选择，先后筛选出大麻叶、小麻叶、黑叶枸杞、白条枸杞、卷叶枸杞、黄叶枸杞等十多个农家栽培品种
	1985年钟鈺元等采用单株选优法，从大麻叶枸杞中相继选育出"宁杞1号""宁杞2号"2个新品种，为枸杞产业的发展提供了良种
	2005年胡忠庆从大麻叶枸杞群体中选育出了"宁杞4号"，并在中宁等枸杞产区推广种植
	雷志荣经单株选优选育出"蒙杞1号"，通过内蒙古农作物品种审定委员会审定
杂交育种	李润淮等首次用野生枸杞与栽培枸杞进行杂交育种，使枸杞间杂交获得成功，实现枸杞杂交育种的创新，培育出菜用枸杞新品种"宁杞菜1号"，可广泛地应用到蔬菜生产领域
	安巍、王锦绣等先后用"宁杞1号"枸杞与四倍体枸杞杂交授粉，培育出三倍体无籽枸杞
	安巍、石志刚、焦恩宁、王锦绣等先后以枸杞、番茄为亲本进行属间远缘杂交育种试验，获得了大量的杂交株系
诱变育种	在化学诱变方面，钟鈺元、马爱如等利用秋水仙碱+二甲基亚砜处理枸杞发芽种子，均获得四倍体植株
	艾先元等用秋水仙素处理枸杞茎尖组织，获得12株加倍苗（包括嵌合体），其中3株为同源四倍体苗（$2n=4x=48$），9株是嵌合体苗
	王仑山等用1.5%、1.0% NaCl对枸杞无菌苗下胚轴诱导产生的胚性愈伤组织进行诱导培养，选出了耐1.0% NaCl的抗盐变异体再生植株
	在物理诱变方面，曹有龙等利用60Co-γ射线对"宁杞1号"枸杞胚性愈伤组织诱导，并以枸杞根腐病病菌尖孢镰刀菌的粗毒素成功筛选出抗病变异体的再生植株
航天育种	枸杞航天育种始于2003年。宁夏农科院枸杞工程技术研究中心于2003年8月利用我国第18颗返回式卫星搭载宁夏枸杞种子，当年11月回收种子，2004年播种，2005年进行种植，通过对枸杞航天苗群体遗传性状进行对比观察，通过太空真空、宇宙射线等刺激种子的遗传物质，航天诱变苗发芽率比对照提高10.6%，在生长势、株高、地径、发枝数、现蕾率方面均优于对照，果实形态、结果期、生长量、叶片形态与对照之间差异明显
枸杞组织培养与育种	利用枸杞植株器官、组织及原生质体可诱导出枸杞植株或将枸杞组织培养技术与原生质体融合及重组DNA遗传转化技术相结合
	离体胚、胚乳的培养：枸杞育种目标之一是获得无籽枸杞，通过对枸杞四倍体同二倍体杂交种子幼胚和胚乳的发育形成研究，诱导出完整的三倍体植株，同时利用胚乳离体培养诱导三倍体植株，也可以获得无籽、大果枸杞新品种

育种途径	育种成果
枸杞组织培养与育种	单倍体和多倍体培养：单倍体植株在育种中具有重要意义。樊映汉等采取枸杞含单核晚期花粉的花药进行离体培养，诱导出单倍花粉植株。多倍体植株相对于正常植株有粗壮、果实大等特点。有学者利用秋水仙碱和二甲级亚砜处理枸杞发芽种子获得了四倍体，表现出多倍体植株特有的"巨型"特征，四倍体与二倍体杂交获得的三倍体枸杞多糖含量比现有枸杞多糖含量提高 11.3%，无籽
	单细胞和原生质体培养：牛德水等开展了枸杞细胞系的建立及单细胞培养再生植株的研究，建立了枸杞细胞系，进行了单细胞分离培养；张国柱等诱导枸杞幼芽和叶片形成愈伤组织，首次探讨了枸杞细胞悬浮培养条件；曹有龙等用枸杞髓进行组织培养，分离出单细胞进行悬浮培养获得了单细胞再生植株；宁晓春等开展了黑果枸杞原生质体培养及植株再生的研究，以黑果枸杞无菌苗为材料，建立了愈伤组织来源的原生质体再生体系，采用 ISSR 和 FCM 技术对再生植株进行了遗传稳定性分析

(3) 组织培养工厂化育苗技术应用现状

1）应用现状。组织培养工厂化育苗是现代农业发展的产物，它是在人为创造的最佳环境条件下，采用科学化、机械化、自动化等技术手段进行批量生产优质种苗的一种生产方式。引进工厂化育苗是传统农业向现代农业转变的重要标志。与传统育苗相比，组织培养工厂化育苗种苗出苗快，质量好，苗齐苗壮，病虫害少，且不受季节的限制，适合远距离运输，更利于新品种的迅速推广。统一标准的成品苗易于实现规模化生产。

2）枸杞组织培养工厂化育苗技术的发展形势分析。目前的枸杞种苗，主要通过自繁自育的方法获得，商品化的枸杞苗木企业较少，而且传统种苗以扦插为主，这样导致枸杞植株病毒不断积累，种苗品质不断下降。通过组织培养选育优良植株，进行工厂化生产的方式是保持枸杞种苗优良性状、高效培育的有效技术手段之一。

然而，目前所获得的枸杞新品种均停留在育种试验阶段。关于枸杞组织培养的研究虽多，但应用的实例几乎没有。要进行工厂化育苗还面临着很多问题：①组织培养技术的研究与推广普及脱节。尽管国内有很多学者从事枸杞工厂化育苗技术的研究，在基质配制和加工、育苗环境因子控制、育苗技术方面取得了进展，但这些研究成果还没得到推广。②关键技术有待突破。国内研发的设备、设施虽然价格较低，但性能还不稳定，故障率较高，实现自动化还需要进一步革新。③设备价格高，投资成本大。组织培养工厂化育苗需要集成设施生物技术、设施工程技术、设施智能控制技术和现代管理技术为一体，设备价格昂贵，投资较大，同时工厂育苗需要消耗大量的水电资源，运营成本较高。④创建品牌商品苗较难。目前我国组织培养工厂化育苗生产企业的规模都较小，很难降低成本、抵御经营风险，难以调动生产者的积极性。因此育苗企业必须扩大生产规模，进一步满足市场经济发展的需求，采用现代化企业经营，培育属于自己的特色品牌①。

（4）枸杞育种技术与工作中存在的问题

1）杂交育种技术。1994 年，宁夏农林科学院枸杞研究所用野生枸杞与栽培枸杞进行杂交育种，历经七年培育出菜用枸杞专用品种"宁枸菜 1 号"，培育费时费工，生产成本较高。继而，以宁夏枸杞种内的品种"宁杞 1 号""宁杞 2 号""白花枸杞"作为父母本，选配杂交组合，基于 ITS 条形码序列早期筛选枸杞种内杂交种，并对其产生的杂交后代进行聚类分析，分析杂交后代与父母本的亲缘关系与差异，对其杂交后代进行早期筛选，对建立枸杞杂交种种内杂交分子标记辅助育种技术及缩短育种周期具有重要意义②。

2）枸杞种质资源收集评价工作相对滞后。枸杞育种虽然起步较晚，但是在科研人员的不懈努力下，借助多种新技术，取得了上述的科技成果，推进了枸杞育种工作进程，但与其他作物育种相比较，还存在许多不足和缺陷。一是，自然界分布的枸杞属植物约有 80 余种，在全球呈现离散性分布，主要分布在南美洲、北美洲、大洋洲、欧亚大陆、太平洋岛屿和南非等地域。其中，欧亚大陆约有 10 种，主要分布在中亚；非洲南部分布约 20 种；北美洲南部约 20 种；南美洲南部分布最多，达 30 余种③。目前已收集到的国内外枸杞属 10 个种、3 个变种及宁夏枸杞种的一些品种、品系，因此急需通过国际合作，收集国外种质，加快枸杞资源创新与利用。同时，枸杞种质资源分布的数量、地理环境、土壤状况、气象资料等缺乏详尽的资料记载，制约了对枸杞多样性和系统性调研。二是，枸杞种质资源保存方式单一，仅以活体植株保存，未能结合种子保存、花粉保存、营养体保存和分生组织保存。三是，尚未建立规范的枸杞种质资源描述评价系统，未有统一编目和描述规范，目前还没有统一标准对种质资源进行数字化表达。

3）缺乏枸杞育种理论支撑。当前在枸杞育种领域，主要是未能发掘和利用种质资源中的有利核心基因，缺乏有自主知识产权及育种价值的基因和标记，对控制重要性状的基因、基因间及其与环境互作的分子基础知之甚少，缺少枸杞遗传育种理论和系统的分子育种方法，多种遗传改良信息和技术的集成应用不足，缺乏系统的品种设计思路。对于枸杞基因编辑的育种现状，定向诱导基因组局部

① 廖思红 . 2014. 枸杞组织培养工厂化育苗技术研究进展［J］. 安徽农业科学，42（23）：7700-7701，7722.

② 石志刚，马婷慧，万如，等 . 2017. 基于 ITS 条形码序列早期筛选枸杞种内杂交种［J］. 江苏农业科学，45（6）：138-139.

③ Fukuda T, Yokoyama J, Ohashi H. 2001. Phylogeny and biogeography of the genus Lycium（Solanaceae）: Inferences from chloroplast DNA sequences［J］. Mol Phylogenet Evol, 19（2）:246-258.

突变技术（Targeting Induced Local Lesions IN Genomes，TILLING）和基因组编辑技术还未见成功应用。

4）缺乏枸杞育种信息化管理平台和机制。现有育种技术有待进一步共享和利用，建立健全枸杞育种信息化管理平台和机制，将分子标记辅助育种与常规的枸杞种植资源鉴定技术、常规育种，以及基因组学及新技术的开发结合起来，进行统一整合和管理，进行推广和普及，使其发挥最大的推动作用。

5）枸杞品种审定工作亟待加强和改进。应及早建立以专业研究技术人员为主体的国家级枸杞品种审定委员会，制定和完善枸杞品种审定工作程序和章程，提高品种审定水平，保证审定品种的可推广性和实用性。

2.1.1.2 枸杞田间水肥管理技术

我国"十四五"期间提出农业化肥减量目标和路径，倡导水肥一体化技术的推广。但是，枸杞的种植不仅需要大量施肥，还需要连续施肥。高效利用水肥技术，实现资源利用最大化、经济效益最大化及产量最大化是获得枸杞优质、高产的必要条件，合理施肥一方面是供给枸杞植株所需养料，同时还会改良土壤环境，减少肥料过量而导致的环境污染。

（1）枸杞施肥种类与施肥方式

1）氮肥。有报道认为，生产 100kg 枸杞干果需从土壤中吸收氮素 9.7kg。在 6 月下旬，枸杞春梢生长、叶片增大、果实逐渐成熟，该时期的枸杞树体，需要吸收、消耗大量的氮素。碱解氮被认为是影响总糖含量的主要因素，在土壤碱解氮含量相对较低时，类胡萝卜素相对较高，维生素 C 则较低。氮素的多少直接影响枸杞果实中蛋白质和氨基酸的含量。总糖、β-胡萝卜素、类胡萝卜素、维生素 C、蛋白质、氨基酸等的含量直接对枸杞果实的品质产生影响[①]。依据民勤地区枸杞栽培经验发现：施加尿素可以增加土壤中氮的含量，可以每亩施加 15~20kg 尿素（氮素含量 46%），可提供约 6.9~9.2kg 氮素，并施加磷酸二铵（氮素含量 18%）以保证氮素含量。

2）磷肥。研究发现，100kg 枸杞干果能吸收利用土壤五氧化二磷 15.4kg。这表明枸杞的产量和品质与磷元素相关性较高，但高品质的枸杞果实对磷的需求却不大。当土壤中全磷和速效磷含量增加时，枸杞多糖含量会随之减少，果实采收期，含磷量较低更利于枸杞果实多糖的合成。枸杞果实的总糖、多糖、总酸、类胡萝卜素含量均与土壤速效磷含量呈线性负相关，甜菜碱含量与其呈线性正相关。尤其是种植区域为盐碱地时，需考虑盐碱对磷有效性的影响，并将配施有机

---

① 谭建萍. 2013. 柴达木地区枸杞施肥及主要病虫害防治技术研究［D］. 西宁：青海大学硕士学位论文.

肥作为最有效的施磷方法。依据民勤地区枸杞栽培经验发现：施加磷酸二铵可以增加土壤中磷的含量，可以每亩施加 15～20kg 磷酸二铵（五氧化二磷含量 46%），可提供约 6.9～9.2kg 五氧化二磷，以满足土壤磷含量。

3）钾肥。盐碱化土壤中的钾素较丰富，其供应能力主要取决于速效钾和缓效钾的含量。不同于氮素和磷素的是，钾素参与枸杞生命活动——有机糖和淀粉的合成、运输和转化，却并不参与有机物的结构组成。施用钾肥可以提高枸杞的含糖量和维生素 C 含量，有助于合成酸性物质和枸杞果实中甜菜碱的含量，能改善枸杞果实的品质。依据民勤地区枸杞栽培经验发现：施加硫酸钾可以增加土壤中钾的含量，可以每亩施加 5～10kg 硫酸钾（钾含量 50%），可为土壤提供约 2.5～5kg 钾元素。

（2）枸杞水肥一体化技术

枸杞水肥管理中存在的问题较多：一是，施肥结构不合理，有机肥少化肥多。在施肥结构方面，有机肥占调查样本数的比例不足 20%，化肥比例则占 80% 以上，主要以尿素、磷酸二铵和硫酸钾复合肥为主。二是，肥料投入成本过高，氮磷钾肥偏高，微肥偏少。据调查，中宁亩产 550kg 的枸杞成龄树干果肥料投入 1500～1800元，亩产 150kg 的枸杞幼龄树也在 1000 元以上。惠农亩产 300kg 的枸杞成龄树亩肥料投入 450～600 元。肥料使用量过高，会造成枸杞产期土壤环境的污染。三是，灌溉方面，没有明确的灌溉指标。四是，施肥方法不合理，肥料利用率低，造成根系下扎不深，枸杞根腐病发生普遍，危害严重，死亡植株每年在 3%～5%。

在农田改种枸杞滴灌产区，按照控为主、促为辅的施肥技术路线，原则为前促、中保、后补。2～4 年幼龄枸杞树，目标产量为 50～150kg，整个枸杞周年亩施纯 N 量为 25～30kg，P_2O_5 为 15～20kg，K_2O 为 10～15kg；5 年以上成龄枸杞树，目标产量为 200～300kg，整个枸杞周年亩施纯 N 量为 35～40kg，P_2O_5 为 25～30kg，K_2O 为 15～20kg；滴灌量在 260～280m³，滴灌次数在 8～10 次，滴肥 5～6 次，做到水肥一体化（表 2.3，表 2.4）。

新垦枸杞滴灌产区按照以促为主、控为辅的施肥技术路线，原则为前促、中保、后补。2～4 年幼龄枸杞树，目标产量 30～100kg，整个枸杞周年亩施纯 N 量为 35～40kg，P_2O_5 为 25～30kg，K_2O 为 20～25kg；5 年以上成龄枸杞树，目标产量为 150～250kg，整个枸杞周年亩施纯 N 量为 45～50kg，P_2O_5 为 35～40kg，K_2O 为 25～30kg；滴灌量在 280～320m³，滴灌次数在 10～12 次，滴肥 6～8 次，做到水肥一体化（表 2.3，表 2.4）。

（3）栽培中绿肥的使用

绿肥作为一种长效、缓效的有机肥，可以增强枸杞抗旱、抗寒、抗盐和抗病的性质。枸杞生产过程中使用的绿肥作物主要有箭筈豌豆、毛苕子等。

表 2.3 枸杞幼龄树水肥运筹管理方案

物候期	种植类型	滴水次数	每次滴灌量（m³/亩）	滴肥 次数	每次施肥量（kg/亩）专用肥*/专用肥	尿素/尿素	一铵/一铵	单质硫酸钾/单质硫酸钾
春梢生产期（4月下旬~5月上旬）	农田改种产区	2~3	15~20	1	7~8/0	0/8~10	0/1~2	0/0
	新开垦产区	3~4	15~20	1	10~14/0	0/10~12	0/3~4	0/0
现蕾开花初期（5月中旬~6月中旬）	农田改种产区	3~4	15~20	2~3	6~8/0	3~4/6~15	2~5/5~6	4~5/3~4
	新开垦产区	5~6	15~20	3~4	4~5/0	2.5~3/4~5	4~6/4~5	2/3~4
果熟期（6月中旬~7月下旬）	农田改种产区	5~6	10~15	2~3	6~8/0	2~3/15~6	2~5/5~6	5~6/6~8
	新开垦产区	6~7	15~20	3~4	4~5/0	2.5~3/4~5	4~6/4~5	6~7/6
夏秋季休眠期（8月上旬~9月上旬）	农田改种产区	1~2	15~20	1	7~8/0	0/8~10	0/1~2	0/0
	新开垦产区	2~3	15~20	1	10~14/0	0/10~12	0/3~4	0/0
合计	农田改种产区	11~15	140~270	6~8	46~52/0	12~16/46~56	24~30/26~34	20~30/20~33
	新开垦产区	15~18	210~360	8~10	50~60/0	18~20/50~60	22~28/20~48	24~36/27~40

*春梢生产期、夏秋季休眠期施用枸杞专用肥Ⅲ号，现蕾开花初期施用枸杞专用肥Ⅰ号，果熟期施用枸杞滴灌专用肥Ⅱ号

表 2.4 枸杞成龄树水肥运筹管理实施方案

物候期	种植类型	滴水次数	每次滴灌量（m³/亩）	滴肥 次数	每次施肥量（kg/亩）专用肥*/专用肥	尿素/尿素	一铵/一铵	单质硫酸钾/单质硫酸钾
春梢生产期（4月下旬~5月上旬）	农田改种产区	2~3	15~20	1	15~20/0	0/10~12	02~3	0/0
	新开垦产区	3~4	15~20	1	18~20/0	0/14~15	0/6~8	0/0
现蕾开花初期（5月中旬~6月中旬）	农田改种产区	3~4	15~20	2~3	5~9/0	4/8~12	8~9/8~5	5~6/6
	新开垦产区	4~5	15~20	3~4	5~6/0	4/5~7	4~5/4~5	5/6
果熟期（6月中旬~7月下旬）	农田改种产区	5~6	10~15	2~3	5~9/0	4/10~10	9~12/8~9	5~6/6~7
	新开垦产区	6~7	15~20	3~4	5~6/0	4~5/7	5~6/6~8	5/6
夏秋季休眠期（8月上旬~9月上旬）	农田改种产区	1~2	15~20	1	15~21/0	0/10~12	0/2~3	0/0
	新开垦产区	2~3	15~20	1	18~20/0	0/14~15	0/6~8	0/0
合计	农田改种产区	11~15	140~270	6~8	66~72/0	16~24/64~78	34~42/36~48	24~30/26~36
	新开垦产区	15~18	225~380	8~10	70~84/0	27~32/70~84	30~40/42~68	24~36/36~48

*春梢生产期、夏秋季休眠期施用枸杞专用肥Ⅲ号，现蕾开花初期施用枸杞专用肥Ⅰ号，果熟期施用枸杞滴灌专用肥Ⅱ号

根据青海省柴达木盆地的格尔木地区的研究，箭筈豌豆 120.0kg/hm² 和 180.0kg/hm² 两种播量，以及毛苕子 75.0kg/hm² 和 102.5kg/hm² 两种播量在鲜草产量上均无实质差异，所以在枸杞间作绿肥作物时，为降低成本，生产上可采用毛苕子 75kg/hm² 或箭筈豌豆 120kg/hm² 进行播种。虽然参试的两种绿肥作物在株高等指标方面表现出一定的差异性，但两者的鲜草产量基本相同，所以间作上既可以选择箭筈豌豆，也可以选择毛苕子，两者均可以达到相同的效果①。

在将绿肥翻压腐解过程中，土壤速效钾含量在 45～60d 内出现一个高峰，且显著高于对照土壤中的速效钾含量，该时期正值枸杞植株开花结果时期，钾素增加将有利于枸杞开花或结果的数量和质量。

毛苕子绿肥在埋入土壤 45d 内腐解明显，正值枸杞树开花结果期，此时将为作物供给大部分养分，尤其是氮素、速效磷、速效钾，为枸杞开花结果创造了一个良好的微环境，使间套作枸杞增产增效，成为减少化肥用量的重要举措，为"豆科绿肥－枸杞"间套作推广提供理论依据。随后的 45d 内干物质和养分释放无显著的变化。翻压绿肥 90d 后，能显著地增加土壤中全氮、全磷含量，而对土壤全钾含量的影响在于整个腐解过程中，全钾含量变化的波动较大。速效钾含量在绿肥腐解 60d 时，出现一个高峰，且显著高于对照土壤中的速效钾含量，其价值在于该时期正值枸杞植株开花结果时期，钾素的增加将有利于枸杞开花或结果的数量和质量。

2.1.2　枸杞采摘和初加工技术

2.1.2.1　枸杞机械化生产技术

（1）智能采摘技术现状

枸杞生长具有"无序花序、连续花果"的特点，即开花、结果、成熟同时进行，采收工作的难度较大。人工采摘枸杞的效率仅为 3～5kg/h，而费用高达 2000 元/亩，占生产成本的 50% 以上。因此，研制适合我国国情的枸杞采摘机械对促进枸杞产业发展具有重大意义②。

我国的枸杞种植多属密植型，种植密度为 330 棵/亩，行距和株距相对较小，行距一般为 1.0～1.5m；藤枝错综复杂，不适于大型采摘机械进地作业③。我国

① 马顺虎，马明呈，田丰，等.2014.青海柴达木地区毛苕子腐解对枸杞生长的影响［J］.西北林学院学报，29（6）：106-109，118.
② 冯正睿.2013.酒泉市枸杞采摘实现机械化刻不容缓［J］.农机科技推广，（12）：34-35.
③ 程敬春，郭辉，韩长杰，等.2012.枸杞机械采摘技术研究现状及发展趋势［J］.农业科技与装备，（3）：12-13.

的枸杞采摘机械研究始于 21 世纪初，主要以内蒙古、宁夏、新疆等主要枸杞种植区为研究地。当前我国的枸杞采摘机以中小型手持式为主，具有结构简单、体积小、质量轻、便于携带、工作效率较低等特点。

目前，枸杞采摘的机械主要有机械振动式枸杞采摘机、机械梳刷式枸杞采摘机及剪切式枸杞采收装置。

机械振动式枸杞采摘机是国内市场上的主要机型，机械梳刷式枸杞采摘机目前还处于研发阶段，市场上没有成型产品。剪切式枸杞采收装置是利用采摘刀以一定速度运行，切断果实果柄，完成果实采摘。这几大类的采摘机械有各自不同的机械构造与优缺点（表 2.5）。

表 2.5　各类枸杞采摘机械的构造及其优缺点比较

机械类型	构造	优点	缺点
机械振动式枸杞采摘机	电动机、高频发生器、偏心轮、连杆、抓枝器等组成	机械振动式枸杞采摘机的采摘效率达 10～30kg/h，是人工采收的 5～10 倍；采净率在 90% 以上，果实破损率在 10% 以下，可节约采摘成本 1600 元/亩	机械振动容易引起手腕疲劳，使操作者的持续工作能力大大降低；振动范围广，会引起其他枝条振动，并造成果实采收损失和错误采摘，即将不同成熟期的果实在同一时间内采摘下来
多点均匀分布振摇式全自动枸杞采摘机	传动机构、采摘架、振摇机构、收集箱等部分组成	采摘机工作时，将采摘架从树植株上方将采摘条插下，通过曲柄振摇机构使采摘架产生振动，进而采摘架上的振动条带动树枝振动，从而将果实震荡下来。该装置在采收过程中可减少果实损伤率，提高采摘效率	采用振动条振动枸杞枝条完成收获，但是其不能进行连续性收获，作业效率较低
采用偏心轮机构的振摇式全自动采摘机	由支架组件、采集组件及振动组件组成	工作时，由行走液压控制模块控制行走，驱动振动马达带偏心轮转动，带动振动架上的振动条做高频往复平动，从而实现对枸杞枝条的振动，使果实掉落	采用振动条振动枸杞枝条完成收获，但是其不能进行连续性收获，作业效率较低
自走式枸杞采摘机	采用偏心滑块机构组成	工作时，横向分布的振动杆插入枸杞树冠，电机驱动偏心滑块机构运动，带动振动杆产生往复运动击打枸杞枝条，使枸杞果实受力脱落。该装置进行了采摘试验，采摘效果良好，机具间歇行进，采摘过程较为缓慢	由于振动杆宽度有限，部分成熟枸杞不能被完全采摘，同时枸杞机械损伤率较高
手持装置	直流电机驱动偏心轮组成	结构简单、体积小、便于携带	普遍存在作业效率低，劳动强度大的问题
机械梳刷式枸杞采摘机	电源、电动机、齿轮箱、梳刷工作头等组成	机械梳刷式枸杞采摘机目前还处于研发阶段，市场上没有成型产品。此类采摘机的采摘效率高于振动式采摘机。由于梳齿采用质软的鬃毛材料，所以果实破损率和误摘果实率均较低	对枸杞种植的农艺要求较高，要求果实大小一致性好、果树枝长且枝条分岔少

机械类型	构造	优点	缺点
剪切式枸杞采收装置	分禾鸭嘴、滚刀和反向滚刀等组成	利用采摘刀以一定速度运行，切断果实果柄，完成果实的采摘	剪切式采收装置采摘刀难以掌控剪切位置，容易误伤果实和枝条，且采净率较低

（2）枸杞机械化采摘技术的发展方向

随着新材料、电子技术、自动控制理论在农业科技中的应用，新型枸杞采摘机械及采摘技术将不断涌现。与其他农业机械一样，枸杞采摘机械将具有新的时代特点，朝着电气化、智能化的方向发展。

1）仿生枸杞采摘机械手。仿生机械是模仿生物的形态、结构、控制原理设计制造具有生物特征的机械采摘手臂。模拟人工采摘枸杞的动作，对枸杞进行选择性采摘。其研制建立在对人工采收过程的基础之上，能够大幅提升枸杞的采摘效率，提高采净率，降低破损率。

2）智能化枸杞采摘机。智能化枸杞采摘机采用计算机智能视觉系统，根据果实颜色确定其成熟度，再由计算机控制系统决定是否采摘及采摘部位。智能采摘机械可以实现精确的"标靶"采摘和最佳采摘期采摘，确保果实品质优良。除此之外，此种采摘机还具有自我故障诊断功能和采摘指标对比校正功能。

（3）枸杞机械化标准生产技术

实施标准化生产及机械化作业，就是要求广大杞农务必在正确用药、除草、施肥、灌水、制干，以及良种选用、标准化定植、统防统治等环节上做到技术到位、措施到位，以此实现提质增效的目的。实现标准化生产、机械化操作是形势所迫，也是生产栽培技术攻坚克难之需[①]。枸杞机械化、标准化生产技术主要分为整地培肥、选用良种、栽植、幼龄期管理、成龄期修剪、土肥水管理、果实采收与鲜果制干等几个流程。这几个流程中包含的具体项目及其要求如表2.6所示。

表 2.6　枸杞机械化标准化生产技术流程

流程	项目	要求
整地培肥	选地	要选择地势平坦、土层深厚、土壤肥沃、熟化程度高的沙质壤土或轻壤土，并且多年生杂草少，地下害虫少，交通便利，排灌方便。
	基肥实施	基肥以有机肥为主，施肥时间分春秋两种。秋施按确定的施肥带每亩施入有机肥 2000 ~ 3000kg，施后进行深翻，灌足冬水。
	机械整地	用大型轮式拖拉机配带翻转犁深耕 1 次，深耕深度须达 18cm 以上，再用重型圆盘耙耙 2 遍，用耱耱平。

---

① 潘学琴 . 2014. 宁夏中宁县枸杞机械化标准生产技术 [J]. 当代农机，(7)：15-17.

流程	项目	要求
选种		枸杞的主栽品种为"宁杞一号"和"宁杞四号"。
栽植	栽植时间	春季土壤解冻后、苗木发芽前的3月下旬至4月中旬进行。秋季栽植在苗木停止生长后落叶时进行，栽后必须灌足水以利早春成活。
	栽植密度	大面积机械栽培型密度行株距为1.0~1.5m，种植密度为330株/亩。
	栽植方法	目前，生产上推广应用的打坑机挖定植穴技术可有效提高生产效率，减轻劳动强度，保障栽植质量和速度。
幼龄期管理	修剪	①定杆修剪。②枸杞的修剪季节按传统分为3次，即春剪、夏剪和秋剪。经过两年的修剪，逐步培养出结果枝组，到第4年基本成型。
	施肥	对于新植枸杞，应于6月底、8月初时用中型轮式拖拉机配带施肥犁分别施入100g/株有机无机复合肥（氮、磷、钾为1∶1∶0.5）。对于两年生枸杞，则应于4月、5月中旬，分别施100g/株有机无机复合肥，或腐熟的农家肥（羊粪、鸡粪），施肥后，适时灌水，全年灌水4~6次为宜。
幼龄期管理	中耕除草	在5月~8月每月进行1次，用微耕机进行机械除草，除草深度应在12cm以上；9月底拖拉机配带2铧犁翻晒园地1次。
	病虫害防治	根据情况分别采用5%鱼藤2000倍，藜芦碱1500倍，2.5%吡虫啉1500倍，4%春雷素400倍，29%果园清500倍，0.3%苦参碱800倍，用喷杆式喷雾机对树冠进行喷雾。
成龄期修剪	修剪	整形修剪应在休眠期（2~3月）内进行。 ①剪。剪除植株根茎、主干、膛内、冠顶着生的无用徒长枝，冠层病、虫、残枝，结果枝组上过密的细弱枝，以及树冠下层3年生以上的老结果枝和树膛内3年生以上的老结果枝。 ②截。交错短截树冠中上部的中间枝和强壮结果枝，上部中间枝从该枝的1/2处短截，强壮结果枝从枝条的2/3处截留，冠中层、树膛内的横穿枝在不影响其他枝生长处短截。 ③留。选留冠层生长健壮、分布均匀的1~2年生结果枝，在留健壮新结果枝的前提下，多留结果枝，增加老结果枝的产量。
	季节修剪	①春季修剪。4月上旬至5月中旬，沿树冠自下而上将植株根基、主干、膛内、冠顶所萌生的无用新芽、嫩枝和冠层结果枝的干梢剪去。 ②夏季修剪。5月中旬至7月中旬剪除徒长枝，短截中间枝，摘心二次枝。沿树冠自上而下、由里向外剪除植株根基、主干、膛内、冠顶处所萌发的徒长枝。6月中旬以后对短截枝条所萌发的中间枝、二次枝在20cm处摘心，促发三次枝结秋果。 ③秋季修剪。9月下旬至10月中上旬剪除植株冠层着生的徒长枝。
土、肥、水管理	土壤耕作	①浅耕增温、通气、除草、灭虫。3月下旬至4月上旬，以及5月、6月、7月、8月，用小型轮式拖拉机配带二铧犁各耕翻1次，行间耕翻深度达15cm以上，树冠内耕翻深度10cm（人工翻），耕翻要均匀，无漏耕，不伤枸杞根茎。 ②秋园晒翻。9月上旬对全园进行深翻晒土，行间耕翻深度要达到18cm以上，树冠内耕翻10cm（人工翻），并铲除园子周边的杂草。

流程	项目	要求
土、肥、水管理	施肥	①4 月中旬进行施肥，每株施农家肥 10～15g，复合肥 150g。 ②5 月中旬对 3 年龄植株每株施腐殖酸有机肥 450g，树龄每增加 1 年龄肥料增加 50g。 ③6 月下旬用上述同样的方法和用量在树冠的对面进行施肥。 ④7 月中旬按每株 100g 追施肥，并适时灌水。 ⑤在生产旺盛的 6 月、7 月，也可用氨基酸微肥或其他种类的多元素微肥按 3.5kg/hm² 的量进行喷施，通过叶面补充枸杞植株的营养元素。
土、肥、水管理	灌水	以不串灌、不漏灌、不积水为原则。4 月下旬灌头水，5 月、6 月生长高峰期根据土壤水分适时灌水。7 月、8 月每 20 天灌水 1 次。9 月上旬灌白露水，11 月灌越冬水。
	病虫防治	①农业防治。清理园地，于早春、晚秋将园内的残、枯、病、虫枝及周围的枯草落叶收集至园外烧毁，消灭病虫滋生源。 ②药剂防治。采用比较先进适用的车载式喷杆喷雾器进行大面积的联合防治，以生物药、矿物药为主交叉使用。
果实采收	采收期	6 月中旬为初采期；6 月下旬至 7 月下旬为盛采期；9 月上旬至 10 月下旬为秋果期；早霜冻前为末采期。
	采果间隔	初采期间隔 7～8 天采 1 蓬，盛采期 5～6 天采 1 蓬，秋果期 8～10 天采 1 蓬，末果期 12～15 天采 1 蓬。
鲜果制干	—	以自然晾晒为主，大力推广热风烘干法、日光温室烘干法（2t、4t）和机械烘干法。

2.1.2.2　枸杞保鲜、干燥与保存技术

（1）鲜果保存与干燥技术

枸杞鲜果皮薄肉嫩，水分含量较高，常温条件下果实放置 2～4d 就会变色、变味，腐烂指数逐步上升；8～10d，果实腐烂指数急剧增加，甚至完全失去食用价值。因此，目前市场上的枸杞产品多为枸杞干果制品，但是枸杞干果在烘干、浸泡、晾晒的制作过程中，营养流失程度较高，特别是枸杞富含的枸杞多糖在干果中损失严重，不能被人体吸收。因此，了解枸杞鲜果采摘后的生理变化，并在此基础上进行枸杞鲜果保鲜技术的研究极具现实意义和商业价值（表 2.7）。

表 2.7　枸杞鲜果保存和干燥方式方法比较与技术关键分析

方式	方法	技术关键	优缺点
物理方法保鲜	低温储藏	1.8℃低温处理的枸杞鲜果呼吸强度、细胞膜相对透性和失水率显著低于 20℃ 处理组，维生素 C 和可溶性固体物含量显著高于 20℃ 处理组。低温储藏有利于枸杞鲜果保鲜，延缓衰老，延长储藏时间，以 1℃ 低温储藏效果更佳。	低温储藏具有安全、效果好、可操作性强等优点，缺点是耗能较大、不够低碳经济

方式	方法	技术关键	优缺点
物理方法保鲜	气调冷藏	聚乙烯膜气调包装和硅窗膜气调包装可保持果实较高的可溶性固形物含量,提高固酸比,延缓表皮皱缩,保持果实香气、质地等感官品质。其中,以聚乙烯膜气调包装效果最佳,可使枸杞果实储藏期延长至14d。	降低枸杞鲜果果实的失重率,保持良好的外观和口感,可延长枸杞鲜果的储藏期,更好地保持果实品质。
	热处理	将"宁杞4号"枸杞置于(42±1℃热水中浸泡10min,发现热处理可以显著降低枸杞果实的腐烂率,保持维生素C含量,在一定程度上抑制枸杞果实储藏末期色泽,以及果柄、果皮和汁液变化等感官品质的下降,从而延长储藏期。研究表明,热水和热乙醇处理均可有效抑制枸杞果实低温储藏期间的腐烂率,降低失重率,维持果实品质,可作为枸杞防腐保鲜的新方法。热空气处理还可抑制乙烯形成酶(EFE)向乙烯转化的过程,从而推迟果实软化,延长储藏期。	热处理技术操作简单,成本低廉,但只能作为辅助性的采后处理方式,且不适当的热处理会对枸杞鲜果的品质和风味造成不良影响。
化学方法保鲜	植物生长调节剂	目前应用于果蔬保鲜中的植物生长调节剂一般有2,4-D、胺鲜酯(DA-6)、氯吡脲、复硝酚钠、防落素、赤霉素、6-苄氨基嘌呤等。袁莉等[①]研究了不同浓度赤霉素溶液对枸杞鲜果保鲜效果的影响,发现赤霉素处理后枸杞鲜果腐烂率显著降低。在低温(0±1℃)储藏24d时,0.05g/L赤霉素处理组的腐烂率仅为未处理组的一半;30d时,仍具有新鲜枸杞固有的风味。	GA3在降低腐烂率中的具体作用机理尚有待进一步研究,而且GA3作为一种化学制剂,如何做到安全使用,依然需要加强研究与市场监督。
	化学保鲜剂	①1-MCP是乙烯受体抑制剂,可阻断受体与乙烯的结合,从而抑制乙烯参与的相关化学反应,较好地保持细胞和整个果实的完整性,同时保持果肉抗坏血酸盐含量,提高枸杞抗氧化能力,降低果实腐烂率。②CF保鲜剂是由济南果品研究院研制成功的一种果蔬保鲜剂,能显著降低枸杞果实的腐烂率,改善果实口感。③壳聚糖保鲜剂可以在果实表面形成一层半透膜,阻止果实内部与外部空气进行气体交换。壳聚糖涂膜保鲜处理可有效降低"宁杞1号"枸杞鲜果的腐烂率,保持可溶性固形物、可滴定酸、维生素C和丙二醛含量,维持较高的过氧化物酶活性,保持果实较好的品质,延长储藏期,且以1.5%壳聚糖保鲜效果最显著。④CO₂处理能有效控制枸杞腐烂、维生素C含量下降,可溶性固形物含量和含酸量也比对照变化慢,可保持果实较高的品质,延长储藏期。	化学保鲜剂具有使用方便、效果显著、低耗能等优势,但化学保鲜剂的滥用、残留超标极易对人体健康产生威胁,引发食品安全问题。

① 袁莉,毕阳,李永才,等.2011.采后赤霉素处理对低温储藏期间枸杞鲜果腐烂的抑制和品质的影响[J].食品与生物技术学报,(5):653-656.

方式	方法	技术关键	优缺点
生物方法保鲜	—	荷叶内含有多种生物碱和黄酮类化合物,具有很强的抗氧化作用和抑菌效果,可用作食品添加剂和防腐保鲜剂。从柠檬果或果皮中提取的柠檬油,富含黄酮类等具有显著抗氧化作用的成分,可用于保健食品和药品行业中。研究荷叶乙醇提取物、柠檬油等18种植物提取物对枸杞鲜果的保鲜作用,发现在室温(20±3)℃时,2g/L荷叶乙醇提取物、400μL/L柠檬油提取物对枸杞鲜果保鲜效果最好,处理5d后,好果率均在80%以上。由此可见,天然提取物对于枸杞鲜果的保鲜具有很大的开发空间,未来可将天然提取物结合其他保鲜方法作为枸杞保鲜的研究方向。	果蔬化学保鲜剂大多是杀菌剂,长期大量的使用会增加农药残留量,存在潜在危害,研发高效、安全、天然、无毒副残留的保鲜技术更加符合人们对食品安全的要求。生物保鲜技术除具有上述的优点外,还能更大程度地保留果蔬原有的外观、风味和营养,因此在果蔬保鲜领域有巨大的应用空间和发展潜能。
其他	—	辐射保鲜、减压保鲜等。	目前枸杞鲜果在市场销售中尚属罕见。

(2) 枸杞干燥技术

枸杞干燥是枸杞制品的重要途径。在干制工艺中,干制枸杞的优劣等级取决于干制枸杞的时间。而干制时间与干制方法及促干剂的使用有关,并且受热源、制干温度、制干湿度、鲜枸杞品质等因素影响[①]。目前大概有以下七类鲜枸杞的干制方法,这些干燥方法的特点与优缺点比较如表2.8所示。

表2.8　枸杞干燥技术比较

方法	优点	缺点
自然晾晒干燥法	晴天时,7~8月份的枸杞鲜果3~5d可完成干制,9~10月份的枸杞鲜果7~9d即可完成干制。	操作简单、成本较低,但干燥时间最长,主要功能性成分损失较大,霉变率高,遇到阴雨天极易霉烂变质,且容易受到各种污染,干制枸杞表面的有害微生物多,成品等级低。

---

① 施杨,危春红,陈志杰,等.2016.枸杞鲜果采后生理及保鲜技术研究进展 [J].保鲜与加工,16(3):102-106.

续表

方法	优点	缺点
燃煤干燥房制干法	燃煤烘干房是宁夏地区近几年来兴起的枸杞烘干设备之一,此烘干房采用保温结构,热源由燃煤炉提供,采用较先进的温控器,且部分烘干房安装有换热器,提高了燃料利用效率。	运行成本较高,需要锅炉工人进行看管,并且燃煤产生大量二氧化硫、烟尘、灰渣等不仅严重污染环境并且也污染枸杞,降低枸杞成品等级。由于,设备普及度及稳定性较低,使得其售后一直跟不上,认可程度较低。
太阳能干燥设备干燥法	是一种新型高效的枸杞干燥设备,以高效光热转化技术为依托,能够在低成本运行的前提下,有效地缩短干燥时间,提高干制枸杞的品质,是一种绿色低碳、节能减排的生产加工设备。设备性能优良,节能效果良好,避免环境污染并提高加工品质。与传统枸杞干燥设备相比具有很大的优势,克服了传统工艺干燥枸杞的种种弊端,具有较好的经济和社会效益。	—
低温气流膨化干燥法	它作为现在较先进的干燥枸杞的方法,尤其适合对果品蔬菜的制干。在制干工艺里枸杞中的水分加热成水蒸气状态,水蒸气再蒸发至枸杞果实外的空间里,枸杞果实内强大的水蒸气压力会造成枸杞膨化。枸杞经低温膨化技术后具有酥脆的口感,营养成分损失低;水分蒸发快,干燥时间短;对食品具有膨化效果,提高产品的复水性;油脂的劣化速度慢,油耗少。	低温膨化技术加工时间长,保温定型时间长,能耗随之增加,生产成本高;长时间加热情况下,部分果蔬容易发生褐变,影响其外观;膨化罐内温度分布不均匀,物料膨化效果不理想,通常棱角部分膨化度小。目前,低温气流膨化技术的开发还是在很小的范围内进行。
真空冷冻干燥法	采用迅速冻结的方法使枸杞内的水分快速冷冻,并利用强大的真空度使小结晶很快升华为水蒸气而排出。在果实的制干工艺中,干制的真空度、时间、温度等因素对干制枸杞的外观品质出糖率、枸杞等级等因素具有很大的影响。冷冻干燥过程如下:开始让新鲜的枸杞进行减压至30Pa,迅速冷冻至 −30℃,再升高温度(小于70℃),再在恒定压强的状态下保持20h,最终封闭起来进行储藏。冷冻干燥法制得的枸杞色泽比较接近鲜枸杞的色泽,口感酥脆,手捏易碎,功能性成分损失低,干制枸杞的水分含量较低,容易储存。	真空冷冻干燥机价格高,且消耗能量大,且大部分消费者不喜欢这种口感的枸杞。
微波干燥法	微波干燥技术是通过微波加热原理使物料内部水分加热蒸发达到干燥效果,是一项新型的干燥技术。该技术制干速率高,制干均匀,节能、安全、效率快,易于使用,枸杞不易被污染,枸杞产品等级高。	设备价格高,设备对其他条件要求高,目前还没有得到推广。

方法	优点	缺点
远红外干燥法	在枸杞接收具有很大穿透功能的远红外线的条件下，使枸杞果实内温度升高、增大湿度致使水分蒸发，具有提高枸杞品质、制干效率高和节省能源等优势。该法加热均匀，热损失少，容易进行操作控制，加热传导快，传热速率快，产品质量好，热吸收率高。	枸杞在远红外升温过程中其物化性质会产生改变，并且其枸杞含水量的不同会造成辐射特性的改变，成本仍较高，目前很少有杞农采用此方法进行干燥。

2.1.3 枸杞深加工技术和溯源技术

2.1.3.1 枸杞深加工技术

（1）枸杞多糖提取技术

超声波微波辅助提取、酶法提取和碱法提取都是在提取过程中通过对枸杞原料预处理使更多多糖溶解出来；而超临界流体萃取通过对原料进行除杂提高了提取液中多糖的浓度，从而提高了多糖得率，但是，这些方法的核心都是水提醇沉，最后都是通过醇沉的方法来获得多糖产品①。目前对提取多糖的研究多处于实验室阶段，有少部分研究已经开始进入到中试或是实际工业化生产阶段，总体还处在起步研究阶段（表2.9）。

表2.9 枸杞多糖提取技术、工艺及优缺点比较

方法	技术与工艺	优缺点
传统水提法	枸杞经烘干粉碎或浸泡打浆后，用石油醚、乙醚、氯仿–甲醇等有机溶剂进行回流脱脂，再加乙醇回流以除去单糖、低聚糖，所获残渣再以水回流提取，将滤液浓缩后加95%乙醇沉淀，过滤后残渣用无水乙醇、乙醚等反复洗涤，得枸杞粗多糖。 枸杞多糖水浸提的最佳提取工艺为：浸提温度84℃，料液比1:32，浸提时间2.3h，浸提1次，枸杞多糖提取率可达11.10%。	由此获得的枸杞粗多糖尚含一定量其他杂质，仍需要多个纯化步骤，如采用活性炭进行色素的脱色，采用Sevag法去除蛋白质等，多糖的进一步分级通常采用DEAE纤维柱层析法。

---

① 李丹丹. 2014. 枸杞多糖的提取及其水解物的研究［D］. 济南：齐鲁工业大学硕士学位论文.

方法	技术与工艺	优缺点
超声波辅助提取技术	超声波用于有效成分提取的机理在于，提取过程中超声波能使植物细胞壁及整个生物体破裂，而且整个破裂过程在瞬间完成，同时超声波产生的振动作用加强了胞内物质的释放、扩散及溶解。 最佳提取工艺：提取温度60℃，料液比1∶30，超声提取时间40min，提取2次，多糖提取率为14.48%。	超声波浸提过程中无化学反应，被浸提的生物活性物质活性不减，同时提高了破碎速度，缩短了破碎时间，可极大地提高提取效率。
微波辅助萃取法	利用不同物质的介电常数不同，其吸收微波能的程度不同。在微波场中，吸收微波能力的差异使某些组分被选择性加热，从而使被萃取物质从基体或体系中分离，进入到介电常数较小、微波吸收能力相对较差的萃取剂中。 研究表明微波法在料液比1∶30、微波功率540W、提取3min的最佳提取条件下多糖提取率为19.1%，高于传统热水工艺的15.2%。	微波萃取有萃取速度快、节省溶剂、能量损失少等优点。微波提取多糖时可能会存在使多糖分子降解的问题，从而影响其生物活性。因此，在对多糖进行微波提取时，应充分考虑提取条件对多糖结构，尤其是生物活性的影响。
酶辅助提取技术	生物酶解技术提取有效成分的作用机理主要是利用生物酶对植物细胞壁及细胞间质中的纤维素、半纤维素、果胶质等物质降解，破坏细胞壁的致密构造，减小细胞壁、细胞间质等传质屏障对有效成分从胞内向提取介质扩散的传质阻力，从而有利于有效成分的溶出。	酶法作用条件温和，通过酶法破壁去除杂质可以明显提高收率，但提取温度、pH往往受到酶自身活性的限制。

(2) 枸杞色素提取技术

枸杞色素是存在于枸杞浆果中各种呈色物质的总称。从现代药物学的研究可以看出，枸杞色素是枸杞中的重要生物活性成分之一，主要包括类胡萝卜素和少量叶黄素及其他有色物质——食用色素。枸杞色素提取是有选择性地将枸杞中色素溶解至溶剂中的过程。影响枸杞色素提取效果的因素主要包括溶剂种类、提取时间、提取温度、提取次数和料液比等。提取时间延长，提取率会增高，但时间过久会使枸杞色素降解的量增加，含量反而会下降。提取温度升高，溶剂的渗透性会增强，有利于枸杞色素的溶出，但温度过高会促使溶剂挥发，并破坏色素结构。提取次数增加，能提高提取率，但提取次数过多会增大提取液体积，增加后续生产的工作量。在最佳条件下提取能提高枸杞色素产量，提升枸杞色素质量，优化提取条件的方法主要包括正交试验法、均匀设计法和响应面法等[①]（表2.10）。

---

① 牛红军，杨官娥. 2016. 枸杞色素提取工艺研究进展 [J]. 中华中医药学刊，34（10）：2348-2351.

表 2.10　枸杞色素提取技术与工艺比较

方法	技术与工艺
有机溶剂提取法	有机溶剂提取法是根据原料中各种成分在有机溶剂中的溶解性，选用对杂质溶解度小，对活性成分溶解度大的有机溶剂，将有效成分从药材组织内溶解出来的方法。经研究的最佳条件为：浸提时间 2.2h、温度 30.9℃、浸提料液比 1:1.76，石油醚:丙酮的体积比为 5.43:1，此时脂溶性枸杞色素吸光度值最大，为 0.695Abs。 根据 Box-behnken 中心组合试验设计原理，优化了以乙酸乙酯与乙醚的混合液（2:8，V/V）为提取溶剂的提取工艺，得出的枸杞色素最佳提取条件为：提取时间 2.5h、液料比 1:9、浸提温度 38℃，得到浸提液的吸光度为 1.952Abs。
皂化提取	皂化提取物中如包含各种游离脂肪酸及大量脂肪酸甘油酯等非水溶性组分，会影响产品纯度并影响色素释放。用皂化法处理枸杞，可除去其中脂肪酸甘油酯及游离脂肪酸等脂类，利于枸杞色素的提取和纯度的提高。 研究表明，0.7mol/L 碳酸钠皂化效果较好，既能较充分达到皂化效果，又能避免色素受到破坏。提取枸杞色素的最佳工艺条件为：料液比 1:10，以乙酸乙酯:乙醚混合溶剂（1:4，V/V）为提取剂，40℃浸提 3h。此外，从 NaOH 皂化处理后枸杞样品中提取枸杞色素的效果明显优于未皂化处理枸杞样品中提取枸杞色素的效果。利用 NaOH 皂化处理枸杞的最佳条件为：NaOH 质量分数 1.0%，皂化温度 40℃，皂化时间 40min，料液比 1:4。
索氏提取法	索氏提取法以索氏提取器为工具，利用虹吸和溶剂回流原理，不断用纯溶剂萃取固体原料中的脂溶性成分，萃取效率较高。利用取自产地为新疆的成熟枸杞，蒸馏水浸泡 10h 后去籽，粉碎后过 60 目筛，以石油醚为溶剂，固比 1:23，温度 85℃，采用索氏提取法提取，3h 后水浴蒸干，即制得脂溶性枸杞色素。
超临界流体萃取	β-胡萝卜素是脂溶性物质，在超临界 CO_2 中有一定溶解度，原料中有其他有机组分共存时，则溶解度更大。研究发现，以异丙醇为提取剂的最佳提取工艺条件为：pH 为 3，温度为 50℃，时间为 2h。试验证明，超临界 CO_2 萃取类胡萝卜素的效果要优于溶剂提取。
微波辅助提取法	微波具有穿透力强，有效破裂植物细胞壁，加热效率高，耗能低，操作简单，省时等特点，近年来在天然产物成分提取领域得到了很大的发展和广泛的应用。研究人员采用微波辅助法提取枸杞色素，通过单因素实验和正交实验确定萃取的工艺条件。最佳工艺条件为：将干燥好的枸杞粉碎到 40~80 目，采用 0.1mol/L HCl 与 95% 乙醇的混合溶液（2:3，V/V）作为提取剂、料液比 1:10、微波功率 400W 浸提 30s。该法的色素提取率可达 16.86%，与传统的溶剂浸提法相比有较大优势，时间大大缩短，效率明显提高。此外，研究人员以 80% 工业乙醇为溶剂，采用微波辅助萃取法提取宁夏中宁枸杞粉中的色素，色素得率为 17.14%。
超声辅助提取法	超声提取法操作方便、提取安全、无须加热，是一种有效增加提取产率，缩短提取时间的常用方法。研究人员用正交试验法优化了提取枸杞色素的提取工艺，最终确定石油醚:氯仿混合液为浸提溶剂，提取的最佳工艺为：超声功率 160W，固液比 1:8，温度为 55℃，提取 2 次，每次 40min。该工艺可实现枸杞浸膏得率 3.20%，其中 β-胡萝卜素含量达 17.5%，枸杞色素的色价值达 129 以上。此外，以石油醚为浸提溶剂，利用超声波提取枸杞色素的方法，所得枸杞色素粗提取物的提取率为 97.68%。

（3）枸杞黄酮的提取技术

作为枸杞中重要的活性物质之一，枸杞总黄酮因具明显的抗氧化、清除自由基、降血脂、降血糖、治疗心脑血管疾病、抗肿瘤、抗衰老、提高免疫力等功能而逐渐成为研究热点。

枸杞中黄酮类化合物的提纯，主要包括以下两方面：一方面是提取。基于植物不同部位所含黄酮类化合物的结合状态不同，如在花、果、叶中以甙为主要存在形式，在木质部分以甙元为主要存在形式，需要根据被提取物的类型和理化性质选择合适的提取溶剂与提取方法。另一方面是分离纯化。其目的是尽可能充分将黄酮类化合物与其他成分分开，并进一步分离得到黄酮类成分单体[①]（表2.11）。

表2.11　枸杞黄酮提取技术与工艺比较

方法	技术与工艺	优缺点
有机溶剂提取法	高浓度的醇（90%～95%）适用于提取黄酮甙元类化合物，而低浓度的醇（60%～70%）更适合提取黄酮甙类化合物。研究人员采用70%的乙醇为溶剂回流提取宁夏枸杞中的总黄酮，通过正交试验，研究发现最优提取条件为提取温度70℃、提取时间2.0h、固液比为1∶20。此外，以70%乙醇对枸杞叶进行回流提取，并通过正交试验，确定了提取工艺的条件为70%乙醇、料液比1∶8、提取时间3h、提取3～8nm碎粒，黄酮得率为3.72%。	主要以乙醇、甲醇、石油醚等有机溶剂作为提取溶剂，在索氏提取器中进行抽提。通常采用乙醇作为提取溶剂，提取的过程中，乙醇的浓度对黄酮类化合物的提取存在影响。该方法操作简单、成本低，易于大规模生产，但工艺繁琐，杂质含量也较高，回收率低。
超声辅助提取法	研究人员通过正交试验优选出超声辅助提取枸杞叶总黄酮的最佳工艺条件为乙醇体积分数65%、乙醇用量1∶60、超声提取时间35min、超声温度70℃；利用优选出的最佳超声提取工艺测定比较不同采收期枸杞叶中的总黄酮含量，结果为5月中旬含量最高。此外，研究人员通过正交试验法优选出超声辅助提取枸杞叶总黄酮的最佳工艺条件为乙醇浓度75%、乙醇用量1∶40、超声提取时间30min、超声提取温度50℃。	对植物有效成分采用超声提取，可以在很大程度上加快提取速度，缩短了提取时间，进而提高了天然产物中活性成分的提取速率和提取量。该方法节省提取时间、提高提取效率、试验设备简单、操作方便，在工业生产中具有较为广阔的应用前景。

---

① 于惠，康磊，张瑞，等.2015.枸杞中黄酮类化合物提取与分离纯化工艺的研究进展［J］.安徽农业科学，43（5）：62-64，66.

方法	技术与工艺	优缺点
微波辅助萃取法	研究人员以枸杞为原料，用乙醇作为提取剂，采用微波提取法对枸杞中总黄酮进行提取，以二次同归正交试验设计对结果进行优化分析，得出的最佳条件为乙醇浓度68.3%、微波时间100s、微波温度73℃、微波功率300W、液料比14.7∶1.0（ml/g），在最佳条件下，总黄酮的提取率为19.52mg/g。此外，研究人员以芦丁为对照品，采用单因素试验和正交试验考察影响枸杞总黄酮提取率的因素，并优选出最佳提取工艺条件：乙醇浓度70%、料液比1∶30（g/ml）、微波辐射功率400W、温度120℃、提取时间8min。在此条件下枸杞总黄酮的提取量为18.3mg/g。	微波辅助萃取具有如下优点：①选择性好。微波萃取能对萃取体系中的不同组分进行选择性加热，可以使目标组分直接从基体中分离。②热效率较高。微波加热没有热传递造成的温度梯度和热量损失，因而加热均匀，热效率较高。③质量稳定。可以在较低的温度下完成萃取，有效地保护了被提取物的有效成分。④操作简单。微波萃取无须干燥等预处理，简化了工艺，减少了投资。
磁场强化萃取法	研究人员以新鲜枸杞为原料，采用磁场强化萃取法提取枸杞黄酮，通过正交试验，得出优化磁场处理的最佳条件：在磁感应强度640mT、磁化时间40min、磁化温度65℃、浸提回流时间60min的条件下，枸杞黄酮的提取率可达290.81mg/100g。李冰等[1]发明一种利用磁性吸附树脂及外加磁场分离纯化葛根黄酮的方法。首先，将葛根粉碎置于微波萃取罐中，加入95%乙醇，微波萃取除去杂质后得葛根黄酮提取液；然后，将磁性吸附树脂装入树脂柱，置于可调磁场中，将葛根黄酮提取液流过树脂柱，收集解吸液，浓缩干燥后得葛根黄酮产品。	磁场强化萃取是一种借助外加磁场以强化化工分离过程的新技术，被称为"绿色分离技术"。
高压均质提取法	研究人员考察了高压均质提取柴达木枸杞叶有效成分的最佳工艺及对有效成分进行了纯化，发现高压均质提取柴达木枸杞叶总黄酮的最佳工艺条件：乙醇体积分数80%、料液比1∶10、均质压力60MPa、提取时间30min。在该条件下，提取物中芦丁质量分数为10.53%，总黄酮质量分数为32.61%。	高压均质提取法可以将样品中的组成结构破碎到纳米级，利于目标成分的溶出，大大提高了样品的提取率。同时，操作时温度较低，对样品的破坏力较小，可以保持样品原有的性质。因此，该方法将在天然活性成分的提取方面展现出越来越重要的作用。

（4）枸杞深加工技术发展趋势

1）功能性枸杞保健产品的开发。开发工业化程度较高、技术成熟的发酵型

---

① 李冰，张霞，赵巍，等.2009.外加磁场作用下强化磁性树脂吸附葛根黄酮的应用效能 [J]. 食品科学，（23）：13-16.

枸杞产品及复合保健型枸杞产品是枸杞深加工的趋势之一。用一种或几种发酵剂定向发酵各种枸杞制品（酒、饮料）可较大程度地保持枸杞的营养成分，有利于人体消化吸收，市场潜力较大。以枸杞辅以红枣、蜂蜜经发酵可制成风味良好且具营养保健功能的发酵型枸杞酒；以枸杞干果为原料接入葡萄酒酵母发酵，可制成具有枸杞香味、口感柔和的枸杞发酵酒品；枸杞与葡萄按照一定比例混合发酵制成的枸杞葡萄酒，兼具枸杞的保健功能和葡萄酒风味；枸杞与麦芽汁、红枣汁等原料混合发酵可制成风味独特的枸杞啤酒。复合型枸杞保健产品风味独特且营养互补，符合国内外饮料向天然、保健、营养发展的趋势①。

2）高新技术在枸杞加工中的应用。应用高新技术使枸杞深加工向营养、健康、安全、卫生的方向发展，对于提升枸杞附加值具有重要的意义。真空冷冻干燥作为食品保鲜加工的有效技术之一，应用于果蔬储藏及加工，可使产品保持新鲜的外观及原有的色、香、味和营养成分，复水性能极佳，易于运输保存。真空冷冻干燥生产活性枸杞干、枸杞粉，不仅保留了鲜枸杞的活性成分和色、味，还克服了枸杞果易变质生虫、色泽差等问题；采用超临界 CO_2 技术生产枸杞籽油及枸杞色素，减少了传统水醇提取过程中造成的营养缺失及加工过程中有效成分的氧化变性，并可去除原料中的残余农药和杀虫剂等；用微胶囊技术生产高品质枸杞色素，使其保持原有的香和色，同时可避免光、温度、氧气、水分等因素的影响，便于储运；采用超微粉碎技术生产枸杞精粉改善了食品的口感，而且有利于营养物质的吸收，广泛用于各种饮料、食品添加剂、中药制剂等。

现代生物技术用于枸杞育种有着广阔的前景。例如，宁夏农业科学院枸杞研究所开展的三倍体无籽枸杞的新品种选育的研究，遵循同源四倍体诱发、四倍体与二倍体杂交、三倍体株系检测技术路线，成功地培育出三倍体品系 4 个，从中选择出有较高生产实用价值的无籽枸杞新品种"9601"。三倍体枸杞果实无籽（少籽）多糖、氨基酸等含量高于二倍体，口感好，无生药味，是非常理想的制干与加工鲜汁的食用枸杞。根据市场需求应用现代生物工程技术开发特殊用途的枸杞品种是发展枸杞生产的另一方向。当前欧美国家学者对枸杞抗氧化、抗衰老、抗肿瘤及增强免疫功能等诸多功效进行了大量的药理学研究和临床试验，取得了良好的效果。枸杞作为药食同源的中草药原料，具有丰富的营养价值和生理保健功能，使用高新技术高效提取枸杞活性成分，开发新型枸杞食品及深加工产品将有广阔的市场前景和可观的经济效益。

---

① 张云霞，刘敦华. 2009. 枸杞功能性成分研究进展及深加工发展趋势 [J]. 食品与药品，11（5）：67-69.

2.1.3.2　枸杞溯源技术

（1）技术现状

打击假冒、伪劣食品是保障食品安全的重要措施，而鉴别掺假食品则是打击假冒、伪劣食品的重要前提。关于掺假食品的检验方法较多，根据掺假物的理化性质和生物性质，可分为物理方法、化学方法和生物学方法。根据已报道的文献数量，目前掺假食品的鉴别仍然以理化检验为主。DNA 指纹技术是近年才被用于鉴别掺假食品、产品溯源的分子生物学方法，其通过检验"掺假生物源性成分"的基因片段和优良品种材料的不同"基因指纹"，从而达到鉴别掺假食品和溯源优良品种产地的目标。目前应用于掺假食品检验和产地溯源的主要是 DNA 指纹技术[①]。DNA 指纹是指建立在 DNA 分子标记基础之上，以生物个体间核苷酸序列变异为基础的遗传标记（分子标记），可直接在 DNA 水平上检测生物个体间的差异，是生物个体在 DNA 水平上遗传变异的直接反映[②]。现代分子生物学将分子标记（molecular marker）定义为：染色体上特定的、可辨别的物理区域，其遗传能够被监测。与形态、生化标记相比，DNA 指纹具有如下优点：①不受组织类别、发育阶段等影响；②不受环境影响；③标记数量多，遍及整个基因组；④多态性高，自然存在许多等位变异；⑤有许多标记表现为共显性，能鉴别纯合基因型和杂合基因型，提供完整的遗传信息；⑥DNA 分子标记技术简单、快速、易于自动化；⑦提取的 DNA 样品在适宜条件下可长期保存，这对于进行追溯性或仲裁性鉴定是非常有利的[③]。因此，DNA 指纹技术可应用于动植物及微生物源性产品的真伪鉴定、掺假鉴定，以及名特优产品产地溯源鉴定。其中，物种特异 PCR（polymerase chain reaction）、AFLP（amplified fragmentlength polymorphism）、SSR（simple sequence repeat）、ISSR（inter- simple sequence repeat）及 SNP（single nucleotide polymorphism）等 DNA 指纹技术已成为目前食品真伪鉴定、产地溯源的主流分子生物学技术，而早期的掺假食品 DNA 指纹鉴定主要采用 RFLP（restriction fragment length polymorphism）和 RAPD（random amplified polymorphic DNA）等指纹技术。

（2）关键核心技术

1）RAPD 鉴别动植物源性产品的真伪随机扩增多态性。

RAPD 方法是由 Williams 等创立的，是以 PCR 技术为基础的一种分子标记方

---

① 宋君，雷绍荣，郭灵安，等 . 2012. DNA 指纹技术在食品掺假、产地溯源检验中的应用［J］. 安徽农业科学，40（6）：3226-3228，3233.

② 林钊 . 2017. 燕窝的分子生物学检测技术现状及其发展概述［J］. 福建轻纺，（5）：47-50.

③ 白玉 . 2007. DNA 分子标记技术及其应用［J］. 安徽农业科学，（24）：7422-7424.

法。其使用一系列具有 10 个碱基的单链随机引物，对基因组全部 DNA 进行 PCR 扩增以检测多态性①。DNA 指纹技术根据食品原材料的"基因指纹"在鉴定近缘生物源性食品中有着理化分析所不及的优势（有的近缘生物源性食品种类理化分析根本不能鉴别），但 DNA 指纹鉴别技术要求食品的加工程度不能过高。由于深加工食品在加工过程中，DNA 几乎完全降解，能够富集到的 DNA 片段多为小分子量的 DNA 片段，后续分析获得的 DNA 指纹图谱，几乎不能反映食品原材料近缘生物成分的"DNA 指纹差异"。因此，在食品的掺假检验与产地溯源检验中，DNA 指纹技术应与理化检测技术联合应用，才能更准确地鉴别假冒伪劣食品和溯源优良品种原材料产地。RAPD 标记是早期的 DNA 指纹技术，目前在假冒中药及中药道地性检验中使用较多②。

道地药材与非道地药材、家种与野生药材因品种相同，主谱带基本一致，说明其遗传背景具有很大相似性，但因生长环境不同等因素的影响，又会出现代表各自特征的次生谱带，形成道地药材和非道地药材、家种和野生药材的特定指纹谱带，可对此结果进行聚类分析，构建样品的聚类树状图，在树状图上的距离越近，说明它们之间的遗传背景差异越小；反之，地理分布距离越远的样品，聚类树状图上的距离越远，说明它们之间的遗传背景差异越大。据此可将 RAPD 指纹作为鉴别道地药材与非道地药材、家种与野生药材的参考依据③。

2）AFLP 鉴别动植物源性产品的真伪。AFLP 技术由 Zabeau 和 Vos 于 1993 年建立，它利用 RFLP 的可靠性和 PCR 的高效性，对基因组 DNA 酶切片段进行选择性扩增④。其实质是利用 2 种或 2 种以上的酶切割 DNA，形成不同酶切位点的限制性酶切片段，在所得的酶切片段上加上双链人工接头，作为 PCR 扩增的模板。

3）ISSR 和 SSR 鉴别动植物源性产品的真伪。ISSR 是内部简单重复序列，是一种在 SSR 技术基础上发展起来的加锚微卫星寡核苷酸（anchored microsatellite oligo nucleotide）技术。

4）SNP 用于食品鉴伪检测。单核苷酸多态性（single nucleotide polymorphism，SNP）是第 3 代的 DNA 分子标记，是指同一位点的不同等位基因之间个别核苷

---

① 王和勇，陈敏，廖志华，等，1999. RFLP、RAPD、AFLP 分子标记及其在植物生物技术中的应用 [J]. 生物学杂志，(4)：24-25，19.

② 宋君，雷绍荣，郭灵安，等. 2012. DNA 指纹技术在食品掺假、产地溯源检验中的应用 [J]. 安徽农业科学，40 (6)：3226-3228，3233.

③ 任爱农，秦民坚. 2008. 基于 RAPD 分子标记技术的中药材鉴定研究进展 [J]. 中南药学，(3)：338-341.

④ 同①。

酸的差异，这种差异包括单个碱基的缺失或插入。利用 SNP 标记可帮助区分 2 个生物个体遗传物质的差异，被公认为是应用前景最好的遗传标记①。

在利用动植物进行食品加工时，由于不同种类、不同来源、不同质量的动植物品种的价格不同，所以在生产相应食品时，往往会出现以次充彼、以次充好的现象。同一动植物品种，产地不同，品质也有差异。严奉坤等②用 RAPD 标记探讨了同一品种不同产地枸杞子的叶片 DNA 指纹图谱特征，能够将不同产地的枸杞区分开。

5）基于条形码技术的产地溯源研究。我国已有不少将二维码技术应用于食品溯源上的研究，且进行了基于物联网的食品质量或食品安全溯源系统的开发。二维码技术不仅应用于追溯食品或药材的生产源头，还可用于追踪整个生产过程。颜鲁合等③将二维码技术应用于中药材 GAP 生产流程，形成了基于二维码技术的中药材 GAP 生产模式。金樑等④将二维码技术应用于小包装中药饮片药库物流管理中，为医院饮片入库验收提供一种新的工作方式。条形码溯源技术通常是将数据库与网络相结合，条形码作为信息传递的载体，网络作为信息流通的桥梁，数据库则是溯源信息存储的仓库，各个流通环节通过网络将信息存储于数据库并生成二维码，同时也可以通过二维码及网络访问数据库得到溯源信息。

药材市场巨大的流通量及交易的快速性，不能仅依靠 DNA 分子鉴定、中药指纹图谱、（近）红外光谱、同位素示踪等实验层面溯源技术，而 RFID 技术成本高，更适合于大型个体溯源。基于数据库的二维码溯源技术可以覆盖药材流通的各个环节，在各个环节快速获取产地等源头信息。产地是道地药材一个重要成因，如果可以快速追溯产地即可判断药材是否可能具有道地性。从二维码溯源技术的优势可以看出其在道地药材溯源上将会有巨大潜力。RFID 及条形码溯源技术的溯源信息可靠性依赖于信息提供者所提供的原始信息是否准确，因此需要增强企业及个人诚信和溯源系统对于录入错误的排除功能⑤（表 2.12）。

---

① 宋君，雷绍荣，郭灵安，等.2012. DNA 指纹技术在食品掺假、产地溯源检验中的应用 [J]. 安徽农业科学，40（6）：3226-3228，3233.
② 严奉坤，许兴，杨亚亚，等.2007. 同一品种不同产地宁夏枸杞 DNA 指纹图谱特征研究 [J]. 时珍国医国药，（10）：2385-2386.
③ 颜鲁合，罗中华，杨敬宇.2014. 基于二维码技术的中药材 GAP 生产模式的应用研究 [J]. 中国中医药科技，（3）：286-287.
④ 金樑，张健，沈锋，等.2013. 电子化药品物流平台在小包装中药饮片药库物流管理中的应用 [J]. 中国药房，（3）：271-272.
⑤ 廖保生，宋经元，谢彩香，等.2014. 道地药材产地溯源研究 [J]. 中国中药杂志，39（20）：3881-3888.

表2.12　各溯源技术参数比较

技术类型	溯源可靠性	技术重复性	信息的读取	信息的传递	成本	信息量	安全性
分子生物学	大部分只能阐明药材基因与产地的相关性，准确性不高	重复性一般	需要专业知识及技能人工解读，时间较长	需要详细报告，传递效率低	需要专门的仪器设备，成本高	只包含基因与产地可能的相关性	只有专业人员或专业机构可以获得此信息，安全性高
指纹图谱	通过药材成分等信息与产地的相关性，准确性不高	重复性一般	需要专业知识及技能人工解读，时间较长	需要详细报告，传递效率低	需要专门的仪器设备，成本高	只包含特征图谱与产地的相关性	只有专业人员或专业机构可以获得此信息，安全性高
同位素示踪	可以通过特征元素准确判断产地	重复性高	需要专业知识及技能人工解读，时间较长	需要详细报告，传递效率低	需要专门的仪器设备，成本高	只包含特征元素与产地的相关性	只有专业人员或专业机构可以获得此信息，安全性高
RFID	依赖信息提供者所提供的原始信息的准确性	方法及流程确定后持续可用，RFID芯片可重复利用	操作简单、方便，可实时自动读取	以RFID卡作载体，传递效率高	需要RFID识读仪器、RFID芯片制作等，成本较高	通常只包含源头信息，不包括各流程中的信息	具有唯一识别码并可加密，安全性高
条形码	依赖信息提供者所提供的原始信息的准确性	方法及流程确定后持续可用	通过手机实时识读，操作简单、方便	以一维码或二维码作载体，传递效率高	无须增加其他设备，成本低廉	可包含所有或者大部分环节的信息	可增加未加密信息和加密信息，既可保证安全性又保证了灵活性

2.2　枸杞产业技术发展问题与思考

2.2.1　枸杞生产技术存在的问题

通过以上对枸杞产业链中各项技术的分析可知，在枸杞技术方面存在的问题主要体现在以下几个方面。

一是，枸杞品种单一且种性退化严重，可机采机收的加工用品种少，不能满足市场需要，更不能满足加工企业对多用途、专用型品种的多元化需求。

二是，枸杞良种快繁技术薄弱，育苗周期长，限制了优良品种的推广速度。

三是，新种植地区种植技术不规范、产量低下、效益不显著、质量不均一、质量控制体系不健全，在对外贸易中屡屡遭遇"绿色壁垒"的限制，口岸退货现象时常发生。

四是，枸杞功能保健食品开发滞后、大规模消化枸杞原料的精深加工技术水平不高、缺乏具有市场竞争力的高附加值产品，现有大部分加工企业规模小，工业反哺农业能力欠缺[①]。目前的枸杞产品的研发多强调药用功能成分，大多局限于多糖、甜菜碱、黄酮、类胡萝素的功效成分的研究，忽略了诸如"耐储时间、果色、果形、果表光泽、硬度、脆度、糖酸比"等外观与口感评价的食品属性，限制了可接受的大众的需求，影响了消费量。

五是，枸杞生产配套装备机械化水平低，种植规模的扩大与人力资源严重不足的矛盾日益突出，急需提高机械化利用水平。

2.2.2 枸杞生产技术发展思考

国内枸杞技术发展应以下几个内容为重点发展方向。

（1）加快优新品种选育及良种苗木繁育

鼓励科研院所和企业采用现代化的选优、杂交、航天及生物技术，定向培育药用、加工、鲜食枸杞专用新品种。积极发挥国家枸杞工程技术中心优势，引进国内外优质枸杞种质资源，建立条件完善国家级枸杞种质资源圃和育繁推一体化的现代种业发展模式。加大力度重点扶持产区市、县（区）建设枸杞种苗基地和优系采条圃，实现种苗统育统供。

（2）加快枸杞田间水肥一体化、标准化生产

水肥一体化技术起源于无土栽培技术，是现代集约化灌溉农业的一个关键因素，通过该技术实现水、肥同步控制。研究表明，水肥一体化技术可实现节水、节肥，同时减少病虫害，提高作物品质和产量。肥与水被直接输送到作物根系周围，并且被水充分溶解，作物可直接吸收，减少土壤对肥料的固定、渗漏及挥发，利用率比传统施肥方法提高20%～40%，节肥效果显著，同时也大量节省了劳动力。

---

① 李佩珊. 2019. 宁夏启动枸杞现代化高质量发展战略研究［J/OL］. https://www.chinanews.com.cn/cj/2019/12-29/9046490.shtml［2020-10-20］.

（3）加快标准化生产基地建设

优化全国枸杞种植区域布局，改造提升以宁夏为核心、青海、甘肃、内蒙古为两翼，高标准发展枸杞新产区。鼓励和支持企业、农民专业合作社、种植大户、家庭农场推广优良新品种，推广应用枸杞产业研发的新的种质和采摘技术，使用因地制宜适合具体品种的机械装备。

（4）加快研发水平提升，促进产品深加工发展

枸杞深加工龙头企业较少，大多企业仍处在初加工水平，企业规模小，产品档次低且种类单一，制约了枸杞的深加工产品的开发，对枸杞产品的开发缺乏系统性研究，仅局限于对果实的粗加工，使资源优势未能充分发挥成经济优势。

（5）提高枸杞生产过程中的机械化程度

人工采摘劳动强度大、生产效率低、成本高，客观上制约了枸杞种植面积的扩大，影响了枸杞产业的进一步发展。因此，必须加大对机械振动式枸杞采摘机的试验示范力度，通过广泛开展机械振动式枸杞采摘机的试验示范，总结经验，解决机械采摘全程技术"瓶颈"障碍，为提高采摘效率提供技术经验。加大对机械振动式枸杞采摘机的推广应用力度，应尽快申请将机械振动式枸杞采摘机纳入农机购置补贴目录，争取政策性支持，向财政部门申请枸杞采摘机的购置资金，增加购买数量和保有量，加快枸杞采摘机械化发展步伐[①]。

（6）建立食品安全管理网络与溯源管理网络平台

建立全国枸杞产业基础数据库，在农产品流通过程中，消费者及企业管理者可利用食品质量安全追溯系统对产品的环境、状态及流通信息进行查询，了解产品从生产至餐桌的每一个环节。此外，还可综合利用网络及数据库技术，实现对农产品 24 小时管控的目标[②]。

在建立农产品质量安全溯源系统这一过程当中，应有效标识参与方信息、产品属性及经销商信息，这是追踪农产品质量问题的关键。此外，为了确保产品的追溯和查询质量，应选择精确、快速及可靠的系统，明确产品的生产、出入库、仓储、运输、位置及标识等信息。在处理这一工作时，应做到数据共享，并确保数据的真实性、准确性与安全性。

（7）强化科技创新与推广

加快枸杞采摘、制干、分选等关键技术装备的研发与创新，用现代技术装备改造提升传统枸杞产业。将采摘机械、烘干设备、病虫害统防统治机具纳入农机

---

① 冯正睿 . 2013. 酒泉市枸杞采摘实现机械化刻不容缓［J］. 农机科技推广，（12）：34-35.

② 邹超 . 2015. 中宁枸杞可追溯系统加工管理子系统的设计与实现［D］. 成都：电子科技大学硕士学位论文 .

补贴范围，在产前、产中、产后各环节采用机械化作业，减少手工劳动，提高生产效率。积极推进枸杞保健养生、抗衰美容等功能产品的基础性研究，加快枸杞鲜食保鲜、有效成分提取、功能食品饮品开发等加工技术与装备的研发创新。

（8）提高社会化服务水平

引导枸杞加工流通企业、农民专业合作社、家庭农场、种植大户联合建立枸杞病虫害统防统治专业化服务公司或服务团队，配备枸杞烘干机等专业化机械设备，在满足自身生产加工需求的同时，积极向其他枸杞种植基地或杞农开展社会化服务。充分利用新闻媒体、互联网、手机短信、微博、微信等现代信息技术和信息系统为枸杞产业管理、供销提供有效的信息服务。因此在技术的方面，需要重点发展以下几个方面。

一是，加快枸杞新品种培育，从源头保障产业可持续发展。亟待构建分子及分子辅助育种的技术体系。新品种选育也应该考虑"丰产、优质、广适、高抗"等特点。同时，为了融合农机农艺水平，新品种选育还应具备适应机采、机剪、机除等特点。

二是，建立枸杞良种快繁技术体系、生产标准体系及管理技术规程，实现工厂化育苗。

三是，加强枸杞质量控制，保障枸杞产品安全。在扩大种植规模的同时，保证质量，以枸杞产品增效提质为重点，加大标准化生产技术推广，开展无公害、绿色、有机产品和地理标志枸杞产品的认证，逐步提升枸杞质量。

四是，开发精深加工新产品，建立"涵盖产业链条+生产中高端/高端产品"的产业发展模式，延伸产业链，提升枸杞产业。

五是，研制枸杞专用设备，提高机械化水平。虽然国内枸杞育种工作世界领先，但国内外众多研究部门已经开展了枸杞新品种的选育工作，尤其是韩国和美国基础设施先进、资金充足，如果国内不加强和加快枸杞新品种的选育工作，将不能保证枸杞产业在国际竞争中的良好发展。

2.3 枸杞产业技术发展路线图

2.3.1 枸杞种质资源与育种技术发展路线图

2.3.1.1 枸杞种质资源与现代育种技术发展路线图

（1）发展意义

我国枸杞资源丰富，根据《中国植物志》记载，枸杞在我国境内自然野生分布有 7 种 3 变种，大多分布在西北地区和华北地区。20 世纪 80 年代以来，宁夏农林科学院在大量收集枸杞种质资源的基础上建成我国唯一的枸杞种质资源圃，目前已保存了包括 7 个种和 3 个变种在内的 60 余份国内外种质材料。浆果型枸杞果实，具有肉质果皮；果实资源丰富，形状不一，颜色艳丽。当前，在生产上广泛栽培的枸杞主要是宁夏枸杞（*Lycium barbarum* L.）。由于缺乏衡量果实性状的量化指标，育种中果实性状评定的标准不一。国内有学者针对目前枸杞种质资源研究的现状，对收集近 20 年的枸杞种质资源调查数据进行评价分析，建立了枸杞种质资源描述体系①；提出数量性状数值分类标准和参照品种，为枸杞种质资源描述体系的规范化和标准化提供理论依据。

枸杞种质资源收集工作是长期的。国家枸杞工程技术研究中心通过多年的努力，先后从新疆、青海、内蒙古、河北等枸杞主栽区收集了大量的枸杞种质材料，包括黑果类、黄果类、长果类等不同的特异性和高产优质型种质材料。这些种质材料的定植保存需要大量的试验用地，其农事操作也需要大量经费投入。如何对资源进行早期的鉴定和归类，是解决枸杞育种和资源保存的关键所在②。

（2）发展目标与路线图

坚持"以常规育种为主、高新技术育种相结合，以应用开发研究和基础研究并重，以高产、优质、多抗、广适为目标"的枸杞育种工作原则。建议重点围绕枸杞超高产、优质、抗病虫、抗逆等性状开展枸杞重要核心基因的发掘、鉴定、评价、基因组测序、基因图谱分析，新基因的精细定位、克隆、遗传转化、枸杞药效质量评价分析，以及枸杞品种设计理论和方法研究，促进常规育种技术与枸杞分子育种的有机结合，构筑枸杞育种技术体系和理论，取得枸杞育种理论的重大科学突破。

枸杞育种工作主要从药用、鲜食、加工、蔬用四个层面入手。药材品种的选育应以提高有效的药用成分、含量、抗病虫能力为主要目标，适当兼顾产量指标；鲜食品种以优质、高产、耐储、风味、大果、多抗、广适为主要目标；加工品种以多汁、少籽、高糖、皮薄、酿酒、多抗、广适为主要目标；蔬用品种以高产、优质、多抗、广适、耐储、低纤维、多营养、萌芽力高、生长量大为主要目标③。

---

① 安巍，赵建华，石志刚，等 .2007. 枸杞种质资源果实数量性状评价指标探讨 [J]. 果树学报，(2)：172-175.

② 安巍，王亚军，尹跃，等 .2013. 枸杞种质资源的 SRAP 分析 [J]. 浙江农业学报，25（6）：1234-1237.

③ 安巍，章惠霞，何军，等 .2009. 枸杞育种研究进展 [J]. 北方园艺，(5)：125-128.

对枸杞种质资源与现代育种技术发展的目标、关键技术、主要任务与标志成果等各要素进行集成，绘制路线图如图2.1所示。

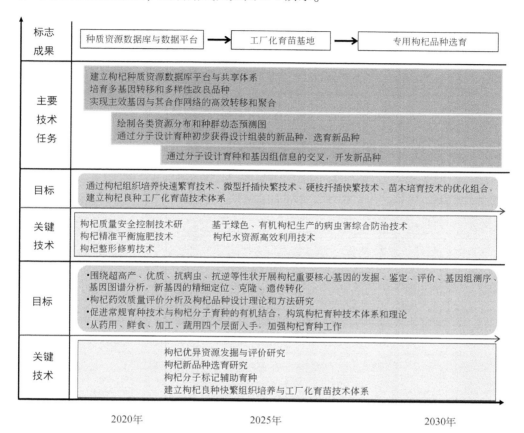

图2.1 枸杞种质资源与现代育种技术发展路线图

2.3.1.2 枸杞生产过程质量控制技术体系研究与示范

研究突破质量控制下的枸杞种植、采收、初加工、储藏等技术，建立绿色、有机且药效含量稳定的枸杞生产过程质量控制技术体系，结合企业原料基地建设，建立枸杞规范化种植（GAP）基地，提升枸杞种植水平。

围绕枸杞生产关键环节，按照现代化、集约化、质量可控化的要求，研制或集成改进枸杞专用采收、施肥、植保等现代配套机械，建立枸杞现代化、集约化生产配套技术的优化模式，提高机械化作业能力，降低劳动强度（图2.2）。

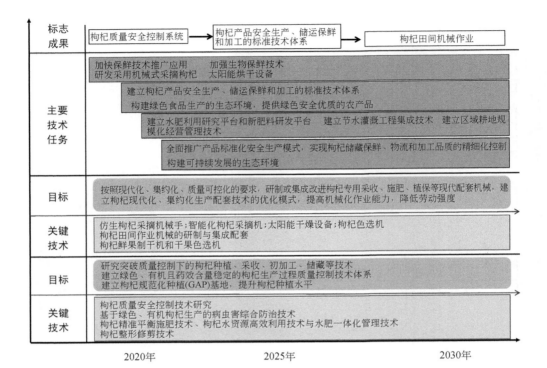

图 2.2　枸杞生产过程质量控制技术路线图

2.3.2　枸杞溯源技术路线图

建立食品质量溯源系统是食品安全保障制度完善的一种新型模式。2011 年，北方民族大学计算机学院设计了一种无公害枸杞果产品质量溯源系统，根据无公害枸杞果的生产关键点，在分析了相关信息采集点后，基于 RFID 无线射频技术、二维条形码技术、Java 编程技术构建了无公害枸杞果产品的质量溯源系统。消费者可以通过手机拍照的形式，将二维条码照片上传至系统，系统通过解读二维条码信息，给出产品的真伪信息或者通过读取 RFID 标签，确定产品真伪信息。宁夏大学农学院采用（近）红外光谱技术对宁夏、甘肃、青海、内蒙古、河北的 8 个不同产地 40 种枸杞样品进行扫描，在主成分分析基础上，利用简易分类法（SIMCA）模式识别原理分别建立枸杞产地溯源模型，证明了该方法在枸杞产地识别中具有可行性。2013 年，宁夏农林科学院枸杞研究所和北方民族大学计算机科学与工程学院开发了枸杞产品质量追溯系统，初步实现了枸杞干果产品的流向可跟踪、生产可记录、信息可查询、真伪可辨别、责任可追究，提高了枸杞产品的安全性和市场竞争力。2016～2019 年，宁夏农林科学院农业经济与信息技术研究所研发了宁夏枸杞苗木、干鲜果质量安全可追溯系统，规范了农业投入品的应用，提升了枸杞产品质量。宁夏枸杞苗木、干鲜果质量安全可追溯系统平台可以为枸杞种植管理的相关管理部门提供有效的监控手段，从整体上掌握枸杞苗木、干果的质量安全状况，实现枸杞育苗全过程数据可监管；种植企业及农户可根据苗木携带"身份证"确定苗木品种、产地、有无携带致病因子等信息，为种植的枸杞苗木提供有效证明，有效解决了枸杞苗木市场苗木良莠不齐、品种混杂的鉴定问题；能够有效防止不同产地枸杞病虫害通过苗木携带在地域间传播。

目前枸杞质量追溯系统软件的功能随着产业链的延长及枸杞安全质量追踪需求的增加，系统功能在不断完善。枸杞在生长过程及供应链中的每个环节紧紧相扣，若一个环节出现问题，将影响整个信息链。进一步优化枸杞溯源系统的功能，大力推广和应用枸杞溯源系统软件，有助于提升消费者对枸杞质量安全意识和认知度。

2.3.3 枸杞精深加工技术路线图

2.3.3.1 发展需求、意义与趋势

近年来，枸杞鲜果的保鲜技术已经引起国内外学者的重视并取得了一定的成效，但由于相关保鲜技术的机理作用尚未研究透彻，因此保鲜技术依然停留在实验室理论探索与讨论阶段。今后的研究实践工作可以从以下几个方面展开。

（1）加快保鲜技术推广应用

虽然其他果蔬的保鲜技术已经朝着综合型保鲜包装技术发展，但是枸杞鲜果的保鲜技术却并没有在商业市场上得到全面推广。未来枸杞鲜果保鲜技术在朝着多种技术结合、安全、天然、高效的方向发展的同时，应该更快地走出实验室，成为能够广泛应用的普及型技术。

（2）加强生物保鲜技术研发

传统的化学合成保鲜剂虽有较好的防腐保鲜效果，但对人体有一定的不利影响。荷叶乙醇提取物、柠檬油等天然生物保鲜剂因绿色环保的优势，引起人们越来越多的重视。在大力推进枸杞鲜果走向商业市场的同时，食品安全始终是根

本，应在吸取其他果蔬生物保鲜技术的成功经验之上，重点研发枸杞鲜果生物保鲜技术。

中国科学院西北高原生物研究所公开了一种枸杞保鲜的方法，结合了物理学方法和化学方法，将枸杞在 50 ~ 60℃ 热处理 20 ~ 40s，然后用浓度为 2 ~ 5μl/L 天然植物提取物丁香酚或香芹酚浸泡 3 ~ 10min。除此之外，相关的枸杞鲜果的保鲜装置的研发，近年来也得到了长足的发展。例如，宁夏大学公开的一种鲜枸杞保鲜装置，通过在枸杞鲜果盒和外保护盒之间设置冰粒层，维持枸杞鲜果保存需要的低温，且考虑到避免枸杞泡在水中变质，外保护盒的底部设置集水构造，能够很好地将枸杞与冰粒融化后的水进行分离，延长枸杞鲜果的保鲜时间。

（3）推进枸杞分子生物学水平研究

深入开展与枸杞鲜果衰老相关的激素调节机制研究，立足分子生物学角度研究枸杞果实细胞衰老机理，从枸杞果实基因根源出发，不断在枸杞原有品种的基础上研发改良枸杞新种质，加强枸杞苗木基地建设，健全枸杞良种培育体系。

（4）采用机械式采摘枸杞

低成本、高效率、智能化的机械采摘可降低枸杞果实的损伤率，采摘后，根据枸杞鲜果保鲜温度需求，进行冷链流通，可最大限度地提高枸杞鲜果的储藏性。智能化农业采摘和冷链物流的普及将为枸杞鲜果保鲜运输带来更多可能[①]。

2.3.3.2　枸杞加工关键技术与路线图

目前 80% 以上枸杞为原料销售，加工转化率仅为 12.5%，加工产品档次低，附加值小，收益低下。枸杞非酒精饮料产品工业化程度较高，投资小见效快，技术难度适中，是枸杞深加工的重要发展方向。枸杞酒精饮料生产工艺有发酵型和配制型，发酵型枸杞酒开发潜力巨大。枸杞加工关键技术与路线图如图 2.3 所示。

---

① 施杨，危春红，陈志杰，等. 2016. 枸杞鲜果采后生理及保鲜技术研究进展 [J]. 保鲜与加工，16（3）：102-106.

图 2.3 枸杞加工关键技术与路线图

3 | 枸杞产业知识产权保护战略研究

科技论文在情报学中又称为原始论文或一次文献，它是科学技术人员或其他研究人员在科学实验的基础上，对自然科学、工程技术科学，以及人文艺术研究领域的现象或问题进行科学分析、研究和阐述，并按照各个科技期刊的要求进行电子和书面的表达[①]。科技论文既是科研成果的标志，又是科技信息传递、存储的良好载体，同时也是推进产业科技发展的重要手段[②]。

专利指受到专利法保护的发明创造，即专利技术，是受国家认可并在公开的基础上进行法律保护的专有技术[③]。专利布局就是企业通过综合产业和市场情况分析，对专利进行有机结合。更好地了解专利的技术市场情况，还能分析竞争对手的专利技术信息。通过多种维度进行全面分析，制定更为严谨的专利保护网，给企业形成更有利的格局，还会让专利的竞争优势得到展现，这就是专利布局的重要作用和优势，对企业专利保护具有重要的影响。专利布局更有利于企业进行专利组合研发，在企业专利组合具备一定规模时，就能有更好的保护，从而获得特定领域的专利竞争优势。不管是在企业的综合产业市场中，还是在整个大环境当中，都要将各种专利有机地结合起来。更好地确保专利研发的具体方向，还能了解专利的相关信息，从而制定更符合企业有利格局的专利组合，促进企业品牌竞争力[④]。

科技论文及科技成果发表、产业专利分析、知识产权保护战略的制定对于枸杞产业的发展具有带动作用及可适应国内外竞争形势的意义。目前，枸杞产业在科技论文发表方面，枸杞的道地性特征尚未得到系统阐明，枸杞子药材品质相关物质基础和质量控制研究体系尚不完善；在专利方面，目前枸杞专利申请存在专利质量不高，专利布局不合理，专利产业化薄弱，缺乏战略层面的专利设计和管理等问题。因此，以 Web of Science、中国知网（CNKI）文献库、智慧芽专利检

---

① 万昊，谭宗颖，鲁晶晶，等. 2015. 2001—2014 年引文分析领域发展演化综述 [J]. 图书情报工作，59（6）：120-136.

② 陈文静. 2022. 科技期刊知识服务的演进分析——阶段特征、动力因素和驱动机制 [J]. 中国科技期刊研究，33（5）：573-581.

③ 冯晓青，李薇. 2020. 我国专利法中公共领域保留原则研究 [J]. 学海，（4）：177-184.

④ 詹文青，封丽，黄潇霏. 2022. 专利布局视角下企业核心专利识别研究 [J]. 情报理论与实践，45（8）：115-120.

索平台为数据来源，通过收集相关材料，分析数据，解决科技论文和知识产权方面的问题。

3.1 枸杞产业科技论文态势分析

3.1.1 数据来源与检索方法

科技论文态势分析以 Web of Science 和中国知网（CNKI）文献库为数据来源，检索日期为 2022 年 5 月，具体情况如下。

（1）Web of Science

以科睿唯安 Clarivate 公司的 Web of Science ［（SCI-EXPANDED）SCI-EXPANDED、Conference Proceedings Citation Index］数据库作为数据源，数据时间段限定为 1980 年至今。

1）检索字段限定为"TOPIC"主题（包括篇名、关键词和摘要）。

2）检索式：TS =（"Lycium barbarum- L" or Lyciumbarbarum or" Lycium sinensis" or" Lycium chinense" or" Lycium chinense- MILL" or Lycium- L or Lycium * or medlar or wolfberry or Goji or" chinese wolfberry" or" wolfberry fruit" or boxthorn or " chinese medlar" or" Matrimony vine" or" Lycium chinensis" or gouqi or gouqizi or goujizi）。

3）检索时间：2022 年 5 月 2 日。

4）检索结果：共检索到 SCI 文献 2922 篇，文献类型包括论文、综述论文、会议、会议论文等。

（2）中国知网（CNKI）

以中国知网（CNKI）作为数据源，数据时间段限定为 1980 年至今。

1）检索字段限定为"主题"（包括篇名、关键词和摘要）。

2）检索词："枸杞"。

3）检索时间：2022 年 5 月 13 日。

4）检索结果：共检索到 CNKI 文献 19 240 篇，文献类型包括期刊、硕博士学位论文、会议论文等。

3.1.2 枸杞产业科技论文计量分析

3.1.2.1 发文数量变化

枸杞 SCI 文献自 1980 年开始发表，之后缓慢增长，2005 年开始呈现稳定增长，从 2013 年进入快速增长期。CNKI 文献在 1980～1993 年处于萌芽发展阶段，1994 年开始进入快速增长阶段，2018 年进入峰值年，之后有所回落，2022 年发文数量少的原因是数据更新不完整。文献的年代增长率可以反映出对枸杞研究关注程度的变化情况（图 3.1）。

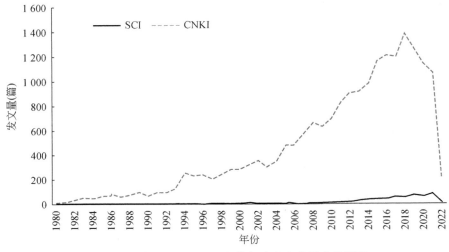

图 3.1　枸杞 SCI 和 CNKI 文献年度发文数量变化情况

3.1.2.2　收录期刊分布

CNKI 收录枸杞研究文献数量 TOP30 的期刊中，枸杞研究文献 100 篇以上的中文期刊共有 14 种，包括宁夏农林科技、安徽农业科学、食品研究与开发、食品工业科技、北方园艺、食品科学、食品工业、陕西中医、广州中医药大学、现代农业科技、北京中医药大学、时珍国医国药、宁夏医科大学学报、实用中医内科杂志、食品科技等。

枸杞研究的外文文献共分布在 348 种 Web of Science 期刊上，表 3.1 列出了收录枸杞研究文献 5 篇及以上的 28 种英文期刊。这 28 种期刊共收录文献 232 篇，占所有外文文献总量的 66.67%。

表 3.1　Web of Science 数据库枸杞研究的外文期刊分布（文献数量≥5 篇）

序号	期刊名称	文献数量
1	JOURNAL OF ETHNOPHARMACOLOGY	25
2	MOLECULES	22
3	FOOD CHEMISTRY	20
4	JOURNAL OF AGRICULTURAL AND FOOD CHEMISTRY	12

续表

序号	期刊名称	文献数量
5	CARBOHYDRATE POLYMERS	11
6	ASIAN JOURNAL OF CHEMISTRY	10
7	INTERNATIONAL JOURNAL OF BIOLOGICAL MACROMOLECULES	9
8	SCIENTIA HORTICULTURAE	9
9	JOURNAL OF FUNCTIONAL FOODS	8
10	AGRICULTURAL WATER MANAGEMENT	6
11	ARCHIVES OF PHARMACAL RESEARCH	6
12	BIOLOGICAL PHARMACEUTICAL BULLETIN	6
13	BIOMEDICINE PHARMACOTHERAPY	6
14	FOODS	6
15	FRONTIERS IN PLANT SCIENCE	6
16	INTERNATIONAL JOURNAL OF CLINICAL AND EXPERIMENTAL MEDICINE	6
17	PHYTOCHEMISTRY	6
18	PLANT CELL REPORTS	6
19	PLOS ONE	6
20	SCIENTIFIC REPORTS	6
21	BIOCHEMICAL SYSTEMATICS AND ECOLOGY	5
22	FOOD AND CHEMICAL TOXICOLOGY	5
23	FOOD RESEARCH INTERNATIONAL	5
24	INTERNATIONAL JOURNAL OF FOOD SCIENCE AND TECHNOLOGY	5
25	JOURNAL OF ASIAN NATURAL PRODUCTS RESEARCH	5
26	JOURNAL OF NATURAL PRODUCTS	5
27	LWT FOOD SCIENCE AND TECHNOLOGY	5
28	MOLECULAR BREEDING	5

3.1.2.3 国家（地区）分布

枸杞研究的国外科技论文主要分布于中国、美国、韩国、意大利、巴基斯坦、印度、土耳其、西班牙、阿根廷、日本、澳大利亚等国家（地区），表3.2列出了发文数量在50篇以上的主要国家（地区）及发文量与被引频次等情况。中国发表的外文论文数量最多，约占全部枸杞相关论文的51%，其次是美国。总被引频次基本上与发文量排序一致，篇均被引频次高于20的有西班牙、美国、意大利、中国台湾、澳大利亚和日本，被引频次≥50次、发文高于10篇的有中国、美国、意大利和西班牙，H指数超过20的依次为中国、美国、意大利、西班牙、韩国和巴基斯坦。

表 3.2   国外科技论文主要研究国家（地区）分布及文献产出与影响力

序号	国家（地区）	文献数量	总被引频次	篇均被引频次	被引频次≥50的篇数	H 指数	国家发文占比（%）
1	中国	1 504	26 893	17. 88	129	70	51. 349
2	美国	375	11 445	30. 52	52	52	12. 803
3	韩国	134	1 798	13. 42	5	23	4. 575
4	意大利	106	2 414	22. 77	12	26	3. 619
5	巴基斯坦	101	1 244	12. 32	4	20	3. 448
6	印度	70	1 156	16. 51	3	17	2. 39
7	中国台湾	70	1 573	22. 47	7	20	2. 39
8	土耳其	68	1 227	18. 04	8	19	2. 322
9	西班牙	64	1 983	30. 98	12	24	2. 185
10	阿根廷	58	879	15. 16	2	15	1. 98
11	日本	53	1 116	21. 06	6	19	1. 809
12	澳大利亚	51	1 108	21. 73	3	16	1. 741

3.1.2.4   研究机构分布

表 3.3 列出了枸杞研究的外文文献超过 30 篇的主要研究机构，发文最多的是中国科学院，其次是中国科学院大学、宁夏医科大学、香港大学、西北农林科技大学、济南大学、宁夏农林科学院、宁夏大学、兰州大学、天津大学、阿根廷国家科学与技术研究委员会（CONICET）、浙江大学、美国加州大学系统（UC）、南京农业大学、江苏大学、中国农业大学、埃及知识库（EKB）、青海大学等。发文总被引频次最多的是香港大学，其次是中国科学院、宁夏医科大学、济南大学、中国科学院大学、美国加州大学系统（UC）、南京农业大学等。篇均被引频次最高的仍是香港大学，其次是南京农业大学、美国加州大学系统（UC）、济南大学等。单篇被引频次 30 次以上论文数量最多的是香港大学，其次是中国科学院、宁夏医科大学、中国科学院大学、南京农业大学、济南大学等。

表 3.3   外文文献主要机构产出及影响力分布

机构名称	文献数量	总被引频次	篇均被引频次	单篇被引 30 次以上	H 指数	占比率（%）
中国科学院	225	3 295	14. 64	32	31	7. 682
中国科学院大学	97	1 433	14. 77	16	22	3. 312
宁夏医科大学	93	1 666	17. 91	19	24	3. 175

机构名称	文献数量	总被引频次	篇均被引频次	单篇被引 30 次以上	H 指数	占比率（%）
香港大学	88	4 002	45.48	37	36	3.004
西北农林科技大学	74	841	11.36	6	18	2.526
济南大学	67	1 476	22.03	14	20	2.287
宁夏农林科学院	61	441	7.23	4	11	2.083
宁夏大学	44	381	8.66	2	10	1.502
兰州大学	39	457	11.72	3	9	1.332
天津大学	39	686	17.59	6	14	1.332
阿根廷国家科学与技术研究委员会（CONICET）	38	630	16.58	5	13	1.297
浙江大学	38	608	16	8	16	1.297
美国加州大学系统（UC）	37	1 072	28.97	9	13	1.263
南京农业大学	36	1 045	29.03	15	20	1.229
江苏大学	34	477	14.03	5	15	1.161
中国农业大学	32	427	13.34	4	12	1.093
埃及知识库（EKB)	30	267	8.9	4	9	1.024
青海大学	30	388	12.93	6	10	1.024

表 3.4 列出了 CNKI 中国国内在枸杞研究方面发文超过 100 篇的主要研究机构，发文最多的宁夏大学，位居第二的是宁夏农林科学院（含枸杞工程技术研究所、植物保护研究所、枸杞研究所等），其后是宁夏医科大学、甘肃农业大学、北京中医药大学、青海大学、广州中医药大学等。发文总被引频次最多的也是宁夏大学，其次是宁夏农林科学院、宁夏医科大学、甘肃农业大学、兰州大学等。篇均被引频次最高的是兰州大学、中国农业大学等。单篇被引频次 30 次和 50 次以上论文数量最多的仍然是宁夏大学，其次是宁夏医科大学。

表 3.4 中国国内主要研究机构产出及影响力分布

机构名称	文献数量	总被引频次	篇均被引频次	单篇被引50 次以上	单篇被引30 次以上
宁夏大学	843	8 794	13.98	23	64
宁夏医科大学	412	5 050	13.19	17	40
甘肃农业大学	284	2 088	11.11	3	12

机构名称	文献数量	总被引频次	篇均被引频次	单篇被引50次以上	单篇被引30次以上
宁夏农林科学院（含枸杞工程技术研究所、植物保护研究所、枸杞研究所等）	669	5 885	10.47	12	38
北京中医药大学	243	873	13.23	3	5
青海大学	239	1 325	7.66	1	4
广州中医药大学	201	1 039	17.03	3	7
西北农林科技大学	197	1 195	13.28	1	10
兰州大学	150	2 061	22.4	12	17
内蒙古农业大学	137	769	9.99	1	6
南京中医药大学	133	539	13.82	0	5
北方民族大学	122	901	9.59	2	5
辽宁中医药大学	110	261	10.88	0	2
上海海洋大学	107	752	12.13	2	4
中国农业大学	103	1 654	22.35	11	17
新疆农业大学	101	716	11.74	1	6

表 3.5 列出了 CNKI 中被引频次前 9 位的文献详细信息。例如，宁夏农业生物技术重点实验室的惠红霞、许兴、李前荣发表的《外源甜菜碱对盐胁迫下枸杞光合功能的改善》文献，被引频次高达 306 次。

表 3.5　CNKI 中被引频次前 9 位的文献详细信息

题名	作者	第一作者单位	被引频次
外源甜菜碱对盐胁迫下枸杞光合功能的改善	惠红霞、许兴、李前荣	宁夏农业生物技术重点实验室	306
枸杞子和白术免疫调节作用的实验研究	余上才，章育正，赵慧娟，于丽华	上海中医学院微生物学教研室	290
北方主要造林树种苗木蒸腾耗水特性研究	周平、李吉跃、招礼军	北京林业大学	269
盐胁迫抑制枸杞光合作用的可能机理	惠红霞、许兴、李守明	宁夏农业生物技术重点实验室	252

题名	作者	第一作者单位	被引频次
蒽酮硫酸法与苯酚硫酸法测定枸杞子中多糖含量的比较	刘晓涵；陈永刚；林励；庄满贤；方晓娟	广州中医药大学中药学院	248
枸杞子的化学成分及药理研究新进展	钱彦丛、宇文萍	解放军白求恩军医学院	234
枸杞的化学成分与药理作用研究综述	周晶；李光华；	宁夏大学	226
枸杞多糖延缓衰老的作用	王建华、王汉中、张民、张声华	山东农业大学	209
枸杞多糖的抗肿瘤活性和对免疫功能的影响	甘璐、张声华	华中科技大学	205

3.1.2.5　研究热点分析

国内科技论文中出现的高频关键词除"枸杞"外，高频关键词中"枸杞多糖"的出现频次最高；"黑果枸杞""类胡萝卜素""甜菜碱""总黄酮""高效液相测定"和"含量测定"出现频次也相对较多，主要涉及有效成分测定与研究；"抗氧化"和"抗疲劳"出现的频次也相对较高，与枸杞的功效相关。"枸杞木虱"和"枸杞蚜虫"在中文论文中出现的频次较高，涉及枸杞种植过程中病虫害防治的研究。外文文献中的高频关键词除"枸杞"外，依次是与枸杞功效有关的"抗氧化性""神经保护""阿尔茨海默症"等关键词；其次是与枸杞有效成分有关的如"枸杞多糖""玉米黄质""类胡萝卜素"等关键词（图3.2，图3.3）。

从国外科技论文的关键词可以看到，在枸杞有效成分方面的研究，除普遍关注的枸杞多糖外，中文是以"枸杞多糖""类胡萝卜素""甜菜碱"和"总黄酮"为多，而外文以"枸杞多糖""玉米黄质""类胡萝卜素"为多，在有效成分研究对象方面稍有侧重。枸杞功效的中外文文献研究均以"抗疲劳""抗氧化"为主。此外，中文文献还关注枸杞种植过程中病虫害的防治研究。

3.1.2.6　资助情况分布

表3.6列出了 Web of Science 枸杞研究论文基金资助（≥20篇）的分布情况，可以看出，国外在国家层面对枸杞研究有一定力度的资助，相应地这方面的研究论文产出也比较多。

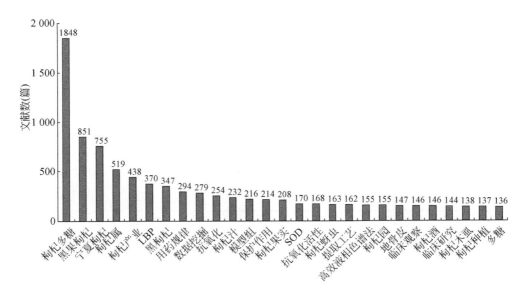

图 3.2   国内科技论文主题分布

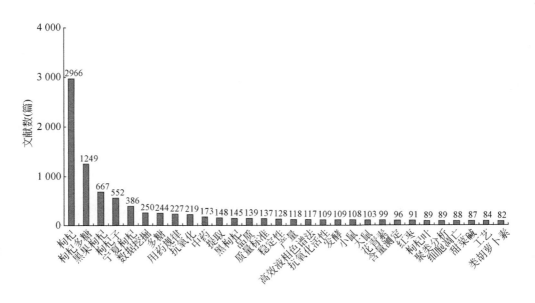

图 3.3   国内科技论文关键词分布

表 3.6　**Web of Science 枸杞研究论文基金资助（≥20 篇）分布情况**

基金名称	资助项目论文数	国家（地区）
National Natural Science Foundation Of China Nsfc	627	中国
Fundamental Research Funds For The Central Universities	58	中国
National Key Research And Development Program Of China	52	中国
China Postdoctoral Science Foundation	38	中国
National Key R D Program Of China	34	中国
United States Department Of Health Human Services	32	美国
Chinese Academy Of Sciences	30	中国
National Institutes Of Health Nih Usa	29	美国
Priority Academic Program Development Of Jiangsu Higher Education Institutions	23	中国
Ministry Of Science And Technology Taiwan	22	中国台湾
Consejo Nacional De Investigaciones Cientificas Y Tecnicas Conicet	20	阿根廷
National Science Foundation Nsf	20	中国
Rural Development Administration Rda	20	韩国

表 3.7 列出了 CNKI 枸杞研究论文基金资助（≥30 篇）分布情况，可以看出，除了国家支持独占鳌头外，一些适宜发展枸杞产业的省份（如宁夏、青海、甘肃、新疆等）也投入了不少的资金。

表 3.7　**CNKI 枸杞研究论文基金资助（≥30 篇）分布情况**

基金名称	资助项目论文数
国家自然科学基金	1562
宁夏自然科学基金	498
国家科技支撑计划	306
国家重点研发计划	136
宁夏回族自治区科技攻关计划	98
国家重点基础研究发展规划（973）	90
甘肃省自然科学基金	73
宁夏高等学校科学技术研究项目	70
国家科技攻关计划	49
国家高技术研究发展计划（863）	48
宁夏大学科学研究基金	41
河南省科技攻关计划	35

基金名称	资助项目论文数
广东省自然科学基金	34
中国博士后科学基金	33
新疆维吾尔自治区自然科学基金	33
湖北省自然科学基金	31

3.1.3 枸杞产业科技论文态势

枸杞研究的外文文献主要分布在中国、美国、韩国、意大利、巴基斯坦、印度、中国台湾等国家（地区）；中文文献主要产自国内研究枸杞较多的省份中，其中枸杞主要产地（宁夏、甘肃、青海、新疆）是该领域研究的主要力量。

中文核心论文产出最多和被引频次最高的机构是宁夏大学，其次是宁夏农林科学院（含枸杞工程技术研究所、植物保护研究所、枸杞研究所等）、宁夏医科大学、甘肃农业大学、北京中医药大学、青海大学、广州中医药大学等华中农业大学、兰州大学和国家枸杞工程技术研究中心。篇均被引频次最高的是兰州大学、中国农业大学等。单篇被引频次 30 次和 50 次以上论文数量以宁夏大学和宁夏医科大学为多。外文文献发文数量最多的是中国科学院，总被引频次、篇均被引频次、单篇被引 30 次以上的均以香港大学位居榜首，中国科学院、宁夏医科大学、中国科学院大学、南京农业大学等紧随其后。

从中英文的关键词分析可知，在枸杞有效成分方面的研究，除普遍关注的"枸杞多糖"外，中文文献还以"类胡萝卜素""甜菜碱"和"总黄酮"等为多，而外文文献则以"玉米黄质""类胡萝卜素"为多，在有效成分研究对象方面稍有侧重。枸杞功效的中外文文献研究多以"抗疲劳""抗氧化"为主，中文文献还关注枸杞种植、病虫害防治等研究。

3.2 枸杞产业科技成果态势分析

3.2.1 数据来源与检索方法

科技成果以 CNKI 文献库为数据来源，检索日期为 2022 年 5 月，共检索到 1316 条成果。

3.2.2 枸杞产业科技成果计量分析

3.2.2.1 成果年度分布

从图 3.4 可以看出，1984 年首次出现关于枸杞的科技成果，1999 年开始波折上升，2015 年达到峰值，随后处于平稳发展期，表明枸杞研究成果的发展以上升为趋势。

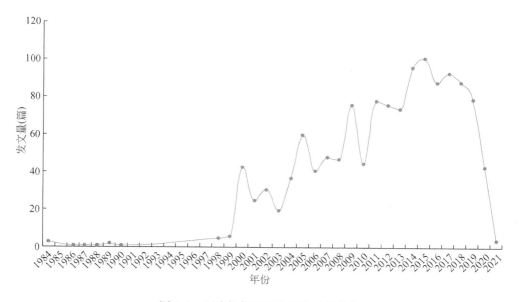

图 3.4　国内枸杞研究成果的时间分布

3.2.2.2 主要完成机构

从图 3.5 可以看出，主要完成第一单位包括宁夏农林科学院枸杞研究所、中国科学院西北高原生物研究所、青海大学、宁夏农林科学院、宁夏大学、甘肃省治沙研究所、甘肃农业大学、宁夏农林科学院枸杞发展工程技术研究所、青海省农林科学院、青海康普生物科技股份有限公司、宁夏医科大学、河北科技师范学院、宁夏农林科学院植物保护研究所等。宁夏、甘肃、青海等枸杞主要生产区的科研机构占据了重要的地位。

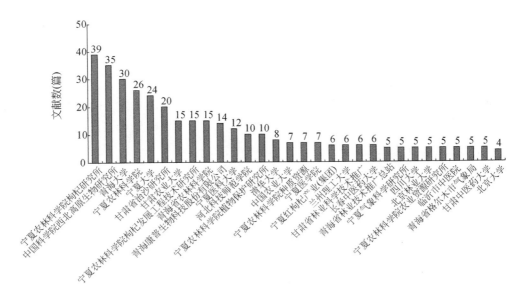

图 3.5　国内枸杞研究成果的主要完成第一机构分布情况

3.2.2.3　主题分布情况

从图 3.6 可以看出，涉及枸杞的研究论文，学科主题涉及黑果枸杞、枸杞多糖、制备方法、保健食品、临床研究、产业化、新品种、柴达木、关键技术研究、生产工艺、柴达木枸杞、栽培技术、宁夏枸杞、中药材、盐碱地、中草药、系列产品、柴达木盆地、研究与应用、柴达木地区等。

3.2.3　枸杞产业科技成果态势

1984 年首次出现关于枸杞的科技成果，1999 年开始枸杞相关科技成波折上升，2015 年达到峰值，随后处于平稳发展期。主要完成第一单位 TOP5 是宁夏农林科学院枸杞研究所、中国科学院西北高原生物研究所、青海大学、宁夏农林科学院、宁夏大学。宁夏、甘肃、青海等枸杞主要生产区的科研机构占据了重要的地位。涉及枸杞的研究论文，学科主题涉及黑果枸杞、枸杞多糖、制备方法、保健食品、临床研究、产业化、新品种等。

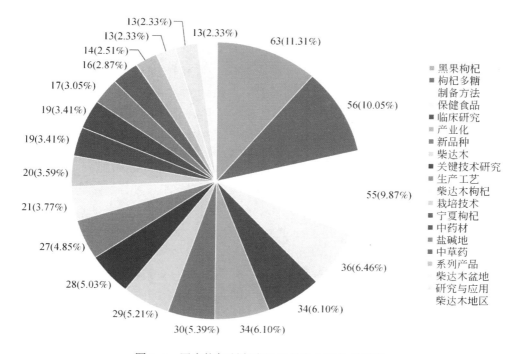

图 3.6 国内枸杞研究成果的学科主题分布情况

3.3 枸杞产业专利文献态势分析

3.3.1 数据来源与检索方法

在智慧芽专利检索平台，以"标题/摘要/权利要求"为检索字段，考虑到发明专利的期限为 20 年，数据时间段设为 2003 年至 2022 年 7 月的所有申请专利。检索式为：TAC：（枸杞 OR"Lycium barbarum- L" OR Lyciumbarbarum OR "Lycium sinensis" OR "Lycium chinese" OR "Lycium chinese-MILL" OR Lycium-L OR wolfberry OR Goji OR "chinese wolfberry" OR "wolfberry fruit" OR boxthorn OR "chinese medlar" OR "Matrimony vine" OR "Lycium chinensis" OR gouqi OR gouqizi OR goujizi）AND APD_Y：[2003 TO 2022]。检索日期 2022 年 7 月 25 日。

3.3.2 枸杞产业专利文献计量分析

在 158 个国家/地区/专利组织中共检索到涉及枸杞的专利 75 650 条，其中国外申请、授权专利（157 个国家/地区/专利组织）涉及枸杞的专利 3836 条。在中国申请的有关专利数量占世界各国（地区、组织）的比例过高（94.93%），导致中国的统计数据位置靠前，不利于了解其他国家（地区、组织）涉及枸杞专利的分布情况，所以将在中国申请的有关专利（简称中国专利）和其他世界主要国家、地区、专利组织（简称外国专利）的申请数据分开统计、分析。

3.3.2.1 专利数量年度分布

从图 3.7 可以看出，近 20 年来世界主要国家、地区和专利组织申请、授权涉及枸杞的专利呈现前期缓慢增长、中期迅猛增长、后期有所回落的趋势。2003~2010年专利申请数量不多，处于缓慢增长期；2011 年起申请数量快速增加，2016 年达到峰值，专利申请数量高达 9250 件，之后有所回落。从授权量、授权占比上看，申请量高位阶段授权数量都偏低，这应该与专利申请质量不高有直接关系。考虑到枸杞应用在中国的历史，故将涉及枸杞的专利分为中国专利和外国专利，尽可能降低由于中国统计数据基数过大造成的外国统计情况失真问题。

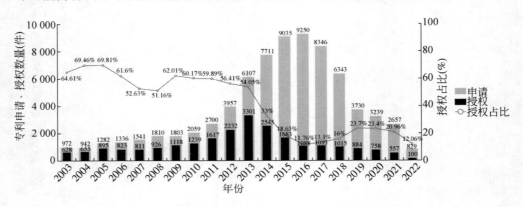

图 3.7　全球枸杞专利申请数量和授权数量年度分布

从图 3.8 可以看出，近 20 年来国外涉及枸杞的专利申请、授权的数量在每年 100 件左右，幅度变动不是很大，表明这段时期是这类研究成果的稳步发展时期。其中 2012 年的申请数量为峰值年，专利数量高达 205 件，但该年的授权占比（62.44%）并不高，说明有些申请专利的质量并不高。

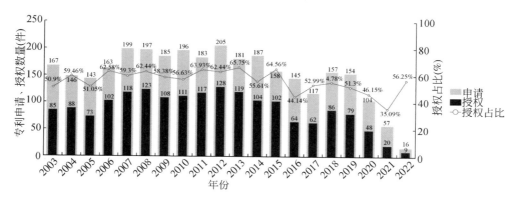

图 3.8 外国枸杞专利申请数量和授权数量年度分布

3.3.2.2 申请国别分布

2003～2022 年，枸杞产业相关专利申请来源国中，中国共有 71 814 件专利，占全部专利数量的 94.93%，遥遥领先其他国家。位于专利数量前 10 位的国家依次是中国、韩国、美国、瑞士、日本、法国、英国、德国、澳大利亚和芬兰（图3.9）。

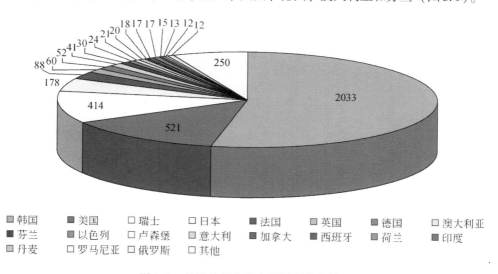

图 3.9 外国枸杞专利申请国别分布情况

3.3.2.3 技术领域分布

图 3.10 为 2003～2022 年全球枸杞专利的技术领域图，主要分布在改变食品的营养性质；营养制品及其制备或处理；枸杞属；植物提取物及其人工复制品或

其衍生物；助消化药，如酸类、酶类、食欲兴奋剂、抗消化不良药、滋补药、抗肠胃气胀药等。表 3.8 含有详细的分类号解释。

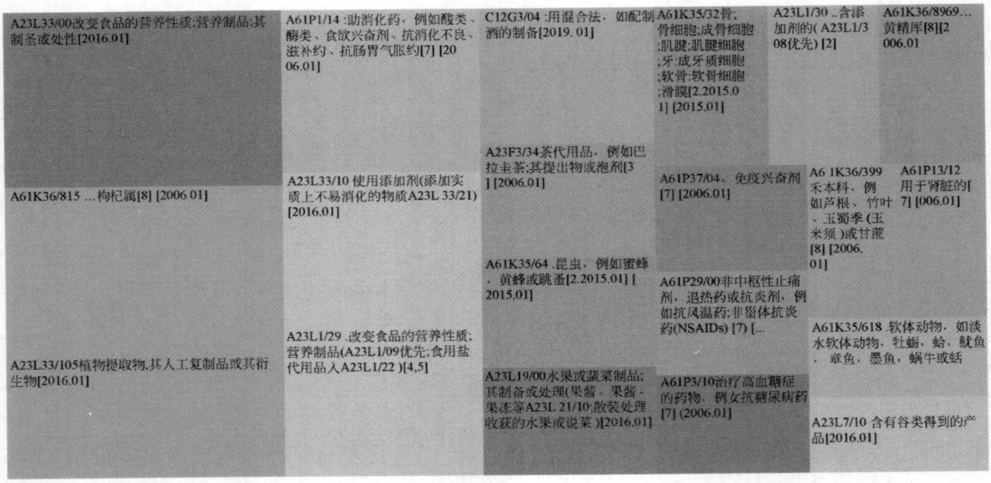

图 3.10　全球枸杞专利 IPC 小组技术领域分布

表 3.8　全球枸杞专利 IPC 小组分类号 TOP30

IPC 小组	分类号解释	专利数
A23L33/00	改变食品的营养性质；营养制品及其制备或处理	9 162
A61K36/815	枸杞属	8 788
A23L33/105	植物提取物及其人工复制品或其衍生物	6375
A61P1/14	助消化药，如酸类、酶类、食欲兴奋剂、抗消化不良药、滋补药、抗肠胃气胀药	6 055
A23L33/10	使用添加剂（添加实质上不易消化的物质 A23L33/21）	5 760
A23L1/29	改变食品的营养性质；营养制品（A23L1/09 优先；食用盐代用品入 A23L1/22）	5 536
C12G3/04	用混合法，如配制酒的制备	4 414
A23F3/34	茶代用品，例如巴拉圭茶；其提出物或泡剂	3 687
A61K35/64	昆虫，例如蜜蜂、黄蜂或跳蚤	3 629
A23L19/00	水果或蔬菜制品；其制备或处理（果酱、果酱、果冻等 A23L21/10；散装处理收获的水果或蔬菜）	3 492
A61K35/32	骨；骨细胞；成骨细胞；肌腱；肌腱细胞；牙；成牙质细胞；软骨；软骨细胞；滑膜	3 392
A23L1/30	含添加剂的（A23L1/308 优先）	3 273
A61K36/8969	黄精属	3 151

IPC 小组	分类号解释	专利数
A61P37/04	免疫兴奋剂	3 020
A61P29/00	非中枢性止痛剂，退热药或抗炎剂，例如抗风湿药；非甾体抗炎药（NSAIDs）	2 940
A61P3/10	治疗高血糖症的药物，例如抗糖尿病药	2 809
A61K36/899	禾本科，例如芦根、竹叶、玉蜀黍（玉米须）或甘蔗	2 654
A61P13/12	用于肾脏的	2 602
A61K35/618	软体动物，如淡水软体动物，牡蛎、蛤、鱿鱼、章鱼、墨鱼、蜗牛或蛞蝓	2 566
A23L7/10	含有谷类得到的产品	2 547
A61P39/00	全身保护或抗毒剂	2 508
A61P1/16	治疗肝脏或胆囊疾病的药物，例如保肝药、利胆药、溶石药	2 470
A61K36/9068	姜属，例如花姜	2 298
A61K35/36	皮肤；毛发；指甲；皮脂腺；耳屎；表皮；上皮细胞；角化细胞；郎格罕氏细胞；外胚层细胞（胰岛入 A61K35/39）	2 265
A61K36/8945	薯蓣属，例如山药，薯蓣或水薯蓣	2 258
A61K35/56	来源于除哺乳动物以外的其他动物的材料	2 235
A23L2/38	其他非酒精饮料（豆类饮料入 A23L11/60）	2 222
A23K10/30	从植物来源的材料，如根、种子或干草；从真菌来源的材料，如蘑菇（由微生物或生物化学工艺获得，例如使用酵母或酶入 A23K10/10）	2 201
A61K9/20	丸剂、锭剂或片剂	2 170
A23F3/14	茶配制品，例如用添加物（增香入 A23F3/40）	2 126

外国专利的技术布局方面，以枸杞为有效成分的食品、营养制品、化妆品、非酒精饮品以及用于治疗皮肤疾病、代谢疾病、高血糖、心血管系统和抗肿瘤效果等的药物研发为主。

3.3.3　有效、审中、PCT 指定期内专利分析

在 158 个国家/地区/专利组织中共检索到涉及枸杞专利 75 650 条，目前失效专利和 PCT 指定期满专利高达 53 941 件，约占 71.30%，故而在本小节中重点统计和分析有效专利（13 021 件）、审中专利（8644 件）、PCT 指定期内专利（44件），共计 21 709 件。

3.3.3.1　专利地图

专利地图是该技术领域的技术布局可视化表现形式，高峰代表了技术聚焦的

领域，低谷则意味着技术盲点（潜在的机会或者待开拓的领域）。从图 3.11 可以看出，在美容、药物、食品、保健、饮料（酒精、非酒精）、种植、初加工等方面是专利布局的重点。

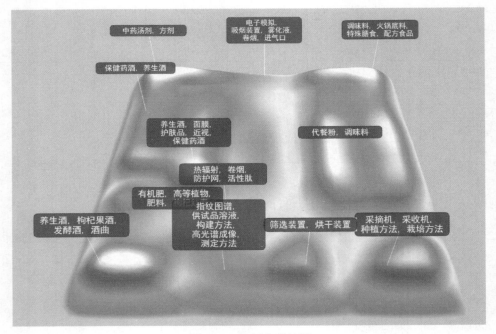

图 3.11　枸杞专利地图

3.3.3.2　专利权人地区分布

从图 3.12 可以看出，有效、审中、PCT 指定期内专利申请人集中于广东、江苏、宁夏、山东、安徽等地区。我国枸杞主要分布于宁夏、新疆、青海、甘肃、内蒙古等地，但是除了宁夏外，新疆、青海、甘肃、内蒙古关于枸杞申请专利的情况并不是太好。

3.3.3.3　主要专利申请人分析

表 3.9 是主要专利申请人（TOP20）专利转让、许可及技术领域情况，可以看出，主要申请人主要集中在宁夏。例如，宁夏农林科学院枸杞工程技术研究所不仅发明枸杞种植方法、枸杞检测方法、枸杞收获机、枸杞专用残枝清扫机、枸杞专用开沟机、枸杞采摘控制系统、枸杞果酒、枸杞面霜、含有枸杞的饲料等，还有 9 件枸杞 DNA 指纹图谱专利，主要提供一种用于构建枸杞 DNA 指纹图谱的

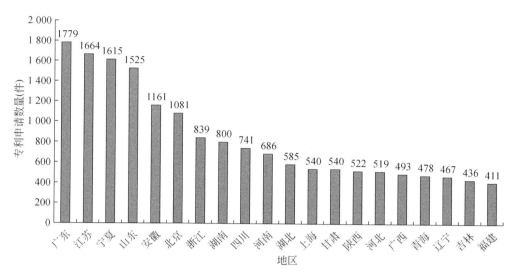

图 3.12   有效、审中、PCT 指定期内专利权人地区分布（TOP20）

引物组合以及应用和方法，属于 DNA 指纹图谱技术领域，在枸杞基因测序结果基础上首次开发筛选出了具有多态性的 15 个 SSR 引物对，该 15 个 SSR 引物对可用于构建枸杞 DNA 指纹图谱，并结合毛细管电泳技术构建得到的枸杞 DNA 指纹图谱，具有电泳分辨率高、灵敏度高、数据分析处理便捷等特点，为 DNA 指纹图谱的在枸杞上的进一步应用研究提供了坚实的理论支持。再如，中国科学院西北高原生物研究所发明了 6 件关于枸杞基因以及其编码蛋白质、重组载体及其用途的专利，可以分析预测出控制黑果枸杞黑色果实性状的主效基因，为研究枸杞花青素合成机制提供了基础，也为基因工程手段改造植物从而提高花青素的含量提供了方向和靶点。

表 3.9   主要专利申请人（TOP20）专利转让、许可及技术领域

序号	专利申请人	专利总数	权利转移数量	许可数量	技术领域
1	宁夏农林科学院枸杞工程技术研究所	185	28	0	枸杞种植方法、枸杞检测方法、枸杞收获机、枸杞专用残枝清扫机、枸杞专用开沟机、枸杞采摘控制系统、枸杞 DNA 指纹图谱、枸杞果酒、枸杞面霜、含有枸杞的饲料
2	宁夏科杞现代农业机械技术服务有限公司	124	28	0	枸杞专用追肥机、枸杞专用割草机、枸杞专用残枝清扫机、枸杞采摘用振动装置

序号	专利申请人	专利总数	权利转移数量	许可数量	技术领域
3	中国科学院西北高原生物研究所	107	0	2	枸杞提取制备方法、含有枸杞的药物组合物、含有枸杞的保健食品、枸杞鲜果制干方法、枸杞原浆制备方法、枸杞咀嚼片、枸杞果胶、枸杞基因以及其编码蛋白质、重组载体及其用途
4	雀巢公司	64	42	0	含有枸杞的治疗皮肤炎症药物、含有枸杞的药物组合物、含有枸杞的保健食品
5	中国医学科学院药物研究所	60	7	0	含有枸杞的药物组合物
6	中国科学院兰州化学物理研究所	57	0	0	含有枸杞的改善视力组合物、高纯度枸杞糖肽的制备方法、分离枸杞色素单体的方法、枸杞饮料、含有枸杞的保健食品
7	鲁南制药集团股份有限公司	51	2	4	含有枸杞的药物组合物，例如治疗糖尿病、疗高脂血症、治疗眩晕症、减肥降脂、治疗消化不良等
8	百瑞源枸杞股份有限公司	50	4	0	制备枸杞 ACE 抑制肽的方法、枸杞多糖的制备方法、枸杞的干燥加工方法、枸杞芽茶、枸杞膳食纤维能量棒、枸杞汁常温保鲜工艺
9	宁夏大学	47	0	0	枸杞自动分级机、枸杞高效精准专业栽植机、枸杞晾晒装置、鲜枸杞保鲜装置、枸杞虫害跨模态检索数据集的构建方法、枸杞酒、枸杞饮料、含有枸杞的肥料
10	吉林大学	45	0	0	含有枸杞的药物组合物，例如治疗抑郁症，中药饲料添加剂、含有枸杞的保健酒
11	江苏康缘药业股份有限公司	43	1	0	含有枸杞的保健酒、含有枸杞的中药组合物
12	无限极（中国）有限公司	43	0	0	枸杞子的清洗方法、枸杞多糖组合物、含有枸杞的中药组合物、含有枸杞的保健食品
13	宁夏红枸杞产业有限公司	42	14	0	枸杞白兰地、枸杞酒发酵醪的制备方法、枸杞预调酒的酿造方法
14	徐州绿之野生物食品有限公司	41	0	0	枸杞板栗保健食品、生物发酵黑枸杞的加工方法、枸杞提取物的制备方法和应用、枸杞醋
15	完美（中国）有限公司	41	15	0	含有枸杞的药物组合物，例如改善代谢综合征、缓解视疲劳功能、改善营养性贫血功能、平衡肠道菌群
16	成都中医药大学	38	2	0	含有枸杞的中药组合物
17	天津科技大学	38	0	0	枸杞饮料、枸杞保健醋、枸杞减肥食品、基于外观图像的枸杞子道地性 AI 识别方法

序号	专利申请人	专利总数	权利转移数量	许可数量	技术领域
18	宁夏农林科学院枸杞科学研究所	38	0	0	枸杞自交亲和性的 S-RNase 基因鉴定方法、枸杞主干形树形的培养方法、枸杞采摘运输动力传输装置、枸杞亚精胺类特有代谢物的检测方法、枸杞品种耐盐性的评价方法、枸杞高光效种质的筛选方法
19	江南大学	37	1	0	枸杞多糖酸奶、枸杞醋、枸杞胡萝卜汁
20	早康枸杞股份有限公司	35	10	0	液态枸杞的生产方法、冻干枸杞的加工方法、枸杞浓缩鲜汁生产技术、枸杞烘干设备、枸杞浓缩鲜汁生产技术

3.3.4 国内枸杞专利重点申请人分析

3.3.4.1 宁夏农林科学院枸杞工程技术研究所

枸杞工程技术研究所（原国家枸杞工程技术研究中心）隶属宁夏农林科学院，组建于 2005 年，2009 年通过科学技术部认证挂牌，2013 年通过验收，是国内唯一从事枸杞专业研究与工程技术开发的科研机构[1]。围绕枸杞资源保存利用、基因组学、新品种选育、栽培技术、作业机械、产品加工等领域开展科学研究、成果转化和技术推广。宁夏农林科学院枸杞工程技术研究所的枸杞相关核心专利[2]技术演进如图 3.13 所示。

（1）CN 106349136 A 授权 一种提取枸杞中的玉米黄质及其衍生物的方法（申请日期：2016 年 8 月 30 日）

该发明涉及一种提取枸杞中有效物质的方法，尤其是涉及一种提取枸杞中的玉米黄质及其衍生物的方法。该方法为先将枸杞降糖，然后取 10kg 烘干后粉碎至 100 目，置于超临界萃取釜中进行萃取，然后合并收集 0.6～3h 萃取物，为所得玉米黄质及其衍生物。该发明提供一种全过程无有机溶剂，安全、高效，且该技术参数适应于中试放大生产，并纯度达 80% 以上。

---

① https://baike.baidu.com/item/宁夏农林科学院枸杞工程技术研究所/20449903？fr=aladdin.

② 本书筛选出的核心专利，是以被引频次、布局情况、保护范围大小、专利有效性等数据作为综合判断因素。

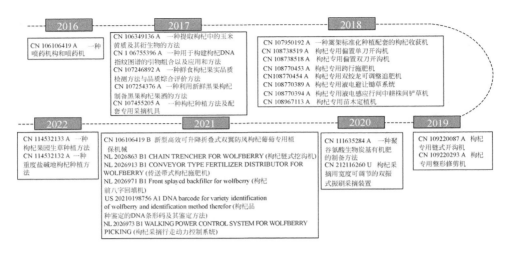

图 3.13　宁夏农林科学院枸杞工程技术研究所枸杞相关核心专利技术演进图①

（2）CN 107246892 A 授权　一种鲜食枸杞果实品质检测方法与品质综合评价方法（申请日期：2017 年 4 月 25 日）

该发明公开了一种鲜食枸杞果实品质检测方法与品质综合评价方法，属于鲜食果实品质检测技术领域。该发明通过对鲜食枸杞果实的品质测定方法，完成不同品种枸杞样品产量指标、风味指标和活性物指标共计 20 项指标测定，采用 DPS 数据处理系统对 20 项指标进行相关性分析，确立各指标间相关系数、品质指标因子、品质综合评价指标权重，从而确定鲜食枸杞果实的品质综合评价体系。该发明建立一种鲜食枸杞果实品质检测方法与品质综合评价方法，较传统经验评价增加了风味指标和活性物指标，制定出了更全面的鲜食枸杞果实品质评价标准和对应品种，具有很好的可操作性和实用性，能够准确地反映出当前枸杞资源中适宜作鲜食枸杞品种，为鲜食枸杞品种选育提供依据。

（3）CN 107455205 A 实质审查　一种枸杞种植方法及配套专用采摘机具（申请日期：2017 年 8 月 9 日）

该发明涉及一种枸杞种植方法及配套专用采摘机具，属于农业机械技术领域。该发明包括植株栽种、生长管理、修建树型、培育冠层各基本步骤，使枸杞枝条呈垂柳状搭挂在横担上，不仅可以形成形状基本一致的有规律树形，使果实垂向均匀分布，便于以振动、辊刷、剪切、气吸等机械化采摘作业时的夹持起枝；而且有利于枝条交叉生长，防止倒伏，优质高产。其专用采摘机具包括隧道式跨行机架；立柱架的内侧装有分别高于枸杞冠层树挂和下级树挂的可伸缩上、

---

①　核心专利技术演进图中出现的日期为公开公告年，之后出现的图也是同样标准。

下电动推杆，并装有分别对应枸杞冠层树挂和下级树挂下垂部位的夹枝机构；上、下电动推杆的内端分别与上、下采摘机构的高端铰接，上、下采摘机构的低端分别与固定于立柱架的上、下承载杆铰接。

（4）CN 111635284 A 实质审查　一种聚谷氨酸生物炭基有机肥的制备方法（申请日期：2020 年 6 月 28 日）

该发明公开了一种聚谷氨酸生物炭基有机肥的制备方法，选择枸杞枝条为主要原料制备生物炭，直接以农业固体有机废弃物为原料，经固体发酵生产含聚谷氨酸的有机肥，与生物炭复混得到含聚谷氨酸的生物炭基有机肥，在解决农业废弃物环境污染的同时将其资源化利用，兼具环境和经济效益。该发明方法制备的复合有机肥料能够促进作物养分吸收、改善土壤理化性质、提高肥料利用率。

（5）NL 2026973 B1 授权　枸杞采摘行走动力控制系统（申请日期：2020 年 11 月 25 日）

该发明公开了一种用于 Wolfberry 拣选的行走电力控制系统，包括框架、转盘、旋转杆、第一齿轮、第二齿轮、齿轮架、支撑杆、液压马达、前行驶轮、左行驶轮和右转轮。在该发明中，液压马达旋转以驱动三个行驶轮旋转，从而驱动框架移动，当有必要转动时，转盘旋转，转盘旋转，以驱动两个旋转的第一齿轮，以及两个齿轮旋转以驱动支撑杆旋转，从而驱动左行进轮和右行驶轮旋转，使得框架的行进方向改变。该发明使拣货速度大大提高，从而提高了工作效率，节省了大量的人力资源。

3.3.4.2　宁夏科杞现代农业机械技术服务有限公司

宁夏科杞现代农业机械技术服务有限公司于 2017 年 04 月 01 日成立，经营范围包括法律法规明确或国务院决定须经审批的项目，经相关部门批准后方可开展经营活动；无须审批的，企业自主选择经营项目开展经营活动等。宁夏科杞现代农业机械技术服务有限公司的枸杞相关核心专利技术演进如图 3.14 所示。

（1）CN 106106419 A 授权　一案双申权利转移　一种喷药机构和喷药机（申请日期：2016 年 8 月 25 日）

该发明提供了一种喷药机构和喷药机，属于农业自动化器具领域，喷药机构包括药箱、输药管、喷头、机架、风翼组件和控制机构，药箱和风翼组件分别安装在机架上，输药管安装在风翼组件上，输药管的一端与药箱连通，喷头安装在输药管的另一端，控制机构安装于风翼组件，控制机构用于控制风翼组件打开或

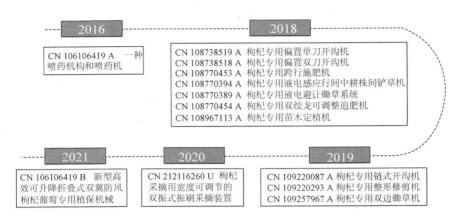

图 3.14　宁夏科杞现代农业机械技术服务有限公司枸杞相关核心专利技术演进图①

者关闭；喷药机包括牵引机构和上述的喷药机构，机架安装于牵引机构。该发明在机架上设置有风翼组件，将输药管安装在风翼组件上后，输药管工作的位置较高，可以从枸杞的上方对枸杞进行喷药，同时，风翼组件还可以遮风，避免喷出的药液被吹散，从而保证枸杞树体受药均匀，且药液不会随意飘落，避免对环境造成污染。

（2）CN 109257967 A 实质审查　一案双申　枸杞专用双边锄草机（申请日期：2018 年 10 月 29 日）

该发明是一种枸杞专用双边锄草机，包括架体、左电子感应自动避让锄草装置、右电子感应自动避让锄装置、液压系统和行走轮，液压系统配装在架体上，左电子感应自动避让锄草装置和右电子感应自动避让锄装置分别配装在架体的左右两侧，左电子感应自动避让锄草装置和右电子感应自动避让锄装置与液压系统配装，牵引机的后端与架体的前端配装，行走轮配装在架体的后端。该发明涉及农业机械领域，采用该发明可实现枸杞种植地的机械化行间锄草，避免了人工辅助锄草，每次锄草作业可完成两行的锄草作业，大大提高了枸杞种植的工作效率。

3.3.4.3　中国科学院西北高原生物研究所

中国科学院西北高原生物研究所成立于 1962 年，是以从事青藏高原生物科学研究（包括基础理论、应用基础和应用开发研究）为主的公益性综合研究

———————————

① 宁夏科杞现代农业机械技术服务有限公司和宁夏农林科学院枸杞工程技术研究所许多专利是共同发明的，所以会产生重复数据。

所，其前身是中国科学院青海分院生物研究所。中国科学院西北高原生物研究所研究方向为高寒草地对全球气候变化的响应、高寒草地的健康与生物安全、高原生物的适应与进化、区域可持续发展、藏药现代化、特色生物资源持续利用、特色生物资源高值利用、高原作物与牧草品种选育和高原农业资源高效利用①。

为了能使黑果枸杞花青素在应用中保持稳定的颜色呈现，2021 年中国科学院西北高原生物研究所青藏高原生态经济植物资源研究与开发学科组探究了储存温度对黑果枸杞花青素提取物粉末稳定性的影响，并用改进比色法分析其在模拟应用中可能产生的颜色变化②。中国科学院西北高原生物研究所的枸杞相关核心专利技术演进如图 3.15 所示。

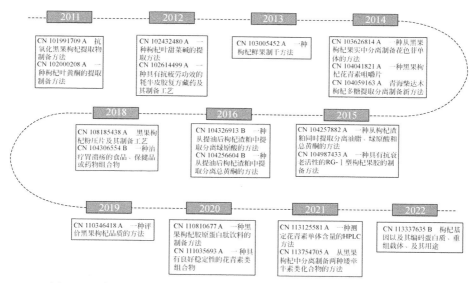

图 3.15　中国科学院西北高原生物研究所枸杞相关核心专利技术演进图

（1）CN 101991709 A 授权　抗氧化黑果枸杞提取物制备方法（申请日期：2010 年 11 月 9 日）

该发明涉及一种抗氧化黑果枸杞提取物制备方法。该方法以黑果枸杞干燥果实为原料，经水浸提，胶体磨研磨及高压均质，再用微滤陶瓷膜除去杂质，经过大孔树脂分离、干燥，得到抗氧化黑果枸杞提取物。该发明采用水浸提，高压均质技术、膜分离及大孔树脂技术的结合，不但有效地降低了生产成本，缩短了提取分离的时间，减少了工艺过程中的能耗，而且所得到的提取物抗氧化能力强，

---

①　http://www.nwipb.cas.cn.

②　https://www.cas.cn/syky/202112/t20211220_4818931.shtml.

可作为食品级医药保健品原料。

（2）CN 102000208 A 授权　一种枸杞叶黄酮的提取制备方法（申请日期：2010 年 11 月 9 日）

该发明涉及一种枸杞叶黄酮的提取制备方法。该方法包括以下步骤：①将枸杞叶经人工挑拣除杂后，室内阴干，得到枸杞叶干样；②将枸杞叶干样经粉碎、过筛，得到枸杞粉；③将枸杞粉用乙醇浸提，得到浸提液；④浸提液经胶体磨研磨后，得到胶体状的枸杞叶浸提溶液；⑤将胶体状的枸杞叶浸提溶液经均质、分离，得到上清液和滤渣；⑥将上清液用陶瓷膜除杂，得到滤液；⑦滤液经弱极性大孔吸附树脂吸附，乙醇溶液洗脱，得到含有枸杞叶黄酮的洗脱液；⑧将含有枸杞叶黄酮的洗脱液经真空减压浓缩、干燥后，即得枸杞叶黄酮粉末。该发明成本低廉、提取率高，所得枸杞叶黄酮性质稳定，含量高，抗心脑血管疾病、抗癌、抗氧化等生物活性高。

（3）CN 102432480 A 授权　一种枸杞叶甜菜碱的提取方法（申请日期：2011 年 11 月 17 日）

该发明涉及一种枸杞叶甜菜碱的提取方法。该方法包括以下步骤：①将枸杞叶经人工挑拣除杂后，室内阴干，得到枸杞叶干样；②将所述枸杞叶干样经粉碎后过筛，得到枸杞叶粉；③将所述枸杞叶粉与水混合浸提后，得到浸提液；④所述浸提液经离心机分离，得到上清液和滤渣；⑤所述滤液经中极性大孔吸附树脂吸附后，先用去离子水洗脱至无糖，再用甲醇-水-醋酸溶液洗脱吸附在大孔树脂上的枸杞叶甜菜碱，得到含有枸杞叶甜菜碱的洗脱液；⑥将所述含有枸杞叶甜菜碱的洗脱液经真空减压浓缩后，得到枸杞叶甜菜碱浓缩液；⑦该枸杞叶甜菜碱浓缩液经干燥后，即得枸杞叶甜菜碱粉末。该发明成本低廉、提取率高。

（4）CN 102614499 A 授权　一种具有抗疲劳功效的牦牛皮胶复方藏药及其制备工艺（申请日期：2012 年 3 月 15 日）

该发明涉及一种具有抗疲劳功效的牦牛皮胶复方藏药。该复方藏药由下列重量份的原料制成：牦牛皮胶原蛋白粉 20～50 份，红景天 20～70 份，黄芪 5～15 份，人参果 10～50 份，枸杞 5～40 份。同时，该发明还公开了改复方藏药的制备工艺。该发明将牦牛皮胶原蛋白粉与红景天、黄芪、人参果、枸杞进行合理配伍，所得产品具有抗疲劳的功效，同时牦牛皮胶原蛋白的开发，使青藏高原的特有资源——牦牛得到更深层次的价值体现。

（5）CN 103005452 A 授权　一种枸杞鲜果制干方法（申请日期：2013 年 1 月 16 日）

该发明涉及一种枸杞鲜果制干方法。该方法包括以下步骤：①选料。挑选无病虫害、无霉变的新鲜枸杞为原料。②清洗。用清水漂洗挑选的枸杞鲜果，然后按常规方法随机抽样测定枸杞鲜果的初始含水率。③扎孔。用针或激光对所述步骤②所得的枸杞鲜果进行扎孔。④干燥。将所述扎孔后的枸杞鲜果均匀平铺到微波真空干燥箱的转盘上进行真空干燥后,再进行鼓风干燥至恒重,得到干燥的枸杞干果。⑤测定干燥后含水率。按常规方法随机抽样测定所述干燥的枸杞干果的含水率,若含水率≤13%即为合格品。⑥成品。采用常规方法将所述合格的干燥的枸杞干果按质量要求进行分级、包装即得成品。该发明干燥迅速、效果显著,可操作性强,易于实现枸杞制干的工业化连续生产。

(6) CN 103626814 A 授权 一种从黑果枸杞果实中分离制备花色苷单体的方法 (申请日期:2013 年 12 月 9 日)

该发明涉及一种从黑果枸杞果实中分离制备花色苷单体的方法。该方法包括以下步骤:①原料预处理。将黑果枸杞果实去杂、水洗,得到处理后的黑果枸杞果实。②配制体积浓度为2%甲酸甲醇溶液。③将甲酸甲醇溶液加入到黑果枸杞果实中进行常温浸提,得到提取液。④提取液经过滤、蒸发浓缩,得到黑果枸杞花色苷浸膏。⑤大孔吸附树脂的处理。⑥将黑果枸杞花色苷浸膏复溶后上处理后的大孔吸附树脂,收集流出液。⑦流出液经减压浓缩后得到花色苷粗品。⑧将花色苷粗品注入高效半制备色谱柱中进行分离,即得纯度≥90%的花色苷单体。⑨所述花色苷单体经减压浓缩、真空冷冻干燥至恒重,即得花色苷单体成品。该发明分离效果好、耗时短、成本低。

(7) CN 104041821 A 授权 一种黑果枸杞花青素咀嚼片 (申请日期:2014 年 7 月 2 日)

该发明涉及一种黑果枸杞花青素咀嚼片。该咀嚼片由下述重量份的组分按常规方法依次经制粒、40～50℃烘干、整粒、在压力为 80～100 千牛的条件下压片制成:黑果枸杞花青素 50～500、桃花山柰酚 30～300、手掌参 10～100、枸杞多糖 50～500。该发明原料易得,易于工业化实施,可使人体最大程度利用和吸收植物提取物。

(8) CN 104059163 A 授权 青海柴达木枸杞多糖提取分离制备新方法 (申请日期:2014 年 7 月 8 日)

该发明涉及一种青海柴达木枸杞多糖提取分离制备新方法。该方法包括以下步骤:①以青海柴达木枸杞鲜果为原料,采用纯水洗涤多次后除去杂质,得到处理后的枸杞;②将处理后的枸杞常温浸泡在纯水中,然后进行破碎,得到破碎的枸杞;③破碎的枸杞中加入纯水进行超声提取,得到提取液;④提取液滤布过滤,分别得到滤液与滤渣;⑤滤液离心后分别得到上清液与残渣;⑥上清液过非极性大孔树脂后用纯水清洗树脂柱,得到多糖洗脱液;⑦多糖洗脱液经陶瓷膜除去颗粒状杂质,得到透过液;⑧透过液经超滤有机膜截留,得到截留液;⑨该截留液经冷冻干燥至恒重后，即得棕黄色粉末状的柴达木枸杞多糖产品。该发明简便、快速、成本低廉。

（9）CN 104257882 A 授权　一种从枸杞渣粕同时提取分离油脂、绿原酸和总黄酮的方法（申请日期：2014 年 9 月 25 日）

该发明涉及一种从枸杞渣粕中同时提取分离油脂、绿原酸和总黄酮的方法。该方法包括如下操作步骤：①取枸杞渣粕，采用超临界二氧化碳萃取技术提取，即可得到枸杞油；②取提油后的枸杞渣粕，以乙醇为夹带剂进行超临界二氧化碳萃取，提取物备用；③将超临界二氧化碳萃取提取物上大孔吸附树脂，优选使用 D101 型大孔树脂，依次用水、10%～15%（V/V）（优选 15%）和 65%～75%（V/V）（优选 70%）乙醇洗脱，分别收集各浓度乙醇洗脱部位，然后浓缩、干燥，依次得到绿原酸和总黄酮。由于该发明采用的原料为枸杞渣粕，是对工业废料的再利用，不仅成本低廉，而且大大提高了枸杞的附加值，因此，该发明大大提高了对枸杞资源的综合利用率。

（10）CN 104987433 A 授权　一种具有抗衰老活性的 RG-I 型枸杞果胶的制备方法（申请日期：2015 年 7 月 23 日）

该发明涉及一种具有抗衰老活性的 RG-I 型枸杞果胶的制备方法。该方法包括以下步骤：①将枸杞加水经微波–超声波协同提取、过滤、浓缩，得到浓缩液；②浓缩液中加入无水乙醇，混匀后经静置、离心得到沉淀产物；③沉淀产物复溶后经离心、干燥即得枸杞多糖；④枸杞多糖上样进行 DEAE-纤维素柱层析分离后洗脱，并经透析除盐、冷冻干燥，分别得到枸杞中性多糖 LBP-N 和枸杞酸性多糖 LBP-A；⑤枸杞酸性多糖 LBP-A 经 Sepharose CL-6B 凝胶过滤柱层析分离后洗脱，并经透析除盐、冷冻干燥，分别得到枸杞酸性多糖 LBP-A-1 和 LBP-A-2；⑥枸杞酸性多糖 LBP-A-1 经 DEAE-Sepharpse Fast Flow 阴离子交换柱层析纯化后，用 0～0.5mol/L NaCl 水溶液连续梯度洗脱，并经透析除盐、冷冻干燥，即得抗衰老活性 RG-I 型枸杞果胶纯品。该发明操作简单、提取率高。

3.3.4.4　中国医学科学院药物研究所

中国医学科学院药物研究所成立于 1958 年 8 月，隶属于中国医学科学院北京协和医学院。该所始终以寻找和研究严重危害人民健康的重大疾病防治药物为主要方向，坚持以创新药物为重点，以天然产物为特色，应用基础研究和创新药物研发并重，推进产学研一体化进程，走出了一条有中国特色的新药创制之路。

中国医学科学院药物研究所学科齐全，下设合成药物化学、天然药物化学、药理学、药物分析、生物合成、药物筛选、药物晶型、药物制剂、药物代谢、新药开发、安全评价等研究科室，具有很强的药物研发能力。近年来着重依靠平台建设，推动夯实自身实力，现建有天然药物活性物质与功能国家重点实验室，国家药物及代谢产物分析研究中心、国家新药开发工程技术研究中心、"重大新药创制"科技重大专项药物创新综合性平台、科技部创新人才培养示范基地，7 个省部级重点实验室，5 个院校级重点实验室/中心，同时拥有 6 家所属企业，构建了完整的产学研用生态循环体系①。该所枸杞相关核心专利技术演进如图 3.16 所示。

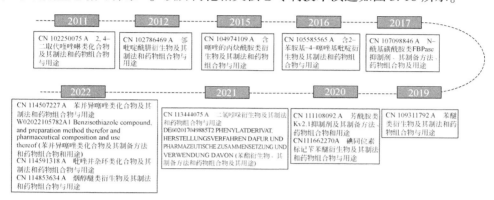

图 3.16 中国医学科学院药物研究所枸杞相关核心专利技术演进图

（1） CN 102250075 A 授权 2,4-二取代喹唑啉类化合物及其制法和药物组合物与用途（申请日期：2010 年 5 月 21 日）

该发明公开了一类新的 2,4-二取代喹唑啉类化合物及其制法和药物组合物与用途。具体而言，涉及通式 I 所示的 2,4-二取代喹唑啉类化合物，其可药用盐，其同样生物功能的前体或衍生物，其制备方法，含有一个或多个这化合物的组合物，和该类化合物在对 Pin1 酶的抑制活性和对肿瘤生长的抑制活性等方面的用途。

（2） CN 102786469 A 授权 邻吡啶酰肼衍生物及其制法和药物组合物与用途（申请日期：2011 年 5 月 18 日）

该发明涉及式 I 和 II 所示的 1-(4-氯-3-三氟甲基苯基)-3-(4-(2-(2-异丙叉肼羰基)吡啶-4-氧基)苯基)脲和 1-(4-氯-3-三氟甲基苯基)-3-(4-(2-(2-异丙基肼羰基)吡啶-4-氧基)苯基)脲，其可药用盐，其制备方法，含有一个或多个这化合物的组合物，和该类化合物在治疗与蛋白激酶有关的疾病如免疫失调和肿瘤疾病方面的用途。

（3） CN 107098846 A 授权 N-酰基磺酰胺类 FBPase 抑制剂、其制备方法、药物组合物及用途（申请日期：2016 年 2 月 26 日）

该发明公开了新结构的 N-酰基磺酰胺类 FBPase 抑制剂及其制法和药物组合

① https://www.imm.ac.cn/yjsgk/jj/index.htm.

物与用途。具体而言，该发明涉及通式Ⅰ所示的 N-酰基磺酰胺类 FBPase 抑制剂，其可药用盐，其制备方法，含有一个或多个该类化合物的组合物，和该类化合物在制备 FBPase 抑制剂或治疗 FBPase 有关的疾病药物中的用途，及在制备预防和/或治疗糖尿病药物中的用途。

（4）CN 114853634 A 实质审查　烟醇醚类衍生物及其制法和药物组合物与用途（申请日期：2017 年 5 月 23 日）

该发明公开了一类烟醇醚类衍生物及其制法和药物组合物与用途。具体而言，涉及通式Ⅰ所示的烟醇醚类衍生物，其可药用盐，其立体异构体及其制备方法，含有一个或多个这化合物的组合物，和该类化合物在治疗与 PD-1/PD-L1 信号通路有关的疾病如癌症、感染性疾病、自身免疫性疾病方面的用途。

（5）CN 111662270 A 实质审查　碘同位素标记苄苯醚衍生物及其制法和药物组合物与用途（申请日期：2019 年 3 月 5 日）

该发明公开了一类碘放射性同位素标记苄苯醚衍生物及其制法和药物组合物与用途。具体而言，涉及通式Ⅰ所示的苄苯醚类衍生物，其可药用盐，其立体异构体及其制备方法，含有一个或多个这放射性化合物的组合物，和该类放射性化合物在人或动物体内作为 PD-L1 示踪剂，诊断、治疗与 PD-1/PD-L1 信号通路有关的疾病如癌症、感染性疾病、自身免疫性疾病方面的用途。

3.3.4.5　中国科学院兰州化学物理研究所

中国科学院兰州化学物理研究所建成于 1958 年，由原中国科学院石油研究所（现中国科学院大连化学物理研究所）催化化学、分析化学、润滑材料三个研究室迁至兰州而成立，1962 年 6 月启用现名。目前主要开展资源与能源、新材料、生态与健康等领域的基础研究、应用研究和战略高技术研究工作①。

据报道，2022 年 6 月，中国科学院兰州化学物理研究所研究员邸多隆参加宁夏科技厅牵头举办的第五届枸杞产业博览会宁夏枸杞产业重大科技成果发布活动，在现场发布枸杞高值化产品精准制造技术及应用方面的科技成果，主要介绍通过自治区重点研发计划"杞特枸杞片的研制及产业化""功能导向的枸杞高值化产品创制与产业化"等项目取得的研究成果，以及通过对枸杞保健功效的挖掘和活性物质的发现，开发的枸杞功能食品和保健食品②。中国科学院兰州化学物理研究所的枸杞相关核心专利技术演进如图 3.17 所示。

---

① http://www.licp.cas.cn.
② https://www.sohu.com/a/560139705_120828856.

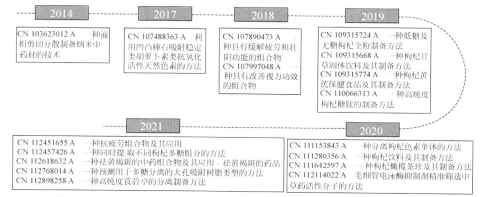

图 3.17   中国科学院兰州化学物理研究所枸杞相关核心专利技术演进图

（1）CN 107488363 A 授权   利用凹凸棒石吸附稳定类胡萝卜素类抗氧化活性天然色素的方法（申请日期：2017 年 8 月 28 日）

该发明涉及一种利用凹凸棒石吸附稳定类胡萝卜素类抗氧化活性天然色素的方法。该方法是在富含类胡萝卜素类天然色素的提取物溶液如枸杞果油、玉米蛋白粉提取液中，加入凹凸棒石吸附剂进行振荡吸附脱色，待植物提取物吸附脱色完成后，离心纯化，得到凹凸棒石固载的类胡萝卜素类湿品，湿品经低温真空干燥，得到凹凸棒石固载的类胡萝卜素类抗氧化活性天然色素制品。该发明具有对色素吸附率高、稳定化作用强等优点，实现了类胡萝卜素类天然色素的稳定使用，拓宽了类胡萝卜素类天然色素的应用范围；同时得到了脱色后的枸杞果油、玉米蛋白粉提取液，其性能指标达到食品药品级安全标准，可广泛地应用于食品与医药行业，显著提高了植物资源的综合开发利用。

（2）CN 107997048 A 授权   一种具有改善视力功效的组合物（申请日期：2017 年 11 月 29 日）

该发明的目的是提供一种具有改善视力功效的组合物及其制剂，即一种以黑果枸杞、枸杞或其提取物作为有效成分的具有改善视力功效的组合物。该发明所提供的组合物兼顾缓解视力疲劳，预防和辅助治疗因黄斑病变、视网膜色素变、糖尿病视网膜病变引起的视力衰退、夜盲症、飞蚊症、青光眼、白内障等视力问题的功能，能够最大限度地改善视力。

（3）CN 110066313 A 实质审查   一种高纯度枸杞糖肽的制备方法（申请日期：2019 年 5 月 5 日）

该发明公开了一种高纯度枸杞糖肽的制备方法，是将枸杞或枸杞废渣粉碎、过筛、亚临界脱脂、高速剪切低温破壁水提、高速离心、微滤膜分离、微滤膜浓缩、无机/有机双水相萃取、大孔吸附树脂除杂、乙醇沉淀、冷冻干燥得到高纯度枸杞糖肽。经检测，该提取物中的有效成分枸杞多糖含量≥80%。该发明利用

30kD 的微滤膜分离枸杞糖肽，只获取分子量低于 30kD 的枸杞糖肽，而将分子量大于 30kD 的枸杞糖肽弃去，因为后者在体内代谢慢，导致大量累积会诱发 "上火"，并且此部分枸杞糖肽的生物活性低；采用纳滤膜浓缩、双水相萃取、大孔吸附树脂除杂、乙醇沉淀四种纯化技术，保证了所获得枸杞糖肽的纯度和品质。

3.3.4.6 鲁南制药集团股份有限公司

鲁南制药集团股份有限公司是集中药、化学药品、生物制品的生产、科研、销售于一体的综合制药集团，国家创新型企业、国家火炬计划重点高新技术企业，成员企业包括鲁南厚普制药有限公司、鲁南贝特制药有限公司、山东新时代药业有限公司、鲁南新时代医药有限公司等。2021 年，鲁南制药品牌价值达 121.91 亿元。

鲁南制药集团设有国家手性制药工程技术研究中心、哺乳动物细胞高效表达国家工程实验室、中药制药共性技术国家重点实验室、国家级企业技术中心等多个高位研发平台，和国内外 100 多家高校及科研院所建立了技术合作，企业技术中心创新能力居全国医药行业前列，跻身 2017 中国企业创新能力百强榜，获得国家技术发明奖二等奖 1 项、国家科技进步奖二等奖 7 项，2018 年荣获 "何梁何利基金科学与技术创新奖"。企业建立了与 ICH、FDA、EDQM 等国际质量监管理念接轨的质量保证体系，所有剂型和品种全部通过国家新版 GMP 认证，多次荣获 "中国医药研发产品线最佳工业企业" 称号，整体质量管理水平位居全国同行业前列[①]。鲁南制药集团股份有限公司的枸杞相关核心专利技术演进如图 3.18 所示。

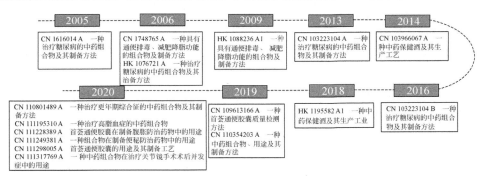

图 3.18 鲁南制药集团股份有限公司枸杞相关核心专利技术演进图

（1） CN 100453105 C 授权 一种具有通便排毒、减肥降脂功能的组合物及制备方法（申请日期：2004 年 9 月 17 日）

该发明公开了一种新的具有通便排毒、减肥降脂功能的中药组合物及其制备

---

① https://baike.baidu.com/item/鲁南制药集团股份有限公司/3951590? fr=aladdin.

方法。它是以何首乌、决明子、芦荟、枸杞子、阿胶、人参等为原料，根据每味中药效应成分的不同理化性质，分别以不同的物理或化学方法处理后制备而成的临床可接受剂型。该发明配方独特，临床上用于治疗便秘效果显著。

（2）CN 1748765 A 授权　一种具有通便排毒、减肥降脂功能的组合物及制备方法（申请日期：2004 年 9 月 17 日）

该发明公开了一种新的具有通便排毒、减肥降脂功能的中药组合物及其制备方法，它是以何首乌、决明子、芦荟、枸杞子、阿胶、人参等为原料，根据每味中药效应成分的不同理化性质，分别以不同的物理或化学方法处理后制备而成的临床可接受剂型。该发明配方独特，临床上用于治疗便秘效果显著。

（3）CN 1616014 A 授权　一种治疗糖尿病的中药组合物及其制备方法（申请日期：2004 年 9 月 17 日）

该发明公开了一种治疗糖尿病的中药组合物，是由人参（茎叶）皂苷、黄芪、地黄、麦冬、天花粉、枸杞、五味子、山药、覆盆子、茯苓、泽泻十一味药为原料，根据每味中药效应成分的不同理化性质，分别以不同的物理或化学方法处理后制备而成的有效制剂。该发明配方独特，临床上用于治疗糖尿病效果显著。

（4）CN 103223104 A 授权　一种治疗糖尿病的中药组合物及其制备方法（申请日期：2012 年 1 月 29 日）

该发明公开了一种治疗糖尿病的中药组合物及该中药组合物的制备方法。为克服传统粉碎工艺的不足，对该发明所述山药、天花粉、茯苓、覆盆子四种植物类药材的粉碎采用超微粉化技术，实现了制剂用药材粉碎细度超微粉化和中药超微粉化技术的产业化。该发明中药组合物由平均粒径小于 $60\mu m$ 的山药、天花粉、茯苓、覆盆子药粉，人参茎叶皂苷，五味子的醇提浸膏和黄芪、枸杞子、地黄、泽泻、麦冬的水提浸膏组成。该发明中药组合物提高了药物的吸收和生物利用度，药效明显增加，临床疗效提高，优于普通粉碎工艺加工产品。

（5）CN 103966067 A 授权　一种中药保健酒及其生产工艺（申请日期：2013 年 1 月 31 日）

该发明涉及一种中药保健酒及其生产工艺，尤其涉及一种具有改善睡眠、缓解体力疲劳的中药保健酒及其生产工艺，属于医药保健领域。所述生产工艺包括下列步骤：选用灵芝、人参、龙眼肉、酸枣仁、牡蛎、黄精、桑葚、枸杞子、杜仲、熟地黄、大枣、茯苓、山药和陈皮等十四味中药，经前加工、浸提、矫味、调配、过滤、灌装和包装等步骤制成保健酒成品。以该发明组方及生产工艺制备而成中药保健酒，酒体清澈透亮，口味淡雅绵柔，质量稳定可控，保健功能显著，携带、服用方便，同时，采用常温浸提工艺生产，操作方便，节能降耗，具有广阔的市场前景。

3.3.4.7 百瑞源枸杞股份有限公司

百瑞源枸杞股份有限公司成立于 2003 年，总部位于宁夏国家级经济技术开发区——银川德胜工业园区，主要进行枸杞及其枸杞制品加工，旗下品牌百瑞源，是一家专业从事枸杞科技研发、基地种植、生产加工、市场营销、文化旅游"五位一体"的技术企业[①]。百瑞源枸杞股份有限公司的枸杞相关核心专利技术演进如图 3.19 所示。

（1）CN 1943380 A 授权 一种枸杞叶茶保健饮料的制备工艺（申请日期：2006 年 10 月 19 日）

该发明涉及一种枸杞叶茶保健饮料的制备工艺，其工艺过程为将枸杞叶茶浸提、分离后添加总量 3%~8% 的鲜枸杞汁及适量糖、蜂蜜、维生素 C 调配，然后精滤，杀菌，无菌热罐装，冷却后即成。该发明以枸杞叶茶浸提液为主料，适量添加枸杞鲜汁等辅料制备成枸杞叶茶饮料，该发明是在不添加任何防腐剂、色素的条件下，生产出一种既具有茶的清香，又具有枸杞叶、枸杞果的营养保健功能的功能性新型养生饮品，其工艺方法可以将枸杞叶中的有效成分及营养成分充分析出，易于人体吸收，强身健体。通过该发明工艺所制得的保健饮料营养、卫生、方便，其清香爽口，香气馥郁，醇厚甘长，汤色金翠碧亮，清新怡人。

（2）CN 102240035 A 授权 一种枸杞提取物保健颗粒冲剂的制备方法（申请日期：2011 年 5 月 27 日）

该发明涉及一种枸杞提取物保健颗粒冲剂的制备方法。其工艺步骤为：将枸杞超微粉碎后进行超临界二氧化碳萃取，得到液态提取物和固态萃余物，然后将固态萃余物水溶提取得到水溶提取液，将上述所得液态提取物和浓缩后的水溶提取液进行混合，加入蔗糖、糊精，干燥，粉碎，过筛后采用常规造粒工艺制粒后即为枸杞提取物保健颗粒冲剂。该发明的优点是最大限度地提取枸杞中内在脂溶性和水溶性等生物活性成分物质，提取率高，所得产品功效营养素全，不添加助溶剂、增稠剂等食品添加剂，是一款即冲即饮，甜酸适口，有枸杞的特征香气和口感，色素橙红，透亮带金黄色，具有高品位的枸杞保健冲剂饮品。

（3）CN 103788228 A 授权 一种枸杞多糖的制备方法（申请日期：2014 年 2 月 17 日）

该发明涉及一种枸杞多糖的制备方法。其步骤为：将枸杞加水浸泡，打浆，去籽，枸杞果浆置于循环超声提取机中进行超声提取，固液分离，滤液浓缩，加一定量的乙醇沉淀多糖，多糖采用树脂进行纯化，制成枸杞多糖成品。该发明利

---

① https://baike.baidu.com/item/百瑞源枸杞股份有限公司/23575512? fr=aladdin.

用循环超声提取技术的优势，解决了传统的热水提取枸杞多糖所带来的耗时长、耗能高、产率低、高温对多糖的降解作用，以及多糖生物活性被破坏等问题，达到快速、高效生产枸杞多糖的目的。

（4）CN 104561205 A 授权 一种制备枸杞 ACE 抑制肽的方法 （申请日期：2014 年 12 月 27 日）

该发明公开一种制备枸杞 ACE 抑制肽的方法。该方法以枸杞为原料，经研磨成粉加超纯水成枸杞溶液，进行离心处理后得枸杞粗蛋白，然后加超纯水成枸杞蛋白溶液并加入中性蛋白酶进行酶解制得枸杞 ACE 抑制肽，并优化实验条件及对其进行 ACE 抑制肽的活性测定。采用该发明的方法制备的枸杞 ACE 抑制肽活性强，经实验测定其活性可达 99.03％，能够有效地起到降压作用，可同时发挥出营养和保健两方面的作用，因此，有望为开发无毒副作用的降压功能新药物提供有效成分。

（5）CN 104783158 A 授权 一种枸杞膳食纤维能量棒及其制备方法 （申请日期：2015 年 4 月 3 日）

该发明涉及一种枸杞膳食纤维能量棒及其制备方法。该枸杞膳食纤维能量棒由下列原料按照重量百分比构成：枸杞粗渣膳食纤维 15％ ～25％，小麦粉 25％ ～40％，枸杞浸膏 15％ ～30％，黄油 10％ ～20％，果蔬粉 2％ ～8％，白砂糖 2％ ～5％，奶粉 1％ ～4％。该发明是利用枸杞榨汁和枸杞多糖提取过程中产生的副产物——枸杞粗渣，采用碱液浸提法提取不溶性枸杞粗渣膳食纤维，经干燥、粉碎后与面粉，果粉、枸杞浸膏等营养补充剂搭配后制成的一款酥脆可口的即食型休闲食品，其不仅富含膳食纤维、蛋白质、维生素，并且低脂、低胆固醇，无添加任何人工香精色素，营养安全、易消化、易吸收，而且在很大程度上实现了枸杞的综合利用，解决了枸杞深加工企业的技术难题。

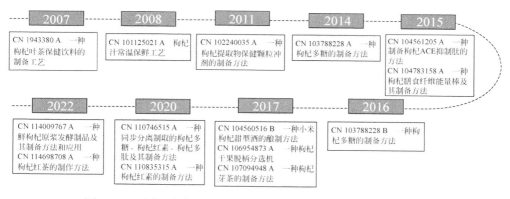

图 3.19 百瑞源枸杞股份有限公司枸杞相关核心专利技术演进图

3.3.4.8　宁夏大学

宁夏大学的前身为 1958 年 9 月创建的宁夏师范学院、宁夏农学院。现在是教育部与宁夏回族自治区合建高校，国家"双一流"建设高校，国家"211 工程"重点建设高校，国家"中西部高校综合实力提升工程"高校，入选卓越工程师教育培养计划、卓越农林人才教育培养计划、国家大学生创新性实验计划、国家级大学生创新创业训练计划、国家级新工科研究与实践项目、国家大学生文化素质教育基地、中国政府奖学金来华留学生接收院校、教育部来华留学示范基地、孔子学院奖学金接收院校，"一省一校"国家重点建设大学联盟（Z14）成员，教育部首批批准接收外国留学生高校①。2021 年 12 月 22 日，宁夏大学枸杞现代产业学院在宁夏大学揭牌成立，是宁夏大学的现代产业学院之一②。宁夏大学的枸杞相关核心专利技术演进如图 3.20 所示。

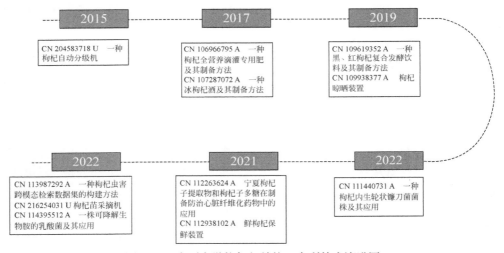

图 3.20　宁夏大学枸杞相关核心专利技术演进图

（1）CN 204583718 U 授权　一种枸杞自动分级机（申请日期：2015 年 4 月 28 日）

本实用新型提供一种枸杞自动分级机，包括震动上料机、视觉摄像头和传送导轨，所述的震动上料机连接传送导轨，在传送导轨上设置有光电检测传感器，在光电检测传感器后侧的导轨上设置有视觉摄像头，在视觉摄像头后侧设置有喷

---

①　https://www.nxu.edu.cn.

②　https://www.nxu.edu.cn/info/1591/26446.htm.

气分离装置，在喷气分离装置左上方设置有运输传送带；传送导轨上设置有四个喷气分离装置，在每个喷气分离装置左上方设置有运输传送带。本实用新型能够根据设定，将枸杞自动地分成不同的等级，这样替代人工的筛选，增加了筛选的效率，减少了工作强度，能够把更好的枸杞卖出更高的价格，提高经济收益，提高种植枸杞的积极性，推动枸杞产业的发展。

（2）CN 107287072 A 授权　一种冰枸杞酒及其制备方法（申请日期：2017年6月30日）

该发明涉及果酒的制备方法，具体为一种冰枸杞酒的制备方法，属于食品饮料技术领域。所述的制备方法，步骤如下：将末茬枸杞在$-15 \sim -7℃$采收后，用$1 \sim 8℃$的水对果实进行浸泡和冲洗，洗净后用$1 \sim 4℃$的冷风吹干果实表面残余的水分后再在$-15 \sim -7℃$进行破碎；之后将果浆在$-7 \sim 8℃$微波解冻；再经过酶解、闪蒸、回收香气；最后果汁低温发酵、陈酿、冷冻处理、杀菌、灌装等。该发明制备方法去除枸杞表面灰尘等杂质及降低农药残留的同时，不会降低果汁的浓度。将破碎后的枸杞果浆在酿造冰酒所需的压榨温度下进行微波解冻，获得符合温度要求的均匀未冻结果浆，与传统冰酒工艺相比，更有利于产品品质控制及提高，并为后续加工提供基础。

（3）CN 109619352 A 实质审查　一种黑、红枸杞复合发酵饮料及其制备方法（申请日期：2019年1月21日）

该发明公开了一种新型黑、红枸杞复合发酵饮料及其制备方法，属于食品微生物发酵技术加工领域。其步骤如下：将原料预处理→榨汁→超声波辅助壳聚糖固定化复合酶处理→过滤→巴氏杀菌→乳酸菌复合发酵剂初步发酵→活性干酵母菌和醋酸菌二次发酵→糖酸调配→离心→巴氏杀菌→灌装→饮料成品。该发明提供的制备方法工艺简单，加工成本低，制备出来的饮料既有枸杞的风味，又有发酵特有的气味和愉悦的醇香和柔和的酸味，使口感更加细腻，无不良异味，色泽均一，营养保健功能俱佳；其总酸2.83%，pH3.70，植物水性蛋白质2.83g/L，总酚38.17mg/L，类胡萝卜素35.67ug/L，酒精度≤1%，细菌和大肠杆菌未检出。

3.3.5　枸杞核心应用领域专利分析

在158个国家/地区/专利组织中共检索到涉及枸杞的专利75650条，其中应用于医药产业的专利数量高达30 644件，约占40.51%，其次是食品、非酒精饮品和酒精饮品、美容用品、动物饲料、种植、初加工、有效成分提取、枸杞多糖、枸杞籽油、机械、枸杞生物技术、枸杞检测和包装等。本小节重点分析枸杞在医药产业的应用情况。

3.3.5.1 枸杞应用领域之医药产业专利分析

（1）枸杞医药产业专利的省区分布

在专利来源地区中，山东是最大的专利申请省份，共有5288件专利，其次是江苏、安徽、广东、广西、河南、北京、四川、浙江、辽宁、湖南等地（图3.21）。其中，陕西位居第13位，甘肃第22位，宁夏第26位，青海第27位，新疆第29位。

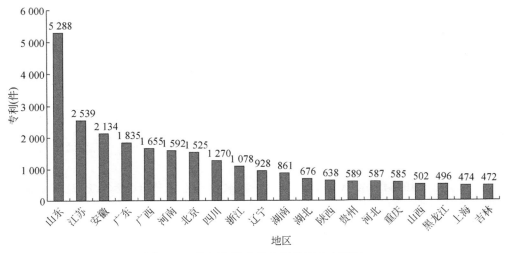

图3.21 枸杞食品产业专利地区分布情况

（2）枸杞医药产业专利的疗效分布

图3.22展示了枸杞医药产业专利的疗效分布情况。由图可见，枸杞作为添加成分的药物疗效范围很广泛，最常见的有治疗消化道或消化系统疾病的药物（6806件），其次是治疗眼部疾病的药物（3051件），再次是治疗过敏性疾病的药物（2905件）。治疗心血管系统疾病、治疗皮肤疾病、治疗泌尿系统疾病、治疗骨骼疾病、治疗血液疾病、抗肿瘤药的枸杞专利均大于2000件。治疗呼吸系统疾病、治疗内分泌疾病、治疗肌肉系统疾病等的疗效也有相应的专利申请。

（3）治疗消化系统疾病的枸杞专利分析

治疗消化系统疾病的枸杞专利申请人主要有鲁南制药集团股份有限公司、江苏康缘药业股份有限公司和珠海岐微生物科技有限公司等。治疗消化系统疾病的枸杞相关核心专利如下所示。

a. CN 101933894 A 授权 胃肠黏膜保护胶（申请日期：2009年7月3日）当前申请专利权人：北京瑞奇美德科技发展有限公司 发明人：张清

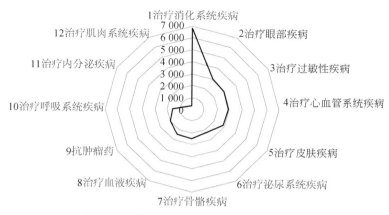

图 3.22　枸杞医药产业专利疗效分布情况

该发明涉及"胃肠黏膜保护胶"，属于生物医药制剂领域。胃黏膜保护胶，包括成胶物质，酸碱调节剂、交联剂和粘附剂；所述成胶物质，交联剂和粘附剂重量比为 1∶0.01~0.3∶0.1~0.5，酸碱调节剂的用量为调 pH 在 6.5~8.5。在胃酸的作用下，保护胶中的交联剂释放出来，在溃疡表面形成胶体膜，避免胃酸和胃蛋白酶对胃肠黏膜的消化作用，促进溃疡的愈合。动物试验表明该发明能明显降低无水乙醇和盐酸引起的溃疡发生，抑制溃疡形成，对小鼠无水乙醇和盐酸引起的胃黏膜损伤具有保护作用。因此，该产品可以用于胃肠溃疡病人黏膜保护和治疗。

b. CN 102727819 A 授权　治疗消化系统疾病的保康灵多元益生素口服液及制备方法（申请日期：2012 年 7 月 5 日）当前申请专利权人：湖北药王生物科技有限公司 发明人：陈光明

该发明公开了一种治疗消化系统疾病的保康灵多元益生素口服液及制备方法。口服液由党参、白术、黄芪、山药、北山楂、麦芽、甘草、茯苓、灵芝、陈皮、佛手、砂仁、厚朴、沉香、香附子、枸杞、当归、丹参、白芨、去壳海蛸、柴胡、白芍、延胡、北沙参、玉竹、五味子、黄连、去皮莱菔籽、白扁豆、三七粉、枳实、木香、薏苡仁、鸡内金、枣皮、莲米、天台组成，按一定重量配比煎汤，采用益生菌发酵制成多元益生素口服液。通过临床应用，有独特疗效。通过采取生物转化，把中药大分子分解为小分子，取得到吸收快、见效快的成效，并将中药次要成分和无效成分都转化为人体必需的而自身不能合成的营养物质，提高了疗效。

c. CN 102987383 A 授权　平衡肠道菌群结构改善代谢综合征的全营养组合物及应用（申请日期：2012 年 11 月 27 日）当前申请专利权人：上海交通大学、

完美（中国）有限公司 发明人：赵立平

该发明涉及一种平衡肠道菌群结构改善代谢综合征的全营养组合物及应用，包括第一组合物、第二组合物、第三组合物，或所述三种组合物的组合。所述第一组合物包括药食同源的食品。所述第二组合物包括苦瓜、可溶性膳食纤维和低聚糖。所述第三组合物包括可溶性膳食纤维和低聚糖。该发明为有针对性地改变肠道菌群，恢复其结构平衡，消除慢性炎症，改善由肠道菌群结构紊乱导致的疾病提供一种营养干预方法，可用于以肠道菌群为靶标的药物、营养品、保健品、食品等的开发。

d. CN 103393121 A 授权　一种改善胃肠功能，含酶复合益生菌植物酵素的制备方法（申请日期：2013 年 6 月 17 日）当前申请专利权人：湖北祥元生物科技有限公司 发明人：曾士祥、曾程

该发明涉及一种改善胃肠功能，含酶复合益生菌植物酵素的制备方法。该发明步骤如下：取麦芽、谷芽、山楂、陈皮、佛手、薏苡仁、白扁豆、芡实、莱菔子、益智仁等加水浸泡、提取，提取液采用常规的热回流强制循环，加红糖、蛋白胨调和、灭菌，过滤，滤液即为营养液；营养液 30～32℃接益生菌种，分四期混合发酵，质量检测，得饮品。该发明采用多种植物为营养液培养基，以复合益生菌为转化工具，采用多级深层液态发酵，能降解原料中的有毒有害物，形成新的活性成分，在发酵过程中产生蛋白酶、糖化酶，提高了原有物质产品的风味，将植物中植酸变为功能性乳酸和醋酸，不溶性纤维变为可溶性膳食纤维等，制备的产品可以激活人体内多种生物酶，全面调节人体代谢功能。

（4）治疗眼部疾病的枸杞专利分析

治疗眼部疾病的枸杞专利申请人主要有辽宁千里明药业集团有限公司、广西小咕噜生物科技有限公司和马应龙大健康有限公司等。治疗眼部疾病的枸杞相关核心专利如下所示。

a. CN 1544075 A 授权　一种治疗眼疾近视、消除视疲劳症状的中药及其制备方法（申请日期：2004 年 5 月 18 日）当前申请专利权人：西安碑林药业股份有限公司 发明人：赵彤

该发明涉及一种治疗眼疾近视、消除视疲劳症状的中药及其制备方法。据医学报刊有关资料不完全统计，近视、弱视、视疲劳症等已经成为当前影响青少年视力健康的严重社会问题。该发明选用枸杞子、女贞子、何首乌、菟丝子等滋补肝肾、养肝明目为君药，辅以谷精草、淫羊藿和决明子，开窍明目，以改善眼部的微循环，提高视细胞的灵敏度。同时，配以丹参、川芎、红花等，活血化瘀，以达解除睫状肌痉挛、使晶状体的调节功能恢复正常，达到治疗近视、弱视、消除视力疲劳等症的目的。该发明并采用科学独特的工艺提取，分离有效成分方

法，因而能更大限度地发挥药物疗效，疗效周期短、见效快、巩固率高、不易复发、无毒副作用。

b. CN 101843781 A 授权　一种预防和治疗干眼症的中药组合物（申请日期：2010 年 5 月 28 日）当前申请专利权人：郑州市新视明科技工程有限公司 发明人：张晓娟

该发明涉及中医药领域，公开了一种预防和治疗干眼症的中药组合物，包含菊花、枸杞子、黄柏、丹参、珍珠、冰片、薄荷脑。作为优选，该发明所述药物组合物以重量份计包含：菊花 2.5 ~ 3 份、枸杞子 2.5 ~ 3 份、黄柏 2.5 ~ 3 份、丹参 1.5 ~ 2 份、珍珠 0.08 ~ 0.1 份、冰片 0.08 ~ 0.1 份、薄荷脑 0.15 ~ 0.2 份。该发明还提供所述中药组合物的湿敷剂及其制备方法。该发明所述中药组合物具有清热、解毒、润燥功效，用后感到清凉、舒适，无毒副作用，易吸收，作用迅速，疗效好，具有良好的应用前景。

c. CN 101991111 A 授权　一种可缓解视疲劳的药品或者保健食品（申请日期：2010 年 10 月 12 日）当前申请专利权人：烟台宝备生物技术有限公司 发明人：况代武

该发明公开了一种可缓解视疲劳的药品或者保健食品。该发明所述的组方含功效成分：枸杞子、桑葚、越橘提取物。其中枸杞子滋补肝肾、益精明目，桑葚补血滋阴、生津润燥；同时加入越橘提取物，其中富含的花青素有助于维持眼部毛细血管完整性和稳定胶原质。三者相互配合，可以在迅速缓解视疲劳的同时，滋补肝肾，从根本上调理视疲劳状态。临床试验证实，该组方确实具有明显的缓解视疲劳的效果，且安全性良好，适合长期服用。

d. CN 102266445 A 授权　一种具有保健和治疗功效的护眼中药组合物（申请日期：2011 年 7 月 22 日）当前申请专利权人：佘志坚 发明人：李劲平、佘志坚

该发明涉及一种具有保健和治疗功效的护眼中药组合物，含有以下重量份组分：银杏叶提取物 5 ~ 20 份、人参 5 ~ 10 份、当归 5 ~ 10 份、谷精草 5 ~ 10 份、黄芪 5 ~ 20 份、金银花 5 ~ 10 份、蝉蜕 5 ~ 10 份、枸杞子 5 ~ 15 份、薄荷 5 ~ 10 份。该发明是一种具有缓解眼疲劳、消除眼部干涩红肿、视物模糊等不适症状，同时具有祛除眼袋、黑眼圈、眼部鱼尾纹等功效的中药组合物。

（5）治疗过敏性疾病的枸杞专利分析

治疗过敏性疾病的枸杞专利申请人主要有天津红日药业股份有限公司、中国医学科学院药物研究所和无限极（中国）有限公司等。治疗过敏性疾病的枸杞相关核心专利如下所示。

a. CN 101002858 A 授权　一种具有增强免疫功效的组合物及其制备方法和

其用途（申请日期：2006 年 12 月 19 日）当前申请专利权人：湖南补天药业股份有限公司、戴甲木 发明人：张荣利

该发明涉及一种具有增强免疫功效的组合物及其制备方法和其用途。组合物中有效成分的原料组成按重量份计为，茯苓 30～3000 份、人参 10～1000 份、枸杞 20～2000 份，三药均含有增加免疫的功效成分，且三药组方具有协同增效作用。该发明组合物具有抗疲劳、抗衰老、增强食欲等功效，能全面提高机体的免疫能力，适用于各种免疫力低下人群，尤其适合中老年人、慢性支气管炎患者、慢性肝炎患者、慢性肾炎患者、肿瘤患者或艾滋病患者等免疫力低下人群。

b. CN 102232998 A 授权　增强畜禽免疫力的中药微生态制剂及其制备方法（申请日期：2011 年 4 月 15 日）当前申请专利权人：北京康华远景科技股份有限公司 发明人：肖传明、刘春辉

该发明提供的是一种用于增强畜禽免疫力的中药微生态制剂及其制备方法。其特征是将传统中药与现代微生物发酵技术相结合研制出的一种新型的饲料添加剂，即将黄芪、杜仲、甘草、柴胡等中药，直接采用芽孢菌、酵母菌和/或乳酸菌中的两种或两种以上进行发酵，而制得的产品。该发明的中药微生态制剂具有增强畜禽机体的免疫力，维持动物胃肠微生物菌群平衡，防治畜禽消化道和呼吸道疾病，促进动物健康、快速地生长，改善肉蛋奶品质等功效；无毒副作用、无污染、无残留、不产生耐药性、适用于畜禽的各个生长阶段使用；效果稳定可靠，能够满足人们都畜禽产品安全生产的要求。该发明的增强畜禽免疫力的中药微生态制剂可通过提高使用剂量，作为兽药应用。

c. CN 102885301 A 授权　一种增强免疫力的组合物及其制备方法（申请日期：2012 年 9 月 19 日）当前申请专利权人：北京同仁堂健康药业股份有限公司 发明人：张宏、查圣华

该发明涉及一种增强免疫力的组合物及其制备方法。该组合物含有以下原料：冬虫夏草粉、海洋鱼低聚肽、玉米低聚肽、小麦低聚肽、西洋参提取物、灵芝提取物、枸杞提取物、灵芝孢子粉。该发明将冬虫夏草粉与具有生物活性的三种短肽物质组合起来，辅以可提高免疫力的植物提取物，达到增强免疫力的作用。

（6）治疗心血管疾病的枸杞专利分析

治疗心血管疾病的枸杞专利申请人主要有中国科学院大连化学物理研究所、北京茵诺医药科技有限公司和北京亚东生物制药有限公司等。治疗心血管疾病的枸杞相关核心专利如下所示。

a. CN 1943771 A 授权　通过作用于 NEI 网络治疗血管病变的药物（申请日期：2005 年 10 月 8 日）当前申请专利权人：河北以岭医药研究院有限公司 发明

人：吴以岭

该发明提供了已知能积极作用于 NEI 网络共有的信息分子及其受体或影响共有信息分子及其受体的信号转导通路的药物（包含单味中药、中药组合物及其制剂、化学有效成分、药用组合物及其制剂、生物有效成分、药用组合物及其制剂的物质）在制备治疗血管病变的药物中的应用；还提供了一类通过积极作用于 NEI 网络共有的所说信息分子及其受体或积极影响所说共有信息分子及其受体的信号转导通路、从而治疗血管病变的新药物；还进一步提供了这些药物的制备方法。

b. CN 101129817 A 未缴年费　一种治疗高血压的中药制剂及其制备方法（申请日期：2007 年 9 月 26 日）当前申请专利权人：王伏春 发明人：王福春

该发明涉及一种治疗高血压病的中药制剂，由包括人参、当归、淫羊藿、枸杞子、丹参、防己、夏枯草、牡丹皮、全蝎、酸枣仁、山楂等原料药制备而成。通过全面调理、渐进治疗，在平稳降压的同时能够有效抑制各种高血压的并发症。该发明还提供了所述治疗高血压中药制剂的制备方法。

c. CN 101181600 A 未缴年费　用于治疗心脑血管疾病的中药组合物（申请日期：2007 年 11 月 20 日）当前申请专利权人：王振才 发明人：王振才

该发明涉及一种用于治疗心脑血管疾病的中药组合物，由原料药青皮、柴胡、香附、郁金、山栀、龙胆草、龙葵、钩藤、白芍、何首乌炙、黄芪、桂枝、藿香、车前子、菟丝子、赤芍、川芎、葛根、补骨脂、丹参、山楂、红花、栝楼皮、射干、牡丹皮、茜草、党参、白术炙、茯苓、鸡内金、乌药、肉桂、黄芩、麻黄、五味子、玉竹、百部炙、半夏炙、白芥子、前胡、檀香、降香、薤白、羌活、威灵仙、海风藤、青风藤、鹿含草、肉苁蓉、鹿茸、巴戟天、枸杞子、女贞子、山茱萸、知母、黄柏、酸枣仁、柏子仁、毛冬青、远志炙、石菖蒲、合欢皮、牛膝、七叶一枝花、大枣、泽泻、锁阳、楮实子、水蛭、地骨皮、地龙干、灵芝、土茯苓、磁石粉、小叶金钱草制备而成，对适应症有很好疗效。

（7）治疗皮肤疾病的枸杞专利分析

治疗皮肤疾病的枸杞专利申请人主要有韩国太平洋药业株式会社、四川省中医药科学院和四川元宝草药业有限公司等。治疗皮肤疾病的枸杞相关核心专利如下所示。

a. KR 1020090115609 A 授权　포제를 활용한 약용식물 추출물 및 이를 함유하는 피부외용제 조성물（使用雾化的药用植物提取物和用于外用皮肤的组合物）（申请日期：2008 年 5 月 2 日）当前申请专利权人：韩国太平洋药业株式会社 发明人：박준성、박혜윤、김동현、문은정、정지혜、이재경、김덕희、김한곤

该发明涉及作为韩方加工技术的利用布加工的药用植物提取物及含有该提取

物的皮肤外用组合物，包括：①煮、蒸、烤、烤药用植物。药用植物通过布料的加工步骤，如加热过程和混合过程；并且②涉及一种皮肤外用组合物，其通过含有在获得加工药用植物提取物的步骤中制备的药用植物提取物而显示出改善的功效。

b. CN 102014940 A 授权　草药加工而成的药用植物提取物和含有该提取物的皮肤外用组合物（申请日期：2008 年 11 月 6 日）当前申请专利权人：韩国太平洋药业株式会社 发明人：朴葰星、朴惠胤、金东泫、文恩晶、郑智慧、李在琼、金德姬、金汉坤

该发明涉及一种加工草药植物的提取物和含有此提取物的用于皮肤外用的组合物。具体而言，用于皮肤外用的组合物含有一种加工草药植物的提取物，其制备方法包括以下步骤：①通过煮沸，气蒸，烤炙，烘焙或加热药用植物的工艺或者这些工艺的两种或更多组合来加工草药植物；②获得加工药用植物的提取物。组合物表现出改进的抗氧化效果。

c. CN 103893722 A 授权　一种治疗日光性皮炎的中药组合物及其制备方法（申请日期：2014 年 3 月 25 日）当前申请专利权人：启东市和洪农副产品专业合作社 发明人：傅德香

该发明属于医药技术领域，特别涉及一种治疗日光性皮炎的中药组合物及其制备方法。针对目前日光性皮炎的化学治疗药物肝毒性较大，疗效不佳的现有技术不足，该发明提供一种治疗或预防日光性皮炎的中药组合物，其包括如下组分：马齿苋 10 ~ 50 份，羌活 10 ~ 20 份，槐花 5 ~ 20 份，黄芩 5 ~ 15 份，熟地 5 ~ 10 份，百合 5 ~ 15 份，金银花 5 ~ 15 份，蒲公英 1 ~ 10 份，枸杞 5 ~ 15 份，半枝莲 9 ~ 15 份，川芎 9 ~ 15 份，白芷 5 ~ 15 份，黄连 0.2 ~ 9 份，白芍 5.5 ~ 15 份，干姜 6 ~ 9 份，甘草 10 ~ 15 份。该中药组合物在治疗或预防日光性皮炎方面均具有很好的治疗效果，且药物副作用低，具有显著的临床推广价值。

（8）治疗泌尿系统疾病的枸杞专利分析

治疗泌尿系统疾病的枸杞专利申请人主要有上海中医药大学附属龙华医院、广州白云山和记黄埔中药有限公司和甘肃岷海制药有限责任公司。治疗泌尿系统疾病的枸杞相关核心专利如下所示。

a. CN 101732660 A 未缴年费　一种治疗前列腺疾病的中药制剂及其制备方法（申请日期：2009 年 12 月 25 日）当前申请专利权人：卢速江 发明人：卢速江

该发明涉及一种治疗前列腺疾病的中药制剂，是由人参、鹿胶、巴戟天、仙茅等 70 味原料药材制成的药剂。所述的药剂是口服液、颗粒、散剂、胶囊、冲剂、片剂或丸剂。其制备方法：①将原料药制为水提取液；②水提取液制为口服

液；③将水提取液干燥、粉碎、过筛，取筛下物，为药物提取散剂；④用药物提取散剂制片、颗粒、丸剂、冲剂或胶囊。其制备方法可以为：①原料药粉碎，过筛，取筛下物为药粉；②药粉消毒灭菌，为生粉散剂；③生粉散剂制为片、颗粒、丸剂、冲剂或胶囊。该发明采用的原料药为常用中药，制作成本低，基本无毒副作用。该发明的药物对前列腺炎、前列腺增生、肥大有较好的疗效，对前列腺癌效果明显。

b. CN 102100845 A 未缴年费　一种治疗肾虚肾亏及尿频尿急和前列腺炎的药物（申请日期：2011 年 1 月 25 日）当前申请专利权人：李文杰、国家电网公司 发明人：李文杰、徐九玲、李松涛、李松伟、李松范、李彩云

该发明公开了一种治疗肾虚肾亏及尿频尿急和前列腺炎的药物。它由仙茅、何首乌、人参、海马、山茱萸、补骨脂、黄精、鹿茸、锁阳、丹参、萆薢、淫羊藿、黄芪、生地黄、熟地黄、天门冬、麦门冬、五味子、枸杞子、山药、白茯苓、海狗肾、山楂、覆盆子、牛膝、柏子仁、杜仲、当归、巴戟天、菟丝子、肉苁蓉、远志、黄柏、知母、肉桂、紫河车、附子、巨胜子 38 味中草药材配制而成。该药物具有配伍得当，标本兼治，疗效好，疗程短，治愈率高，复发率低，无毒副作用，服用方便，治疗成本低等优点。

c. CN 102716263 A 授权　一种玛咖、人参和枸杞组合物及其应用（申请日期：2012 年 7 月 12 日）当前申请专利权人：云南滇隆制药有限公司 发明人：杨曙锋、王作祥、刘永震

该发明是一种玛咖、人参和枸杞的组合物及其应用。该组合物按重量百分比：玛咖 30% ~85% 、人参 10% ~40% 、枸杞 5% ~30% 混合配制而成。将该组合物添加可食用辅料制成片剂、硬胶囊剂、颗粒剂、软胶囊、酒剂、口服液和饮料。该发明的组合物是根据玛咖、人参和枸杞各具有的功能特点进行搭配组合，人参滋补强壮、补中益气，玛咖改善性功能、减少前列腺增生和提高生育能力，而枸杞用于防治虚劳精亏，阳痿遗精等作用，三者相互配合，对于改善性功能、减少前列腺增生和提高生育能力具有协同作用。

（9）治疗骨骼疾病的枸杞专利分析

治疗骨骼疾病的枸杞专利申请人主要有中国科学院西北高原生物研究所、东乌珠穆沁旗悦艺生物科技有限责任公司和郑州中医骨伤病医院等。治疗骨骼疾病的枸杞相关核心专利如下所示。

a. CN 1814247 A 授权　一种治疗骨科疾患的中药接骨膏及其制法（申请日期：2005 年 11 月 22 日）当前申请专利权人：田茂宁 发明人：田茂宁、田召彦

该发明公开了一种治疗骨科疾患的中药膏药及其制法。其特征是以乌鸡、当归，以及三七粉、没药、骨碎补、血竭、郁金、三棱、莪术、虎杖、土鳖虫、自

然铜、乳香中的几味中药共为君药，选取蕲蛇、地龙、血竭、制川乌、穿山甲、独活、延胡索、续断、肉桂、丁香、冰片等 97 味中部分中药为臣药、使药，根据中药的不同特性，部分药材分先榨取，另将部分质轻、纤维性强的药材水煎提取 3 次，浓缩成浸膏，干燥后粉碎成细粉，加入下丹后的药油中；部分细料药研粉最后加入。该发明配方及制作方法独特，是治疗骨科疾患一种理想的传统外用制剂。

b. CN 102188673 A 未缴年费　强筋壮骨贴膏及其制备和应用（申请日期：2010 年 3 月 17 日）当前申请专利权人：赵贵凤　发明人：赵贵凤、李洪申

该发明涉及治疗筋骨疾病的中药贴膏。具体地说是一种强筋壮骨贴膏及其制备和应用，所述贴膏由膏剂和粉剂混合而成。炮制膏剂部分的原料按重量计包括：威灵仙、独活、羌活、丁公藤、透骨草、秦艽、附子、干姜、肉桂、臭梧桐、元胡、川芎、乳香、王不留行、灵芝、天麻、黄芪，各 25～60g；蜂房、雪上一枝蒿、马前子中的一种或多种，每种各 25～60g；以及铅丹 0.1～3kg，植物油 0.5～5kg；粉剂部分的原料按重量计包括：威灵仙，独活，羌活，黄柏，血竭，天麻，马前子，元胡，冰片，臭梧桐，川乌，每种各 15～45g。该发明组方中药物的药效发挥均衡，药物利用率高，治疗效果好。

c. CN 102872299 A 授权　一种治疗骨质疏松、骨质疏松骨折的药物组合物（申请日期：2012 年 9 月 26 日）当前申请专利权人：南通康威尔生物化工有限公司　发明人：吴淑玺

该发明涉及一种活血补髓生骨中药组合物。其原料的重量份为：骨碎补：30g，续断：25g，何首乌：15g，龟甲：22g，淫羊藿：20g，土鳖虫：9g，自然铜：10g，丹参：20g，红花：15g，白芍：12g，威灵仙：9g，蛇床子：10g，鸡血藤：12g，当归：30g，黄芪：20g，山药：22g，茯苓：12g，熟地黄：20g，鹿角胶：15g，狗脊：15g，牛膝：12g，杜仲：10g，龙骨：9g，女贞子：15g，补骨脂：10g，白术：12g，甜瓜子：12g，接骨木：15g，枸杞子：15g，千年健：10g，海螵蛸：25g，乳香：8g，没药：8g。该发明的中药组合物适用于骨质疏松症，其成本低廉，疗效显著，具有广阔的应用前景。

（10）治疗血液疾病的枸杞专利分析

治疗血液疾病的枸杞专利申请人主要有株洲千金药业股份有限公司、翔宇药业股份有限公司和天津市善济宏兴科技发展有限公司等。治疗血液疾病的枸杞相关核心专利如下所示。

a. CN 1539459 A 授权　一种治疗贫血的再造生血中药制剂及制备方法（申请日期：2003 年 10 月 30 日）当前申请专利权人：安徽雷允上药业有限公司　发明人：赵玉龙

该发明涉及一种治疗贫血的再造生血中药制剂及制备方法。制剂由下列原料

配制：酒制菟丝子5%～30%、去芦红参1%～12%、鸡血藤3%～20%、阿胶1%～12%、当归2%～15%、女贞子1%～12%、黄芪2%～15%、益母草1%～12%、熟地黄2%～15%、白芍1%～12%、制何首乌2%～15%、淫羊藿1%～12%、酒制黄精1%～15%、去毛鹿茸0.1%～2%、党参1%～15%、麦冬1%～12%、仙鹤草1%～15%、炒白术1%～12%、盐制补骨脂1%～12%、枸杞子1%～15%、墨旱莲1%～12%。可制成片剂、胶囊剂、颗粒剂、散剂、丸剂、口服液、糖浆剂等剂型。该中药制剂可以滋阴补肾、补气生血、活血止血，对治疗再障贫血、缺铁性贫血、白细胞减少等多种贫血疾病有显著的疗效。

b. CN 101095751 A 授权　具有祛黄褐斑、改善营养性贫血的药物组合物及制备方法（申请日期：2006年12月15日）当前申请专利权人：兰州奇正生态健康品有限公司 发明人：张樱山、李晓强、陈丽娟、东智多杰

该发明涉及一种具有祛黄褐斑、改善营养性贫血功能的药物组合物及其制备方法和质量控制方法。该组合物以沙棘、枸杞子、当归、红花、党参、肉桂、珍珠、氯化高铁血红素为主要原料，先将红花、肉桂、珍珠、氯化高铁血红素粉碎成细粉，再将沙棘、枸杞子、当归、党参加水提取，浓缩，干燥，得干浸膏粉末，与上述药材细粉混合均匀后制成常规制剂。该组合物的质量控制指标为钙、总黄酮、粗多糖，规定每100g单位制剂含钙（以 Ca 计）为2.36～3.94mg、含总黄酮（以芦丁计）大于或等于350mg、含粗多糖（以葡聚糖计）大于或等于180mg。

c. CN 101172140 A 授权　促进造血干细胞增殖与血红蛋白合成的营养组合物（申请日期：2007年9月11日）当前申请专利权人：珍奥集团股份有限公司 发明人：吴文国

该发明公开一种促进造血干细胞增殖与血红蛋白合成的营养组合物。其特征在于原料及重量比如下：核苷酸90～110、精氨酸20～30、赖氨酸20～30、半胱氨酸10～20、甘氨酸25～35、组氨酸20～30、卵磷脂110～130、脑磷脂50～70、维生素 E 0.4～0.6、维生素 C 5～7、叶酸0.02～0.04、维生素 B2 0.05～0.07、维生素 B6 0.07～0.08、维生素 B12 0.0001～0.0002、铁0.5～1.5、锌0.5～0.7、锰0.4～0.6、枸杞多糖14～16、葡萄籽提取物14～16。该组合物可明显提高血中血红蛋白（Hb）、红细胞（RBC）、白细胞（WBC）及血小板（PLT）数量；可刺激骨髓造血干细胞的增殖，使造血干细胞明显增多；明显提高细胞内线粒体数目；对肝、脾的损伤具有明显的恢复作用。

（11）具有抗肿瘤作用的枸杞专利分析

具有抗肿瘤作用的枸杞专利申请人主要有中国医学科学院药物研究所、国药一心制药有限公司和李氏大药厂（香港）有限公司。具有抗肿瘤作用的枸杞相

关核心专利如下所示。

a. CN 101716280 A 授权 一种用于治疗肝癌的药物组合物（申请日期：2009 年 12 月 23 日）当前申请专利权人：广东三蓝药业股份有限公司 发明人：刘建国、刘铁球

该发明涉及一种用于治疗肝癌的药物组合物，为纯中药复方制剂。其处方包括红参、黄芪、党参、茯苓、玄参、生地黄、枸杞子、牡丹皮、北沙参、天冬、麦冬、鳖甲、山茱萸、何首乌、当归、酒制的白芍、酸枣仁、柏子仁、丹参、柴胡、赭石、黄精、白术、莲子、龙眼肉、甘草、金银花、连翘、三七、穿山甲、红花、桃仁、乳香、没药、朱砂、琥珀共 36 味药材。该发明所述的用于治疗肝癌的药物组合物，经体外实验和临床试验，表明其具有以下作用：稳定瘤体，抑制肝癌发展；延长原发性肝癌患者生存期；减轻症状，提高患者生存质量；保护和增强机体造血功能，保证体能；对机体免疫功能有较好的保护作用，且无明显副作用。

b. US 20140141082 A1 授权 Compositions Containing Enriched Natural Crocin and/or Crocetin, and Their Therapeutic or Nutraceutical Uses（含有富含天然藏红花素和/或藏红花素的组合物，以及它们的治疗或营养用途）（申请日期：2013 年 11 月 6 日）当前申请专利权人：GAO，SONG 发明人：GAO，SONG

该发明涉及含有富集和纯化的天然藏红花素和/或藏红花素的独特组合物，用于预防和/或治疗癌症及其他病症和疾病。组合物主要包含富集或纯化的天然藏红花素或藏红花素或两者的组合以及可能的其他活性植物化学物质。组合物作为功能性食品、饮料、膳食补充剂或治疗剂量用于人类口服或通过其他合适的方式（肠胃外、经皮、直肠、黏膜、鼻内或局部给药）。

c. CN 104138527 A 授权 一种具有抗癌作用的生物发酵组合物及其应用（申请日期：2014 年 8 月 13 日）当前申请专利权人：贵州酵德生物科技有限公司 发明人：胡广、胡均霖、胡鑫亮

该发明涉及一种具有抗癌作用的生物发酵组合物。其由如下方法制成：①配制培养基混合液；②灭菌处理；③冷却；④接种；制得发酵液；⑤静置处理，制得具有抗癌作用的生物发酵组合物。该发明的组合物，能够改善体内微生态环境，平衡调理肠道有益菌群，修复受损细胞补充体内多种活性生物酶，氨基酸、核酸及微量元素等，提高人体的免疫力，预防疾病，能够有效抑制癌细胞，并且阻断癌细胞的扩散及发展。同时可以改善酸性体质为弱碱性体质。特别适合癌症人群，三高人群，肥胖人群。可以用于制备丸剂、膏剂，水剂等多种剂型，对癌症有着良好的辅助治疗作用，同时对治疗糖尿病、消化系统疾病等具有很好的辅助治疗作用。

（12）治疗呼吸系统疾病的枸杞专利分析

治疗呼吸系统疾病的枸杞专利申请人主要有美国强生公司、山东省立医院和海安常大技术转移中心有限公司。治疗呼吸系统疾病的枸杞相关核心专利如下所示。

a. CN 101829297 A 未缴年费　一种治疗哮喘病的中药组合物及其制备方法（申请日期：2010年2月5日）当前申请专利权人：泰一和浦（北京）中医药研究院有限公司　发明人：王峰、卢春艳

该发明公开了一种新的治疗哮喘病的中药组合物及其制备方法。该发明中药组合物主要由以下原料药组成：杏仁、百部、紫菀、浙贝母、川贝母、前胡、神曲、白术、茯苓皮、羚羊粉、石菖蒲、枳实、陈皮、白芍、山药、羌活、胡黄连、葛根、柴胡、沙参、枸杞子、当归、石斛、龟板等。该发明中药组合物可按照常规的中药制剂方法制备成任何一种常用口服制剂。该发明可显著改善咳嗽、喘促、喘息、气急、气逆、心慌、心律不齐、乏力、呃逆等症状，临床疗效确切，疗效显著，见效迅速。由于该发明中药组合物基本采用了国家药典规定的药食同源药物进行组合，所以具有费用低廉、基本无毒副作用等优点。

b. CN 102552773 A 授权　一套治疗7～15岁儿童支气管炎、支气管哮喘的药物（申请日期：2012年2月6日）当前申请专利权人：孟庆云、崔迎春　发明人：孟庆云、崔迎春、孟凡宇、孟凡勇、刘远洋、杨凤华、王建华、董丽丽、郭宏艳

该发明涉及一套治疗7～15岁儿童支气管哮喘的药物，由口服中药汤剂和腧穴注射药剂组成。中药汤剂它的活性成分是由炙麻黄、北五味子、生黄芪、西洋参、太子参、蛤蚧、乌梢蛇、巴戟天、地龙、淫羊藿、白芥子、葶苈子、白果仁、桂枝、白芍、熟地黄、补骨脂、牛膝、枸杞子、黑蚂蚁、茯苓、白术、山药、甘草、全蝎、防风、射干、乌梅、桑白皮、炙冬花、百部、百合、杏仁、灵芝、细辛、当归、山茱萸、僵蚕多种中草药组成，腧穴注射药剂为核酪、胎盘组织液或黄芪注射液的一种。该药物是一种标本兼治、辨证施治，可增加机体免疫力，使受损的肺、脾、肾、心恢复功能，具有治愈率高不复发的优点及效果。

c. CN 103961533 A 授权　一种用于治疗咽炎的中药雾化剂（申请日期：2014年4月14日）当前申请专利权人：山西晋城无烟煤矿业集团有限责任公司　发明人：郜志宏

该发明属于咽炎治疗技术领域，为解决现有中药治疗咽炎疗程长、效果差等问题，提供了一种用于治疗咽炎的中药雾化剂。该剂由生地、玄参、枸杞子、桔梗、赤芍、金银花、胖大海、麦冬、蝉蜕、甘草按一定的比例制备而成。该发明所述中药常规水煎取汁，通过雾化吸入使药物直达病所，起效快，用药量少，局部药物浓度高，迅速改善呼吸道症状；可以有效解除咽喉红肿、刺痒、异物感、

咳嗽、咳痰不利、声音嘶哑等症状。

(13) 治疗内分泌疾病的枸杞专利分析

治疗内分泌疾病的枸杞专利申请人主要有甘肃岷海制药有限责任公司、大江生医股份有限公司和江西天元药业有限公司等。治疗内分泌疾病的枸杞相关核心专利如下所示。

a. CN 101292740 A 授权　促进体内性激素分泌的生物食品（申请日期：2008 年 6 月 10 日）当前申请专利权人：如东县燕川物业管理有限公司 发明人：黎秋萍

该发明为促进体内性激素分泌的生物食品，属生物保健食品及外用品的生产技术领域。该发明根据中医中药的防治法则，采用了多种安全性营养丰富的生物原料：黄芪、党参、黄精、巴戟天、杜仲、补骨脂、沙蒿籽油、小麦胚芽油、大豆异黄酮、EM 原露、L-精氨酸等制成，可以内服外用，促进体内性激素分泌的生物食品和外用品。产品品种多样、精美时尚、适宜各体质各年龄的人群使用，坚持使用，能促进体内激素长期分泌，从而达到防病治病，改善提高性生活质量，保持旺盛的精力与体魄，保持青春美丽健康，从根本上抵抗衰老。

b. CN 104524440 A 授权　一种用于女性内分泌紊乱调理的药丸及制备方法（申请日期：2014 年 12 月 16 日）当前申请专利权人：江西天元药业有限公司 发明人：唐珍丽、薛燕、王旭慧

该发明公开了一种用于女性内分泌紊乱调理的药丸及制备方法，属中药领域。该发明药物有效成分的原料组成及重量份数为：麦冬 63~80g、大枣 60~77g、枸杞子 57~75g、佛手 55~72g、黑芝麻 52~68g、龙眼肉 48~65g、党参 45~61g、黄芪 43~57g、熟地 40~55g、当归 37~52g、甘草 35~47g、茯神 32~45g、阿胶 30~42g、桃仁 27~40g、制首乌 25~37g、白术 22~35g、枳实 20~33g、云苓 18~30g、肉苁蓉 15~27g、郁金 12~24g、香附 10~20g、王不留行 8~17g、玫瑰花 7~15g、合欢花 5~12g、益母草 3~9g。该发明选用药材符合君臣佐使之理，针对病因对症下药，有疏肝健脾、滋肾养血、补气补血、活血调经、理气调中、宁心安神之功效，吸收效果好，疗效显著，无毒副作用及临床不良反应，经临床验证对女性内分泌紊乱调理效果较好。

c. CN 104524335 A 授权　一种用于女性内分泌失调调理的药丸及制备方法（申请日期：2014 年 12 月 29 日）当前申请专利权人：上海耀大生物科技有限公司 发明人：张解、孙婷婷、付慧、卢洪涛

该发明公开了一种用于女性内分泌失调调理的药丸及制备方法，属中药领域。该发明药物有效成分的原料组成及重量份数为：枸杞子 68~80g、大枣 65~

77g、淮小麦 63～73g、山药 60～70g、阿胶 56～66g、当归 52～63g、太子参 50～60g、茯苓 45～57g、白扁豆 42～54g、灵芝 37～50g、红花 35～46g、绞股蓝 32～42g、桂枝 30～40g、玫瑰花 27～37g、白术 25～35g、白首乌 23～32g、乌药 20～30g、菟丝子 16～28g、岗稔根 12～25g、薤白 10～22g、薏苡仁 8～18g、陈皮 6～15g、甘草 3～12g、刺五加 2～8g。该发明选用药材的药性相适相辅，针对病因对症下药，有健脾和胃、气血双补、活血化瘀、阴阳并调之功效，吸收效果好，可改善阴血不足，清除体内代谢淤积，平衡女性气血，使内分泌系统恢复正常运行，最终达到标本兼治的目的，见效快，无毒副作用及临床不良反应，经临床验证对女性内分泌失调治愈率较高。

（14）治疗肌肉系统疾病的枸杞专利分析

治疗肌肉系统疾病的枸杞专利申请人主要有中国科学院生物物理研究所、湖北宁康医药有限公司和河北以岭医药研究院有限公司等。治疗肌肉系统疾病的枸杞相关核心专利如下所示。

a. CN 1557375 A 未缴年费　一种治疗肌肉萎缩的药物组合物（申请日期：2004 年 1 月 29 日）当前申请专利权人：河北省民生医药研究所 发明人：李宏烨、常振刚、李树君、柏怀仁

该发明以开通经络，活血化瘀为先，去除外邪，补益脾肾为本，以增加人体自身免疫力使阴阳达到平衡，提供一种治疗肌肉萎缩的药物组合物。其组成包括如下重量份的饮片：黄芪 30～80g，肉桂 8～15g，紫河车 6～12g，五味子 6～15g，山甲珠 10～15g，鹿角胶 6～12g，醋龟甲 10～15g，山萸肉 6～15g，将鹿角胶用开水化开，与上述比例的药物加水 200ml，加热至 120℃，压力 1.2～1.5，保温 30～40 分钟，压滤出药液，灌装即得。该发明在临床治疗肌肉萎缩因势利导、辨证施治、达到益气生机、壮骨生髓、开通运动神经、调节末梢神经、修复坏死的微循环，突破了西方医学对末梢神经坏死不可修复的定论，使坏死的肌分子重新再生，从而达到治疗的目的。

b. CN 104069339 A 授权　一种治疗重症肌无力的中药组合物及其制备方法（申请日期：2014 年 6 月 18 日）当前申请专利权人：乞国艳 发明人：乞国艳

该发明涉及一种治疗重症肌无力的中药组合物。具体由以下重量份中药原料药组成：黄芪 120～180 份，太子参 20～50 份，党参 30～60 份，白术 20～30 份，柴胡 6～10 份，升麻 6～10 份，当归 6～10 份，山药 20～50 份，合欢皮 6～10 份，制首乌 15～40 份，巴戟天 6～20 份，桑葚 6～20 份，甘草 3～6 份，陈皮 3～6 份，枳壳 3～6 份，鸡血藤 20～30 份，枸杞 10～20 份，麦冬 5～12 份。本中药组合物可以使重症肌无力患者补中益气，健脾益肾，疏肝理气，达到临床治愈。

3.3.5.2　枸杞应用领域之食品产业专利分析

(1) 枸杞食品产业专利的省区分布

枸杞在食品方面的专利共涉及 26 160 组专利，主要有营养保健品、膳食（包含药膳）、食品添加剂、米面品制作、调料及调味品制作、糖果制作、方便食品、乳制品制作、肉制品制作、焙烤食品、罐头制品、食用油、速冻食品制造等。其中，包括 2456 项直接以枸杞为主成分的食品专利，如枸杞果糕、果酱、纯粉片、保健醋、饼干、罐头等。

在专利来源地区中，安徽是最大的专利申请省份，共有 4436 项专利，其次是山东、江苏、广东、广西、浙江、北京、四川等地（图 3.23）。宁夏位居第 11 位，陕西第 21 位，青海第 24 位，甘肃第 26 位，新疆第 28 位。

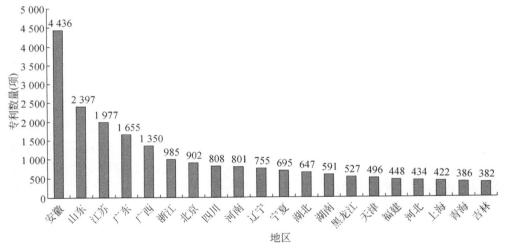

图 3.23　枸杞食品产业专利地区分布情况

(2) 枸杞食品产业主要专利申请人分析

表 3.10 显示了枸杞食品产业主要专利申请人（TOP10）有效专利占比及技术领域情况。可以看出，主要申请人主要集中在食品企业或者科技企业，当然科研院所也有相关专利申请，如中国科学院西北高原生物研究所和广西大学。其中，徐州绿之野生物食品有限公司申请的专利"一种食用菌风味食品的制备方法"，被引用次数为 43 次，在制作可食用菌菇的过程中，加入枸杞叶这样的天然调味剂。除此之外，瑞士、美国、韩国、芬兰、英国、德国、日本、西班牙、澳大利亚、荷兰等国家在我国也已有枸杞食品产业专利布局。

表3.10 枸杞食品产业主要专利申请人（TOP10）有效专利情况

序号	专利申请人	专利总数（项）	有效专利数（项）	有效专利占比（%）	技术领域
1	徐州绿之野生物食品有限公司	85	37	43.53	复方枸杞板栗保健食品、生物发酵黑枸杞、黑枸杞保健年糕、黑枸杞口香糖、复方枸杞子黑大蒜夹心巧克力、黑枸杞果丹皮
2	中国科学院西北高原生物研究所	85	39	45.88	枸杞鲜果制干方法、枸杞保健食品、枸杞果蜜、黑青稞枸杞粥、黑果枸杞花青素咀嚼片
3	无限极（中国）有限公司	68	22	32.35	枸杞保健食品
4	雀巢公司	67	51	76.12	枸杞保健食品
5	广西大学	64	5	7.81	五谷杂粮保健营养粉、含有枸杞的茶叶蛋、富多酚功能性黑糖、糯米饼、保健火锅底料
6	安徽燕之坊食品有限公司	63	20	31.75	含有中草药配方的保健面条、营养粥、养身馒头、五谷杂粮保健品
7	柳州市京阳节能科技研发有限公司	40	6	15.00	精配龟苓膏、含有枸杞的养生粥
8	哈尔滨工业大学	38	4	10.53	山楂益生糕、枸杞咀嚼片、枸杞果蔬干粮饼
9	浙江永葆康安医疗科技有限公司	36	14	38.89	含枸杞的膳食、食疗配餐或代餐品
10	安徽光正食品有限公司	34	24	70.59	一种含有枸杞的卤牛肉、猪蹄、鸡肉、鹅肉的加工方法

3.3.5.3 枸杞应用领域之饮品产业专利分析

（1）枸杞饮品产业专利的省区分布

枸杞在饮品方面的专利共涉及7269组专利，主要是非酒精饮品和酒精饮品。非酒精饮品主要是各种茶品、咖啡、饮料等，除此之外，还包含保健饮品，可用于消化、代谢、过敏性疾病等方面的保健和辅助治疗。酒精饮品是以枸杞为辅助材料的保健酒、米酒、黄酒、葡萄酒、人参酒等。

在专利来源地区中，安徽是最大的专利申请省份，共有1000项专利，其次是江苏、山东、广西、广东、浙江、河南、陕西、北京、四川等地（图3.24）。

陕西位居第 8 位，甘肃第 16 位，宁夏第 18 位，青海第 24 位，新疆第 29 位。

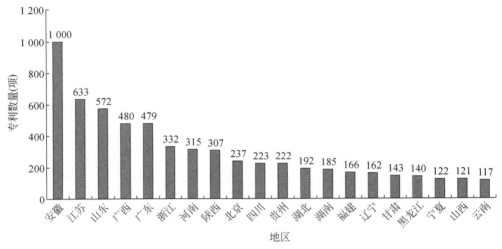

图 3.24　枸杞饮品产业专利地区分布

（2）枸杞饮品产业主要专利申请人分析

表 3.11 展示了枸杞饮品产业主要专利申请人（TOP8）有效专利占比及技术领域情况，主要申请人集中于企业。值得一提的是湖南现代资源生物科技有限公司，虽然该公司申请专利不多，仅有 18 条，但是该公司一项专利"一种复合益生菌发酵中草药活性保健液及其制备方法"被引用次数为 55 次。作为保健饮品，该原料中含有银杏叶、银杏花粉、枸杞、茶叶等。除此之外，美国、瑞士、日本、韩国等国家在我国也已有枸杞饮品产业专利布局。

表 3.11　枸杞饮品产业主要专利申请人（TOP8）专利情况

序号	专利申请人	专利总数（项）	有效专利数（项）	有效专利占比（%）	技术领域
1	安徽燕之坊食品有限公司	71	39	54.93	杂粮固体饮料、燕麦营养调理植物奶
2	徐州绿之野生物食品有限公司	55	2	3.64	含有枸杞的保健茶、绿茶、黑茶、红茶、苦丁茶、乌龙茶
3	哈尔滨膳宝酒业有限公司	50	2	4.00	人参补脑健脑酒、果酒
4	青岛嘉瑞生物技术有限公司	47	2	4.26	中草药保健凉茶、绿茶饮料、复合发酵型鸭梨保健酒、甘草五味子山药山楂枸杞复合发酵中草药保健酒

序号	专利申请人	专利总数（项）	有效专利数（项）	有效专利占比（%）	技术领域
5	宁夏红枸杞产业有限公司	40	22	55.00	枸杞白兰地、枸杞干红、枸杞果酒、枸杞露酒、枸杞预调酒、新型枸杞发酵酒
6	内蒙古伊利实业集团股份有限公司	25	12	48.00	蛋白饮料、含有红枣、桂圆和枸杞汁的冷冻饮品、含枸杞颗粒的液态乳制品、保健酸奶
7	上海交通大学	18	13	72.22	用于平衡肠道菌群的茶、复方养生花果茶、袋泡茶、凉茶
8	雀巢公司	13	10	76.92	饮料、咖啡

3.3.5.4 枸杞应用领域之化妆品产业专利分析

（1）枸杞化妆品产业专利的省区分布

枸杞在化妆品方面的专利共涉及 2278 组专利，主要是化妆品配制品、梳妆用配制品、护理皮肤的制剂、皮肤疾病、毛发护理、肥皂洗涤剂组合物等。在专利来源地中，广东是最大的专利申请地，共有 365 项专利，其次是江苏、山东、北京、广西、浙江、上海、四川等地（图 3.25）。宁夏位居第 12 位，青海第 13 位，陕西第 17 位，甘肃第 24 位，新疆第 28 位。

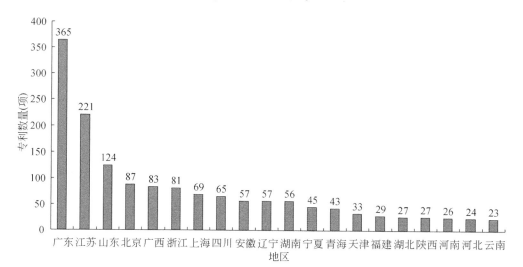

图 3.25　枸杞化妆品产业专利地区分布

（2）枸杞化妆品产业主要专利申请人分析

表 3.12 展示了枸杞化妆品产业主要专利申请人（TOP5）有效专利占比及技术领域情况，主要申请人集中于外国企业。美国、韩国、日本、澳大利亚、加拿大等国家在我国已有枸杞化妆品产业专利布局。例如，日本花王株式会社的专利（JP 2005060366 A）脂解促进剂，该专利中含有枸杞，提供一种促进堆积的脂肪组织分解并发挥减肥作用的脂肪分解促进剂和减肥剂，可用于化妆品。

表 3.12　枸杞化妆品产业主要专利申请人（TOP5）专利情况

序号	专利申请人	专利总数（项）	有效专利数（项）	有效专利占比（%）	技术领域
1	法国欧莱雅化妆品集团公司	36	16	44.44	用于治疗干燥角蛋白材料的枸杞提取物
2	韩国太平洋药业株式会社	28	20	71.43	以枸杞和松针的混合提取物为有效成分的维 A 酸受体活化抗衰老组合物
3	广州赛莱拉干细胞科技股份有限公司	23	4	17.39	含枸杞干细胞的抗衰老面膜、含有枸杞干细胞提取物的祛皱护肤品、含有枸杞干细胞提取物的祛斑护肤品、含有枸杞干细胞提取物净白护肤品、含有枸杞干细胞提取物祛痘组合物
4	日本三得利控股株式会社	18	4	22.22	含枸杞的化妆品
5	韩国 LG 生活健康股份有限公司	13	4	30.77	包含枸杞提取物和猫爪提取物的美白皮肤用化妆品组合物

3.3.6　枸杞产业专利文献态势

近 20 年来世界主要国家、地区、专利组织申请（授权）涉及枸杞的专利呈现前期缓慢增长、中期迅猛增长、后期有所回落的趋势。枸杞产业相关专利申请来源国中，中国共有 71 814 件专利，占全部专利数量的 94.93%，遥遥领先其他国家。位于专利数量前 10 位的国家依次是中国、韩国、美国、瑞士、日本、法国、英国、德国、澳大利亚和芬兰。

在 158 个国家/地区/专利组织中共检索到涉及枸杞专利 75 650 条，目前失效专利和 PCT 指定期满专利高达 53 941 件，约占 71.30%。有效、审中、PCT 指定期内专利申请人集中于广东、江苏、宁夏、山东、安徽等省区。枸杞主产区分布于宁夏、新疆、青海、甘肃、内蒙古，但是除了宁夏外，其余四地关于枸杞申请专利的情况并不是很好。通过专利地图，可以发现在美容、药物、食品、保健、饮料（酒精、非酒精）、种植、初加工等方面是专利布局的重点。

在158个国家/地区/专利组织中共检索到涉及枸杞的专利75 650条，其中应用于医药产业的专利数量高达30 644件，占比40.51%，其次是食品、非酒精饮品和酒精饮品、美容用品、动物饲料、种植、初加工、有效成分提取、枸杞多糖、枸杞籽油、机械、枸杞生物技术、枸杞检测和包装等。

目前枸杞专利申请存在专利质量不高，专利布局不合理，专利产业化薄弱，缺乏战略层面的专利设计和管理等问题，下面重点阐述枸杞产业领域战略措施。

3.4　枸杞产业知识产权保护战略思考

（1）系统阐明枸杞的道地性特征，完善枸杞药材品质相关物质基础和质量控制研究体系

除了中国科学院，宁夏关于枸杞的发文量是最多的，主要集中于宁夏医科大学、宁夏农林科学院及宁夏大学。宁夏枸杞已经基本形成多元化的研究视角，在资源和种植、活性物质基础、药理活性研究相关领域获得了大量的研究积累，并通过研究主题的连续性转换和拓展，实现了"突出问题导向"的基础研究—应用型探索—物质基础研究的不断深化。此外，对文献的进一步分析显示，宁夏枸杞的道地性特征尚未得到系统阐明，枸杞子药材品质相关物质基础和质量控制研究体系尚不完善，非果实部位的研究开发较为薄弱，是目前宁夏枸杞研究的限制性因素[1]。

（2）契合市场和技术发展方向，提升专利撰写质量

专利发明选题要契合市场和技术发展方向，从源头提高专利撰写质量[2]。在53 941件枸杞失效专利中，共有15 382件被驳回申请专利。从申请专利权人角度来看，青岛浩大海洋生物科技股份有限公司的驳回专利最多，有70件。从应用领域角度来看，驳回申请专利集中在枸杞食品产业，尤其在A23L技术领域，可能存在研发人员直接撰写专利申报文本的情况，这就导致了专利授权率低，有效率低，寿命周期短等问题。因此，有必要提供专利学习资源提高发明人撰写专利文本的能力，发明人在确立发明选题时，应顺应技术和市场的走向，找准"创新

---

① 张芳，吴昌键，张霞，等. 2022. 基于Web of Science文献计量分析的宁夏枸杞研究现状和发展态势 [J]. 中草药，53（16）：5128-5141.

② 邓恒，王含. 2021. 高质量专利的应然内涵与培育路径选择——基于《知识产权强国战略纲要》制定的视角 [J]. 科技进步与对策，38（17）：34-42.

点"，力避"显而易见"，提高专利整体质量①。

（3）挖掘失效核心专利，利用和开发其巨大价值

专利权是一种私权属性的财产权，具有排他性，未经专利权人的许可，任何单位或个人不得实施其专利②，但是失效专利则丧失了这种权利。从失效专利中寻找重要的技术信息并加以改进优化，不仅能提高研发起点，还能避免重复研究，缩短研发周期，降低研发成本③。在 53 941 件枸杞失效专利中，检索得出多件核心专利，如中国科学院过程工程研究所和北京金九格科技有限公司共同申请的专利"CN101209096A 一种食用粥及其制备方法"，现已撤回，被引用量高达 340 次；再如陈永丽申请的专利"CN1895291A 纳米中药生物制品及其制备方法"，现已撤回，被引用量高达 185 次。这些核心专利虽然已经失效，但技术先进性强，并且可以无偿使用，如果国内研发机构能充分利用这些失效的核心专利，在失效专利基础上进行二次创新开发，有可能会起到事半功倍的作用，开发出更具实用性和前瞻性的创新产品。

（4）疫情时代下，应重新调整专利布局

在疫情常态化背景下，应该及早进行专利布局，防止国外企业抢先在国际市场上掌握枸杞国际市场的主动权④。国家应当重新考虑和调整产业布局，这将在深层次方面，影响着技术研发或专利布局。高校作为科研水平较高的机构，更应当做好专利申请的规划布局。枸杞专利要将单味药和复方结合、处方和制备方法结合、处方和用途结合，进行多重专利布局，并在《专利法》规定的合理范围内通过有策略地连续申请延长目标药物的保护期限。如果要实现产品的专利保护，最好与专业的代理机构合作，加强项目合作的深度与广度。

（5）加强有针对性的招商引资，开发全国知名枸杞品牌产品

枸杞功能成分提取技术含量较高，产品市场效益好，是深加工突破的重点方向。枸杞主要产地（宁夏、甘肃、青海、新疆）在种植、肥料、农用机械、初加工、成分提取等领域占有较明显的技术优势，在枸杞多糖、枸杞籽油等领域占有一定的优势，这与其作物枸杞产地有着直接关系，但在产品应用方面缺乏特点，建议加强针对性的招商引资，和有实力的企业进行深度合作，开发技术含量高、全国知名的品牌产品，既可以有效降低企业的原材料成本，又可以提振当地

---

① 张素娟，王彦峰，张云倩，等．2021．中药材干燥技术专利分析与启示［J］．中国医药生物技术，16（6）：563-569.

② 戴芳芳．2022．知识产权滥用规制的理论基础及制度完善［J］．知识产权，(3)：101-126.

③ 殷耀锋，王欢，贺小塘，等．2018．从失效催化剂中回收钌的研究进展［J］．贵金属，39（S1）：172-176.

④ 魏佳丽，苏成，高继平．2020．专利质量视角下的我国人工智能领域存在问题的分析及对策［J］．科技管理研究，40（23）：213-221.

的经济发展。同时，国内相关科研机构应该加大与具有研发实力的企业之间的技术和产品开发的合作，将基础研究的成果尽快转化，迅速抢占技术市场。

（6）重视外围专利申请，构筑枸杞专利保护网

外围专利申请战略是以代表核心技术的基本专利为基础，通过技术创新开发出技术含量不高但实用性强的发明、实用新型和外观设计专利申请，共同构筑专利保护网，防止竞争对手渗透①。以枸杞酒产品包装为例，全美包装专家学会（WPO）也针对枸杞包装、酒瓶设计等发明专利进行了申请，相比国内宁夏红等企业只将此类发明申请了实用新型专利来说，WPO公司更好地引导和占据了包装等附加专利的市场。鉴于酒类产品的特殊性，应重点在酒类产品的瓶型、外包装上加大设计力度，改变枸杞酒瓶型单一、包装过于大众化的弊端，设计不同的瓶型，通过申请外观设计专利，在枸杞酒制备工艺核心专利外围构筑强大的专利保护网。

（7）加强专利市场应用，选择先进适用技术提高枸杞深加工

专利应用战略就是在进行新产品的生产中优先选择先进适用的专利技术，通过引进、许可、合作等方式，将专利技术控制在实施方，提高产品的开发效率，保护产品的市场垄断地位②。企业在开发产品时，要采取专利权许可、买断等方式，将专利技术掌握在自己手中，并应用在相应产品中，以获取市场利益最大化。此外，还应该抓住一些专利布局的空白点，如在枸杞多糖、枸杞籽油及胡萝卜素等成分提取领域，抢占技术市场，尽快进行技术和研发力量的布局。

（8）在枸杞医药产业应用领域方面，加强专利运营建设

从专利运营情况分析上看，枸杞医药产业应用领域方面目前差距较大，一方面，可能是由于新药研发难度大、周期长，企业购买专利，需要投入巨资进行研发，等新药批准下来，专利有效期没剩几年，所以企业接受专利的热情不高③；另一方面，专利运营程度较低，与大环境相关。首先要提高侵权行为的惩治力度，加大专利保护力度，建立专利保护预警防范机制，才能促进专利运营。枸杞医药方面专利除了按照新药的设计来申请外，还需要申请一些短线和长线相结合的专利，如保健食品、中医药化妆品、中医药日用品，利于产业化的开展。构建专利运营服务平台，对专利交易运营业务进行管理，并结合证券、信托等金融产品，完善担保机制，推动专利运营新模式。

---

① 梅杰，杨剑，康磊，等.2016.枸杞专利情报研究——基于Innography专利分析平台［J］.中国科技信息，（16）：104-105，107.

② 冯晓青.2014.技术创新、知识产权战略模式的互动关系探析［J］.知识产权，（4）：3-14.

③ 严令耕，周胜男.2022.传统中医药高校专利质量提升策略——以南京中医药大学为例［J］.中国科技信息，（13）：12-13，16.

| 4 | 枸杞产业质量标准体系战略研究

我国加入 WTO 后，因农产品质量安全问题引起的贸易争端此起彼伏，枸杞产品的质量安全同样引起国内外广泛关注。枸杞作为食药两用产品，在出口时需面临境外监管部门的认证、检验检疫等流程，同时不同国家还有不同的产品标准及其对包装、标签的规定等，这些都对我国枸杞出口造成了一定的贸易障碍，形成技术性贸易壁垒。我国出口枸杞所遭遇的主要技术性贸易壁垒是农药残留问题，被境外官方通报的情况时有发生。枸杞产业的持续健康发展，必须从源头上加以控制和规范。为了适应 WTO 框架下的产销政策和产业发展机制，首要问题就是提高枸杞产品质量安全，而产品的质量安全需要制定相应的标准来规范。

标准是企业组织生产和经营的依据，高标准才有高质量。质量标准是指对产品的结构、规格、质量、检验方法所做的技术规定。按照《标准化法》和《产品质量法》等法律、法规的规定，我国的标准体系由国家标准、行业标准、地方标准和企业标准等构成，同时采用和转化使用国际标准。枸杞产品不符合国外的安全卫生质量标准是影响枸杞出口的重要因素。枸杞产业质量标准制定对枸杞生产、加工、流通、贸易、推动企业标准化和提高产品质量具有重要的意义。研究制定出适合我国枸杞生产实际，与国际接轨的枸杞农药残留、污染物限量等方面的标准，从而在特色农产品质量安全标准制定方面占有一席之地，在枸杞技术型贸易壁垒争端的协调解决方面拥有主动权和发言权，帮助枸杞行业提高应对国外技术壁垒能力和应对突发事件能力，减少贸易损失方面具有重要意义。

本章全面收集枸杞产业相关的国际标准、国家标准、行业标准、地方标准及相关规划等，对国内外现有的相关枸杞标准进行梳理、归纳和分类，分析各国（地区）对枸杞中重金属和农药残留（Maximum Residue Limits，MRLs）等的限量标准，对比探讨我国枸杞产业质量标准体系现状及存在的问题，结合产业发展和现行标准情况，对现行枸杞产业质量标准体系提出对策与建议，从而助力枸杞产业持续健康发展，对满足贸易需要、推动企业标准化和提高产品质量具有重要的意义。

4.1 枸杞产业质量安全现状

我国枸杞产业产品体系完善，从鲜果到干果，从初级加工产品到深加工产品，产品涉及数十种工艺，而确保产品质量则成为产业良性循环的基础。为保证枸杞质量，保障产业稳定，推进枸杞产业国际国内市场发展，分析影响枸杞质量安全的问题和源头成为重中之重。在枸杞产业快速发展的过程中，也出现了一些制约产业持续健康发展的关键问题，其中农药使用不规范造成的农药残留超标是一个重要的问题，此外还有重金属和二氧化硫残留超标等问题。

（1）农药残留超标

枸杞花果同期，枝叶幼嫩，果皮薄肉质嫩，极易发生病虫害①。枸杞病虫害主要有蚜虫、木虱、螨类、黑果病和白粉病等，啶虫脒和吡虫啉等药物可以防治蚜虫或木虱，石硫合剂和三氯杀螨醇等药物可以防治螨类，粉锈宁和代森锰锌等可用来防治黑果病或白粉病。枸杞整个生长过程中都会发生病虫害且频率高，每月至少施药 1 次，甚至枸杞鲜果采摘过程也会施用农药②。为追求枸杞病虫害的防治效果，有的果农会使用一些高毒高残留农药或超标准大剂量使用农药，最终致使农药残留超标。由于农药的使用次数多且用量大，加上不规范施用农药现象普遍，致使枸杞农药残留超标问题严重。食用农药残留超标的枸杞可致人蓄积中毒或急、慢性中毒。目前，枸杞出口所遭遇的主要贸易壁垒就是农药残留问题，农药残留是影响枸杞产业质量安全的重要因素。

（2）重金属残留超标

重金属是中药材的重要污染物之一，铅、镉、铬、铜、汞和砷是环境中主要的污染元素。当这些重金属元素在人体中蓄积到一定浓度时，会对人体的新陈代谢和正常生理作用造成明显的损害，并抑制人体正常生理作用的发挥；当人体内重金属过量时，会导致各种疾病的发生③。近年来，中药材中重金属及有害元素的含量被广泛关注，中药材中重金属含量超标已严重影响并制约了中药出口进入国际市场。中药材作为农作物，在其生长过程中会从土壤等自然环境中吸取农药及重金属，也会在加工、运输及储藏过程中被其污染④。重金属污染随着工业化发展越来越严重，中药材及中药饮片的重金属检测是中药材及中药饮片出口遇到的主要技术性贸易壁垒，中药材及中药饮片中重金属残留问题越来越引起国内外关注⑤。

---

① 王培涌，康燕妮，朱荣. 2019. 枸杞安全卫生标准水平分析 [J]. 质量探索，(3)：16-20.

② 苟春林，张艳. 2019. 枸杞质量安全现状分析 [J]. 宁夏农林科技，60（9）：46-48.

③ 徐晓卫，胡思一，潘柔. 2014. 宁夏枸杞中重金属元素和有机氯农药残留的分析 [J]. 中国卫生检验杂志，24（10）：1487-1492.

④ 叶国华. 2008. 中药材重金属污染状况调查研究 [J]. 甘肃中医，21（2）：53-54.

⑤ 王智超. 2019. 安国百种出口中药材中重金属量分析及出口贸易措施的建议 [D]. 保定：河北大学硕士学位论文.

（3）二氧化硫残留超标

致使 SO_2 超标的原因主要是制干加工过程的不规范操作造成的。一是，枸杞鲜果在晾晒时受场地和天气状况限制，极易产生黑果。环境中的灰尘、病菌、虫卵等物质容易附着在枸杞表面，且晾晒地点距离公路较近，粉尘和汽车尾气等易造成二次污染[①]。而经硫黄熏蒸后的枸杞干果色泽鲜艳，不生虫、易储存，因此有的果农采取硫黄熏蒸枸杞的办法进行晾晒以减少损失。二是，枸杞鲜果晾晒传统加工工艺是用食用碱对枸杞表面进行脱蜡处理后再自然晾干，而目前有一部分枸杞种植户用亚硫酸钠代替食用碱对枸杞鲜果进行脱蜡处理，产生的残留物就是 SO_2。此外，经硫黄熏蒸的枸杞具有在火锅中有久煮不烂的特点，部分客商喜欢收购，加之部分消费者对 SO_2 对人体健康的危害不知情，以为枸杞颜色越鲜艳越好，为其提供了市场空间[②]。

（4）我国枸杞出口安全事件典型案例

近年来，贸易壁垒对我国枸杞出口造成重大影响，多批枸杞产品被境外官方通报并召回或销毁（表4.1），涉及的国家（地区）有韩国、美国、欧盟等，通报的项目包括啶虫脒、克百威、哒螨灵、三唑醇、氰戊菊酯、甲氰聚酯、双甲脒等残留或二氧化硫超标。加强无公害、绿色枸杞生产，把枸杞的农药残留、重金属含量及二氧化硫等控制在安全范围内，积极应对国外"绿色壁垒"，已是当务之急[③]。

表4.1　我国枸杞出口安全事件典型案例

	通报日期	产品名称	违反内容	基准	结果
我国出口韩国枸杞通报情况	2020年12月2日	枸杞子	灭幼脲超标	不得出现	0.27mg/kg
	2015年12月10日	枸杞子	二氧化硫超标	≤0.03g/kg	0.720g/kg
	2014年4月29日	枸杞冻干粉	二氧化硫超标	≤0.03g/kg	0.450g/kg
	2013年11月19日	枸杞子	二氧化硫超标	≤0.03g/kg	0.068g/kg
	2012年2月3日	枸杞	农药（DDVP）	≤0.25ppm	1.280ppm
	2012年12月10日	枸杞	二氧化硫超标	≤0.03g/kg	0.168g/kg
	2010年10月7日	枸杞子	二氧化硫	≤0.03g/kg	0.104g/kg

---

① 苟春林，张艳.2019. 枸杞质量安全现状分析 [J]. 宁夏农林科技，60（9）：46-48.
② 金海琦.2015. 枸杞加工在柴达木盆地沙产业开发中的探索与实践 [J]. 青海农林科技，(1)：83-85.
③ 苟金萍，宋奎奇.2015. 枸杞质量安全存在的问题及对策 [J]. 甘肃农业科技，(12)：43-45.

续表

	通报日期	产品名称	违反内容	拒绝进口原因	国家
我国出口欧盟枸杞通报情况	2021年3月10日	枸杞	呋喃丹（0.049mg/kg）	未授权物质	意大利
	2019年11月25日	枸杞干	尼古丁（0.39mg/kg）	未授权物质	德国
	2019年6月5日	枸杞干	啶虫脒；未授权物质双甲脒、克百威和氟虫腈	—	奥地利
	2019年1月3日	枸杞干	克百威	未授权物质	法国
	2017年12月20日	枸杞干	克百威、克螨特	—	荷兰
	2014年4月14日	枸杞干	双甲脒残留		波兰
	2013年6月13日	枸杞干	农药残留		斯洛伐克
	2012年10月4日	枸杞干	有未申报的亚硫酸盐	—	英国
	2011年11月4日	枸杞干	含有甲氰菊酯和啶虫脒	不得出现	意大利
	2011年6月22日	枸杞	甲氰菊酯	不得出现	意大利
	2010年2月23日	枸杞干	含啶虫脒	不得出现	德国
	2010年10月26日	有机枸杞干	含有乙酰	不得出现	法国
	通报日期	产品名称	制造商	产地	拒绝进口原因
我国出口美国枸杞通报情况	2022年3月9日	枸杞	深圳市贯垄农产品有限公司	广东深圳	含多菌灵
	2018年4月20日	枸杞干	中宁吉丁生物科技发展有限公司	宁夏中宁	含多菌灵、吡虫啉、氟氯氰菊酯等
	2015年7月10日	枸杞	青海金沙漠农业发展有限公司	青海西宁	含农药
	2013年3月8日	枸杞	大连金玉食品有限公司	辽宁大连	含有未被批准的杀虫剂
	2012年2月27日	枸杞	郑州致远进出口有限公司	河南郑州	含有未被批准的杀虫剂
	2012年1月5日	枸杞	宁夏红枸杞商贸有限公司	宁夏	含有未被批准的杀虫剂
	2011年3月17日	枸杞干	宁夏正康食品有限公司	宁夏中宁	含有未被批准的杀虫剂
	2011年2月14日	枸杞提取物	桂林莱茵生物科技股份有限公司	广西桂林	含有未被批准的杀虫剂
	2010年1月19日	枸杞	宁夏沃福百瑞有限公司	宁夏	含化学杀虫剂

续表

	通报日期	产品名称	制造商	产地	拒绝进口原因
我国出口美国枸杞通报情况	2009 年 7 月 29 日	枸杞	宁波恒康食品有限公司	浙江宁波	含三聚氰胺
	2008 年 9 月 16 日	枸杞	宁夏乐杞生物科技发展有限公司	宁夏	含化学杀虫剂
	2007 年 11 月 20 日	枸杞浆果干	西安瑞彼蕾伸科技有限责任公司	陕西	含化学杀虫剂
	2007 年 1 月 22 日	干枸杞果	德生堂（沈阳）有限公司	辽宁	亚硫酸超标

4.2 枸杞产业限量标准分析

4.2.1 本研究数据来源

本研究涉及的数据主要来源于国家标准官网①，以"枸杞"为关键词检索相关标准，共检索到相关标准 185 条，检索时间截至 2022 年 9 月 6 日。其余的数据来源还有《中国药典》（2020 版）、美国《联邦食品、药品和化妆品法》、美国药典（2014 版）、日本"肯定列表"、韩国"肯定列表"、欧盟《农药的最大残留量条例》（2018 版）、《欧洲药典》（2014 版）、加拿大《有害生物控制产品法》、马来西亚《食品中农药残留限量》（2009 版）、新加坡《农产品农药残留标准的清单》、泰国《食品中的农药最大残留限量》、中国香港《食物内除害剂残余规例》（2014 版）等。

4.2.2 枸杞出口残留与限量标准

本节对比分析了我国及主要出口国（地区）对枸杞中重金属、农药残留（Maximum Residue Limits，MRLs）和二氧化硫等的限量标准，为探讨我国枸杞产业质量标准体系存在的问题提供对比借鉴。

---

① https：//www.nssi.org.cn/nssi/front/index.jsp.

4.2.2.1 中国

我国现阶段与枸杞中的农药残留相关的标准有《中国药典》（2020 版）、《食品安全国家标准 食品中农药最大残留限量》（GB 2763—2021）（2021 年 9 月 3 日实施）、《绿色食品 枸杞及枸杞制品》（NY/T 1051—2014）（2015 年 1 月 1 日实施）和《药用植物及制剂外经贸绿色行业标准》（WM/T 2—2004）等。《食品安全国家标准 食品中农药最大残留限量》（GB 2763—2021）是我国现行统一规定的食品中农药最大残留限量的强制性国家标准。此外，2022 年 2 月 10 日，根据《中华人民共和国食品安全法》《宁夏回族自治区食品安全地方标准管理办法》规定，经宁夏回族自治区食品安全标准审评委员会审查通过，《食品安全地方标准 枸杞》（DBS 64/001—2022）于 2022 年 5 月 1 日正式实施。该标准对枸杞中的铅、镉含量及二氧化硫的残留量进行了明确要求，同时对啶虫脒、吡虫啉、多菌灵、氯氰菊酯、氯氟氰菊酯、苯醚甲环唑、克百威、吡蚜酮、阿维菌素和除虫菊素等 10 种农药残留进行了规定，是目前国内比较全面且符合实际情况的枸杞质量安全卫生标准。

（1）农药残留标准

为严格控制食品农产品的农药残留，农业农村部与国家卫生健康委员会联合发布食品安全国家标准《食品安全国家标准 食品中农药最大残留限量》（GB 2763—2021），于 2021 年 9 月 3 日正式实施，此次发布的新版农药残留限量标准规定了 564 种农药在 376 种（类）食品中 10 092 项最大残留限量，标准数量首次突破 1 万项，包括我国批准登记农药 428 种、禁限用农药 49 种、我国禁用农药以外的尚未登记农药 87 种，同时规定了豁免制定残留限量的低风险农药 44 种。从涵盖的农药品种数量看，已超过美国标准，基本接近欧盟标准，是国际食品法典委员会（CAC）标准 2 倍左右。与 2019 版国标相比，新增农药品种81 个、残留限量 2985 项，被称为"我国最严谨的农药残留国家标准"。《食品安全国家标准 食品中农药最大残留限量》（GB 2763—2021）中与枸杞有关的农药有 118 项，《药用植物及制剂外经贸绿色行业标准》（WM/T 2—2004）中与枸杞有关的农药有 4 项，《绿色食品 枸杞及枸杞制品》（NY/T 1051—2014）中与枸杞有关的农药有 15 项（表 4.2）。《药用植物及制剂外经贸绿色行业标准》（WM/T 2—2004）中枸杞归类未区分干鲜果，以鲜果农药残留限量对干果进行要求，可见枸杞农药最大残留限量标准的制定存在与生产实际相脱节的地方。

表 4.2　我国与枸杞有关的农药残留标准

标准名称	农药名	允许标准（mg/kg）
《食品安全国家标准　食品中农药最大残留限量》（GB 2763—2021）	2，4-滴和 2，4-滴钠盐（2，4-D and 2，4-D Na）	鲜枸杞 0.1
	胺苯磺隆（ethametsulfuron）	鲜枸杞 0.01
		枸杞干 0.01
	巴毒磷（crotoxyphos）	鲜枸杞 0.02
		枸杞干 0.02
	百草枯（paraquat）	鲜枸杞 0.01
	倍硫磷（fenthion）	鲜枸杞 0.05
	苯线磷（fenamiphos）	鲜枸杞 0.02
	吡虫啉（imidacloprid）	鲜枸杞 5.0
	丙酯杀螨醇（chloropropylate）	鲜枸杞 0.02
		枸杞干 0.02
	草甘膦（glyphosate）	鲜枸杞 0.1
	草枯醚（chlornitrofen）	鲜枸杞 0.01
		枸杞干 0.01
	草芽畏（2，3，6G TBA）	鲜枸杞 0.01
		枸杞干 0.01
	敌百虫（trichlorfon）	鲜枸杞 0.2
	敌敌畏（dichlorvos）	鲜枸杞 0.2
	地虫硫磷（fonofos）	鲜枸杞 0.01
	丁硫克百威（carbosulfan）	鲜枸杞 0.01
		枸杞干 0.01
	啶虫脒（acetamiprid）	鲜枸杞 1

标准名称	农药名	允许标准（mg/kg）
《食品安全国家标准　食品中农药最大残留限量》（GB 2763—2021）	啶酰菌胺（boscalid）	鲜枸杞 10
	毒虫畏（chlorfenvinphos）	鲜枸杞 0.01
		枸杞干 0.01
	毒菌酚（hexachlorophene）	鲜枸杞 0.01
		枸杞干 0.01
	对硫磷（parathion）	鲜枸杞 0.01
	多菌灵（carbendazim）	鲜枸杞 1
	二溴磷（naled）	鲜枸杞 0.01
		枸杞干 0.01
	氟虫腈（fipronil）	鲜枸杞 0.02
	氟除草醚（fluoronitrofen）	鲜枸杞 0.01
		枸杞干 0.01
	氟唑菌酰胺（fluxapyroxad）	鲜枸杞 7
	格螨酯（2，4G dichlorophenylbenzenesulfonate）	鲜枸杞 0.01
		枸杞干 0.01
	庚烯磷（heptenophos）	鲜枸杞 0.01
		枸杞干 0.01
	环螨酯（cycloprate）	鲜枸杞 0.01
		枸杞干 0.01
	甲胺磷（methamidophos）	鲜枸杞 0.01
	甲拌磷（phorate）	鲜枸杞 0.01
		枸杞干 0.01
	甲磺隆（metsulfuron-methyl）	鲜枸杞 0.01
		枸杞干 0.01
	甲基对硫磷（parathion-methyl）	鲜枸杞 0.02

标准名称	农药名	允许标准（mg/kg）
《食品安全国家标准　食品中农药最大残留限量》（GB 2763—2021）	甲基硫环磷 （phosfolan-methyl）	鲜枸杞 0.03
	甲基异柳磷 （isofenphos-methyl）	鲜枸杞 0.01
		枸杞干 0.01
	甲氰菊酯 （fenpropathrin）	鲜枸杞 5
	甲氧滴滴涕 （methoxychlor）	鲜枸杞 0.01
		枸杞干 0.01
	久效磷 （monocrotophos）	鲜枸杞 0.03
	抗蚜威 （pirimicarb）	鲜枸杞 1
	克百威 （carbofuran）	鲜枸杞 0.02
	乐果 （dimethoate）	鲜枸杞 0.1
		枸杞干 0.1
	乐杀螨 （binapacryl）	鲜枸杞 0.05
		枸杞干 0.05
	磷胺 （phosphamidon）	鲜枸杞 0.05
	硫丹 （endosulfan）	鲜枸杞 0.05
		枸杞干 0.05
	硫环磷 （phosfolan）	鲜枸杞 0.03
	硫线磷 （cadusafos）	鲜枸杞 0.02
	螺虫乙酯 （spirotetramat）	鲜枸杞 5
		枸杞干 10
	氯苯甲醚 （chloroneb）	鲜枸杞 0.01
		枸杞干 0.01
	氯虫苯甲酰胺 （chlorantraniliprole）	鲜枸杞 1

续表

标准名称	农药名	允许标准 （mg/kg）
《食品安全国家标准　食品中农药最大残留限量》（GB 2763—2021）	氯氟氰菊酯和高效氯氟氰菊酯（cyhalothrin and lambda-cyhalothrin）	鲜枸杞 0.5
	氯磺隆（chlorsulfuron）	鲜枸杞 0.01
		枸杞干 0.01
	氯菊酯（permethrin）	鲜枸杞 2
	氯酞酸（chlorthal）	鲜枸杞 0.01
		枸杞干 0.01
	氯酞酸甲酯 （chlorthal-dimethyl）	鲜枸杞 0.01
		枸杞干 0.01
	氯唑磷（isazofos）	鲜枸杞 0.01
	茅草枯（dalapon）	鲜枸杞 0.01
		枸杞干 0.01
	嘧菌环胺（cyprodinil）	鲜枸杞 10
	嘧菌酯（azoxystrobin）	鲜枸杞 5
	嘧霉胺（pyrimethanil）	鲜枸杞 3
	灭草环（tridiphane）	鲜枸杞 0.05
		枸杞干 0.05
	灭多威（methomyl）	鲜枸杞 0.2
	灭螨醌（acequincyl）	鲜枸杞 0.01
		枸杞干 0.01
	灭线磷（ethoprophos）	鲜枸杞 0.02
	内吸磷（demeton）	鲜枸杞 0.02
	氰戊菊酯和 S-氰戊菊酯（fenvalerate and esfenvalerate）	鲜枸杞 0.7
		枸杞干 3

标准名称	农药名	允许标准（mg/kg）
《食品安全国家标准　食品中农药最大残留限量》（GB 2763—2021）	噻虫胺（clothianidin）	鲜枸杞 0.07
	噻虫啉（thiacloprid）	鲜枸杞 1
	噻虫嗪（thiamethoxam）	鲜枸杞 0.5
	三氟硝草醚（fluorodifen）	鲜枸杞 0.01 / 枸杞干 0.01
	三氯杀螨醇（dicofol）	鲜枸杞 0.01 / 枸杞干 0.01
	杀虫脒（chlordimeform）	鲜枸杞 0.01
	杀虫畏（tetrachlorvinphos）	鲜枸杞 0.01
	杀螟硫磷（fenitrothion）	鲜枸杞 0.01
	杀扑磷（methidathion）	鲜枸杞 0.05 / 枸杞干 0.05
	水胺硫磷（isocarbophos）	鲜枸杞 0.05
	速灭磷（mevinphos）	鲜枸杞 0.01 / 枸杞干 0.01
	特丁硫磷（terbufos）	鲜枸杞 0.01
	特乐酚（dinoterb）	鲜枸杞 0.01 / 枸杞干 0.01
	涕灭威（aldicarb）	鲜枸杞 0.02
	戊硝酚（dinosam）	鲜枸杞 0.01 / 枸杞干 0.01
	烯虫炔酯（kinoprene）	鲜枸杞 0.01 / 枸杞干 0.01

标准名称	农药名	允许标准（mg/kg）
《食品安全国家标准　食品中农药最大残留限量》（GB 2763—2021）	烯虫乙酯（hydroprene）	鲜枸杞 0.01
		枸杞干 0.01
	消螨酚（dinex）	鲜枸杞 0.01
		枸杞干 0.01
	硝磺草酮（mesotrione）	鲜枸杞 0.01
	辛硫磷（phoxim）	鲜枸杞 0.05
	溴甲烷（methylbromide）	鲜枸杞 0.02
		枸杞干 0.02
	溴氰虫酰胺（cyantraniliprole）	鲜枸杞 4
	氧乐果（omethoate）	鲜枸杞 0.02
	乙酰甲胺磷（acephate）	鲜枸杞 0.02
	乙酯杀螨醇（chlorobenzilate）	鲜枸杞 0.01
	抑草蓬（erbon）	鲜枸杞 0.05
	茚草酮（indanofan）	鲜枸杞 0.01
	蝇毒磷（coumaphos）	鲜枸杞 0.05
	治螟磷（sulfotep）	鲜枸杞 0.01
	艾氏剂（aldrin）	鲜枸杞 0.05
	滴滴涕（DDT）	鲜枸杞 0.05
	狄氏剂（dieldrin）	鲜枸杞 0.02

标准名称	农药名	允许标准（mg/kg）
《食品安全国家标准　食品中农药最大残留限量》（GB 2763—2021）	毒杀芬 （camphechlor）	鲜枸杞 0. 05
	六六六 （HCH）	鲜枸杞 0. 05
	氯丹 （chlordane）	鲜枸杞 0. 02
	灭蚁灵 （mirex）	鲜枸杞 0. 01
	七氯 （heptachlor）	鲜枸杞 0. 01
	异狄氏剂 （endrin）	鲜枸杞 0. 05
	阿维菌素 （abamectin）	鲜枸杞 0. 1 枸杞干 0. 1
	百菌清 （chlorothalonil）	鲜枸杞 10 枸杞干 20
	吡蚜酮 （pymetrozine）	鲜枸杞 10 枸杞干 2
	除虫菊素 （pyrethrins）	鲜枸杞 0. 5 枸杞干 0. 5
	哒螨灵 （pyridaben）	鲜枸杞 3
	毒死蜱 （chlorpyrifos）	鲜枸杞 1 枸杞干 2
	呋虫胺 （dinotefuran）	鲜枸杞 0. 5
	己唑醇 （hexaconazole）	鲜枸杞 0. 5 枸杞干 2
	氯氰菊酯和高效氯氰菊酯 （cypermethrin and beta-cypermethrin）	枸杞干 2
	咪鲜胺和咪鲜胺锰盐 （prochloraz and prochloraz-manganesechloride-complex）	鲜枸杞 2

续表

标准名称	农药名	允许标准（mg/kg）			
《食品安全国家标准　食品中农药最大残留限量》（GB 2763—2021）	醚菌酯（kresoxim-methyl）	鲜枸杞0.1			
	炔螨特（propargite）	鲜枸杞5			
		枸杞干10			
	十三吗啉（tridemorph）	鲜枸杞0.2			
		枸杞干2			
	乙基多杀菌素（spinetoram）	鲜枸杞1			
		枸杞干1			
	乙螨唑（etoxazole）	鲜枸杞0.2			
	唑螨酯（fenpyroximate）	鲜枸杞0.5			
		枸杞干2			
标准名称	农药名	允许标准（mg/kg）			
《药用植物及制剂外经贸绿色行业标准》（WM/T 2—2004）（适用范围：药用植物原料及制剂的外经贸行业品质检验农药残留限量）	六六六（HCB）	≤0.1			
	滴滴涕（DDT）	≤0.1			
	五氯硝基苯（PCNB）	≤0.1			
	艾氏剂（aldrin）	≤0.02			
标准名称	项目	指标（mg/kg）			
		枸杞鲜果	枸杞原汁	枸杞干果	枸杞原粉
《绿色食品　枸杞及枸杞制品》（NY/T 1051—2014）	多菌灵（carbendazim）	≤1			
	吡虫啉（imidacloprid）	≤5			
	毒死蜱（chlorpyrifos）	≤0.1			
	氯氟氰菊酯（cyhalothrin）	≤0.2			
	氯氰菊酯（cypermethrin）	≤0.05			

标准名称	项目	指标（mg/kg）			
		枸杞鲜果	枸杞原汁	枸杞干果	枸杞原粉
《绿色食品 枸杞及枸杞制品》（NY/T 1051—2014）	三唑酮（triadimefon）	≤1			
	唑螨酯（fenpyroximate）	≤0.5			
	氧化乐果（omethoate）	≤0.01			
	三唑磷（triazophos）	≤0.01			
	苯醚甲环（difenoconazole）	≤0.01			
	磐戊菊酯（fenvalerate）	≤0.2			

标准名称	农药名	允许标准（mg/kg）
《食品安全地方标准 枸杞》（DBS 64/001—2022）	啶虫脒	≤ 2.0
	吡虫啉	≤ 1.0
	多菌灵	≤ 5.0
	氯氰菊酯	≤ 2.0
	氯氟氰菊酯	≤ 0.1
	苯醚甲环唑	≤ 0.3
	克百威	≤ 0.02
	吡蚜酮	≤ 2.0
	阿维菌素	≤ 0.1
	除虫菊素	≤ 0.5

（2）重金属残留标准

现行与枸杞有关的重金属残留标准有《食品安全国家标准 食品中污染物限量》（GB 2762—2017）、中国药典（2020 版）、《药用植物及制剂外经贸绿色行业标准》（WM/T 2—2004）及《绿色食品 枸杞及枸杞制品》（NY/T 1051—2014），且数据差异均较大（表4.3）。我国现行的标准《食品安全国家标准 食品中污染物限量》（GB 2762—2017）和《绿色食品 枸杞及枸杞制品》（NY/T 1051—2014）中规定了枸杞中铅、镉限量和枸杞干果的砷限量，但两项标准都没有规定铜和汞的限量。即将于 2023 年 6 月 30 日实施的《食品安全国家标准 食品中污染物限量》（GB 2762—2022）中增加了对铜和汞的限量要求。

表 4.3　枸杞中重金属残留标准

标准名称	重金属及砷盐	允许标准（mg/kg）			
《食品安全国家标准　食品中污染物限量》（GB 2762—2017）	铅（Pb）	≤0.2			
	镉（Cd）	≤0.05			
《中国药典》（2020 版）（适用范围：枸杞子）	重金属及砷盐	允许标准（mg/kg）			
	铅（Pb）	≤5.0			
	镉（Cd）	≤1.0			
	砷（As）	≤2.0			
	汞（Hg）	≤0.2			
	铜（Cu）	≤20.0			
《药用植物及制剂外经贸绿色行业标准》（WM/T 2—2004）（适用范围：药用植物原料及制剂的外经贸行业品质检验）	重金属总量	≤20.0			
	铅（Pb）	≤5.0			
	镉（Cd）	≤0.3			
	汞（Hg）	≤0.2			
	铜（Cu）	≤20			
	砷（As）	≤2.0			
《绿色食品　枸杞及枸杞制品》（NY/T 1051—2014）	重金属及砷盐	允许标准（mg/kg）			
		枸杞鲜果	枸杞原汁	枸杞干果	枸杞原粉
	砷（As）	—	—	≤1	≤1
	铅（Pb）	≤0.2	≤0.2	≤1	≤1
	镉（Cd）	≤0.05	≤0.05	≤0.3	≤0.3
	铅（Pb）	≤1.0			
	镉（Cd）	≤0.3			

（3）二氧化硫残留量标准

《绿色食品　枸杞及枸杞制品》（NY/T 1051—2014）中规定枸杞原汁、枸杞干果及枸杞原粉中二氧化硫残留量不能超过 50mg/kg，对枸杞鲜果没有明确规定；《中国药典》（2020 版）中规定，为防止中药材粗加工过程中滥用或者过度使用硫黄熏蒸的问题，保证中药质量和安全有效，中药材及其饮片二氧化硫残留量不得超过 150mg/kg；而 2022 年 5 月 1 日实施的《食品安全地方标准　枸杞》中规定二氧化硫残留量不得超过 100mg/kg（表 4.4）。

| 173 |

表 4.4　枸杞中二氧化硫残留标准

《绿色食品 枸杞及枸杞制品》（NY/T 1051—2014）	项目	指标（mg/kg）			
		枸杞鲜果	枸杞原汁	枸杞干果	枸杞原粉
	二氧化硫	—	≤50	≤50	≤50
《中国药典》（2020 版）	中药材及其饮片				
	二氧化硫	≤150			
《食品安全地方标准 枸杞》（DBS 64/001—2022）	二氧化硫	≤100			

4.2.2.2　美国

迄今为止，美国已经制定和修订了 30 多部食品安全方面的法律法规，食品安全标准也是逐年更新，内容纷繁复杂。美国《联邦杀虫剂、杀菌剂和杀鼠剂法》（*Federal Insecticide, Fungicide, and Rodenticide Act*，FIFRA）规定农药在美国出售或分销之前必须获得登记许可。美国《食品质量保护法》（*Food Quality Protection Act*，FQPA）规定，设定农药残留限量时要进行安全判定，考虑儿童等特殊敏感性人群，并且开展从食品、饮用水、居家环境及其他非职业暴露途径的累积风险。美国《联邦食品、药品和化妆品法》（*Federal Food, Drug, and Cosmetic Act*，FFDCA）规定除美国环保署建立的食品中农药残留限量标准或豁免农药残留限量外，任何食品中农药的残留是不安全的。这条规定既适用于国产食品，也适用于进口食品，任何食品的农药残留超过限量标准，会受到美国政府的管制。美国环保署依据 FIFRA 和 FQPA，负责农药登记和农药最大残留限量制定，而且农药登记和残留限量制定同步进行。此外《美国药典》还有针对草药材中重金属含量的规定。这些法律法规从各个角度对食品安全做出规范和要求，以尽可能地保证食品安全。

（1）农药残留标准

美国对枸杞中农药残留标准和重金属残留的相关标准如表 4.5 所示。目前，美国对枸杞农药残留要求均是针对枸杞鲜果的，他们并不区分枸杞干果与鲜果的干鲜比问题，而是以鲜果农药残留限量对干果进行要求[①]。美国对没有登记或没有限量标准的农药品种采用"一律不得检出"的规定。而我国只有草甘膦 1 项与美国标准相同，除了苯醚甲环唑和氯虫苯甲酰胺 2 项指标比美国严格，其余农药指标均没有美国严格。

---

① 胡美玲 . 2018. 我国枸杞对外出口面临的问题与发展策略［J］. 对外经贸实务，（10）：49-53.

表 4.5　美国的相关标准

农药名称	允许标准（mg/kg）
林丹	0.5
七氯和环氧七氯	0.05
滴滴涕	0.1
氯丹	0.1
六六六	0.05
艾氏剂和狄氏剂	0.05
苯醚甲环唑	0.6
草甘膦	0.1
啶虫脒	0.2
甲氰菊	1
氯虫苯甲酰胺	1.4
氯氰菊酯和高效氯氰菊酯	0.2
唑螨酯	0.2

注：水果中农药残留标准①

（2）重金属残留标准

美国规定草药中的重金属残留标准如表 4.6 所示。重金属总量不能超过 10～20mg/kg，铅（Pb）的含量为 3～10 mg/kg，汞（Hg）和砷（As）的含量均不能超过 3.0mg/kg；饮食补充剂原料中铅（Pb）的含量不能超过 10mg/kg，铬（Cr）的含量不能超过 0.2mg/kg，镉（Cd）的含量不能超过 0.3mg/kg。我国对枸杞中重金属残留标准比美国的严格。

表 4.6　重金属残留标准

	重金属及砷盐	允许标准（mg/kg）
草药材②	重金属总量	10～20
	铅（Pb）	3～10
	汞（Hg）	<3.0
	砷（As）	<3.0
饮食补充剂原料③	铅（Pb）	≤10.0
	铬（Cr）	≤0.2
	镉（Cd）	≤0.3

---

① 美国食品药品管理局（FDA）。
② 《美国药典》。
③ NSF International Draft Standard（Draft Standard NSF 173–2001）。

(3) 二氧化硫残留量标准

美国对二氧化硫不设限，是基于二氧化硫可能来自产品基体并且作为防腐剂按规定使用是安全的前提，但并不允许为了改变产品外观而大量使用，否则同样会被拒绝进口。

4.2.2.3　日本

日本是食品和农产品进口大国，为了保证进口农产品和食品的安全，加强食品（包括可食用农产品）中农业化学品（包括农药、兽药和饲料添加剂）残留管理，自2006年5月29日起，日本开始正式实施"食品中残留农业化学品肯定列表制度"，［简称"肯定列表制度"（Positive List System）］。"肯定列表制度"涉及的农业化学品残留限量包括"沿用原限量标准而未重新制定暂定限量标准""暂定标准""禁用物质""豁免物质"和"一律标准"五大类型（表4.7）。其中，"沿用原限量标准而未重新制定暂定限量标准"涉及农业化学品63种，农产品食品175种，残留限量标准2470条；"暂定标准"涉及农业化学品734种、农产品食品264种，暂定限量标准51 392条；"禁用物质"为15种；"豁免物质"共68种；"一律标准"是对未涵盖在上述标准中的所有其他农业化学品制定一个统一限量标准：0.01ppm，即食品中农业化学品最大残留限量不得超过0.01mg/kg。可见，日本现行的"肯定列表制度"对食品中农业化学品残留限量的要求更加全面、系统、严格。在该制度实施的前三个月，我国出口日本的农产品有一半的超标情况因违反"一律标准"而引起[①]。

表4.7　日本"肯定列表制度"涉及的农业化学品残留限量标准

现行标准	包括63种农业化学品（涉及农药、兽药和饲料添加剂），农产品食品175种，残留限量标准2470条，可继续沿用
暂定标准	包括734种农业化学品，农产品食品264种（类），暂定限量标准51 392条，属新设立项目
禁用物质	15种化学物质，规定完全不得检出，其中兽药8种，农药7种（环己锡、三唑锡/三环锡、苯胺灵、敌菌丹、杀草强、丁酰肼、库马福司/蝇毒磷）
豁免物质	共68种天然和化学物质，包括杀虫剂、兽药、食品添加剂和其他物质等，允许使用，不做检测
一律标准	对未涵盖在上述标准中的所有其他农业化学品或其他农产品制定的一个统一限量标准，一律不得超过0.01mg/kg，即0.01ppm

---

① 高东微，李建军，蒲民，等.2006.剖析日本肯定列表制度对设立"一律标准"及其科学性的思考（二）[J].中国食品工业，11（11）：30-32.

（1）农药残留标准

日本《肯定列表》规定的浆果中农药最大残留限量共涉及 293 种农药（表4.8），是中国《食品安全国家标准 食品中农药最大残留限量》（GB 2763—2021）中与枸杞有关的农药残留限量数（21 种）的 14 倍，且农药残留限量值普遍比中国的低，要求更为严格。

表 4.8 《肯定列表》规定的浆果中农药最大残留限量列表（293 项）

序号	农药名	允许标准（mg/kg）	序号	农药名	允许标准（mg/kg）
1	阿维菌素	0.02	26	七氯	0.01
2	氟草烟	0.05	27	苯霜灵	0.05
3	啶虫脒	2.0	28	六氯苯	0.01
4	灭菌丹	20.0	29	丙硫克百威	0.5
5	氟丙菊酯	2.0	30	已唑醇	0.5
6	氯吡脲	0.1	31	苄嘧磺隆	0.02
7	甲草胺	0.01	32	氟铃脲	0.02
8	安果	0.02	33	地散磷	0.03
9	棉铃威	2.0	34	噻螨酮	1.0
10	乙膦酸	70.0	35	灭草松	0.02
11	丁醛肟威	0.05	36	氰化氢	5.0
12	噻唑磷	0.05	37	苄基腺嘌呤	0.1
13	艾氏剂和狄氏剂	0.06	38	磷化氢	0.01
14	呋吡菌胺	0.1	39	联苯菊酯	1.0
15	敌菌灵	10.0	40	恶霉灵	0.5
16	呋线威	0.1	41	双丙酰胺磷	0.004
17	杀螨特	0.01	42	抑霉唑	0.02
18	赤霉素	0.2	43	菊精	0.1
19	黄草灵	0.2	44	灭草喹	0.05
20	草铵膦	0.5	45	联苯三唑醇	0.05
21	莠去津	0.02	46	咪唑乙烟酸铵	0.05
22	草甘酸	0.2	47	定酰菌胺	3.5
23	嘧菌酯	5.0	48	吡虫啉	4.0
24	吡氟氯禾灵	0.05	49	溴鼠灵	0.001
25	燕麦灵	0.05	50	双胍辛胺	0.5

序号	农药名	允许标准（mg/kg）	序号	农药名	允许标准（mg/kg）
51	除草定	0.05	81	氯草灵	0.05
52	碘苯腈	0.1	82	甲霜灵和精甲霜灵	0.2
53	溴化物	20.0	83	氯丹	0.02
54	异菌脲	25.0	84	虫螨畏	0.05
55	乙基溴硫磷	0.05	85	杀螨酯	0.01
56	异恶隆	0.02	86	甲胺磷	0.01
57	溴螨酯	2.0	87	毒虫果	0.05
58	恶唑林	0.2	88	扑杀磷	0.2
59	氟丙咪草酯	0.1	89	定虫隆	2.0
60	醚菌酯	20.0	90	甲硫威	0.05
61	另丁胺	0.1	91	矮壮素	0.05
62	环草定	0.3	92	甲氧滴滴涕	7.0
63	克菌丹	20.0	93	克氯苯	0.02
64	林丹	0.3	94	速灭磷	0.1
65	西维因	7.0	95	百菌清	10.0
66	利谷隆	0.2	96	代森环	0.6
67	多菌灵，托布津，甲基硫菌灵	3.0	97	枯草隆	0.05
68	马拉松	8.0	98	草达灭	0.02
69	卡巴呋喃	0.3	99	氯普芬	0.05
70	马来酰肼	0.2	100	绿谷隆	0.05
71	丁硫克百威	0.2	101	毒死蜱	1.0
72	氯丁酸	0.2	102	灭克落	0.5
73	唑草酮	0.1	103	甲基毒死蜱	0.05
74	灭蚜磷	0.05	104	敌草胺	0.1
75	巴丹，杀虫环，杀虫磺	3.0	105	乙菌利	0.05
76	嘧菌胺	20.0	106	尼古丁	2.0
77	灭螨猛	0.1	107	炔草酯	0.02
78	甲哌啶	2.0	108	烯啶虫胺	5.0
79	氯杀螨	0.01	109	四螨嗪	2.0
80	硝草酮	0.01	110	氧化乐果	1.0

续表

序号	农药名	允许标准（mg/kg）	序号	农药名	允许标准（mg/kg）
111	异恶草酮	0.02	140	甲拌磷	0.05
112	黄草消	0.08	141	2，4-滴	0.1
113	氯吡多	0.2	142	伏杀磷	1.0
114	恶霜灵	1.0	143	棉隆，威百亩，异硫氰酸甲酯	0.1
115	噻虫胺	0.2	144	亚胺硫磷	0.1
116	羟基喹啉酮	2.0	145	胺磺铜	20.0
117	壬基苯酚磺酸铜	5.0	146	磷胺	0.2
118	恶咪唑延胡索索酸盐	5.0	147	二氯异丙醚	0.2
119	邻苯二甲酸铜	5.0	148	辛硫磷	0.05
120	乙酰甲胺磷	0.02	149	二氯二苯三氯乙烷	0.5
121	4-氯苯氧乙酸	0.02	150	杀鼠酮	0.001
122	多效唑	0.5	151	溴氰菊酯和	0.5
123	杀螟腈	0.2	152	增效醚	8.0
124	百草枯	0.05	153	甲基1059	0.4
125	乙氰菊酯	0.2	154	抗蚜威	0.5
126	对硫磷	0.5	155	丁醚脲	0.02
127	噻草酮	0.05	156	甲基嘧啶磷	1.0
128	甲基对硫磷	0.2	157	燕麦敌	0.05
129	氟氯氰菊酯	0.02	158	噻菌灵	0.03
130	戊菌唑	0.2	159	二嗪农	0.2
131	氟氯氰菊酯	0.5	160	咪鲜胺	0.05
132	二甲戊灵	0.05	161	敌草腈	0.2
133	霜脲氰	0.2	162	腐霉利	5.0
134	苄氯菊酯	2.0	163	苯氟磺胺	7.0
135	氯氰菊酯	0.5	164	丙溴磷	0.05
136	苯醚菊酯	0.02	165	二氯喃	20.0
137	环唑醇	0.5	166	调环酸	2.0
138	稻丰散	0.1	167	1，1-二氯-2，2-bis（4-乙基苯基）乙烷	0.01
139	嘧菌环胺	10.0	168	敌砷	0.1

序号	农药名	允许标准（mg/kg）	序号	农药名	允许标准（mg/kg）
169	滴丙酸	3.0	200	吡丙醚	1.0
170	克螨特	3.0	201	二苯胺	0.05
171	敌敌畏和二溴磷	0.1	202	喹硫磷	0.02
172	丙环唑	0.05	203	敌草快	0.03
173	达灭净	0.02	204	喹氧灵	1.0
174	残杀威	1.0	205	乙拌磷	0.05
175	三氯杀螨醇	3.0	206	五氯硝基苯	0.02
176	炔苯酰草胺	0.04	207	二嗪农	0.5
177	乙霉威	5.0	208	喹禾灵	0.05
178	吡嗪酮	1.0	209	二硫代氨基甲酸盐类	10.0
179	苯醚甲环唑	5.0	210	苄呋菊酯	0.1
180	唑菌胺酯	1.3	211	敌草隆	0.05
181	野燕枯	0.05	212	西禾定	1.0
182	霸草灵	0.02	213	多果定	0.2
183	二氟脲	0.05	214	西玛津	0.2
184	苄草唑	0.02	215	2,2-二氯丙酸	20.0
185	吡氟草胺	0.002	216	多杀菌素	1.0
186	吡菌磷	0.05	217	埃玛菌素	0.1
187	氟吡草腙	0.05	218	螺螨酯	5.0
188	除虫菊素	1.0	219	硫丹	0.5
189	噻节因	0.04	220	甲磺草胺	0.05
190	哒螨灵	2.0	221	异狄氏剂	0.01
191	甲菌定	0.1	222	磺酰氟	0.5
192	哒嗪硫磷	0.1	223	菌灭达	0.1
193	乐果	1.0	224	虫酰肼	3.0
194	啶斑	1.0	225	乙烯利	2.0
195	地乐酚	0.05	226	吡螨胺	2.0
196	嘧霉胺	10.0	227	乙硫苯威	2.0
197	特乐酚	0.05	228	特丁隆	0.02
198	嘧螨醚	0.3	229	乙硫磷	0.3
199	敌杀磷	0.05	230	四氧硝基苯	0.05

续表

序号	农药名	允许标准（mg/kg）	序号	农药名	允许标准（mg/kg）
231	乙氧喹	0.05	263	苯氧威	2.0
232	氟苯脲	1.0	264	野燕畏	0.1
233	吲唑酯	5.0	265	芬普宁	5.0
234	七氟菊酯	0.1	266	三唑磷	0.02
235	二溴化乙烯	0.01	267	丁苯吗啉	0.05
236	吡嘧草酮	0.05	268	水杨菌胺	0.1
237	二氯乙烷	0.01	269	唑螨酯	1.0
238	特草定	0.1	270	敌百虫	0.25
239	乙氧嘧啶磷	0.2	271	三苯锡	0.05
240	特丁磷	0.005	272	绿草定	0.03
241	唑酮	2.0	273	杀灭菊酯	1.0
242	氟醚唑	2.0	274	三环唑	0.02
243	苯线磷	0.02	275	氟虫清	0.01
244	四氯杀螨砜	1.0	276	十三吗啉	0.05
245	氯苯嘧啶醇	1.0	277	嘧啶磺隆	0.1
246	赛苯咪唑	3.0	278	氟菌唑	2.0
247	腈苯唑	0.3	279	氟草除	0.2
248	噻虫啉	5.0	280	杀虫隆	0.02
249	苯丁锡	1.0	281	氟啶胺	0.5
250	噻虫嗪	0.35	282	氟乐灵	0.05
251	皮蝇磷	0.01	283	氟氯菊酯	0.05
252	硫双威和灭多虫	1.0	284	嗪氨灵	1.0
253	环酰菌胺	15.0	285	咯菌酯	5.0
254	甲基乙拌磷	0.05	286	蚜灭多	0.05
255	杀螟松	0.8	287	环草杀星	0.1
256	甲基立枯磷	0.1	288	乙烯菌核利	5.0
257	丁苯威	0.3	289	伏草隆	0.02
258	对甲抑菌灵	0.5	290	杀鼠灵	0.001
259	苯硫威	0.5	291	唑呋草	0.04
260	三唑酮	0.2	292	灭除威	0.2
261	恶唑禾草灵	0.1	293	氟啶草酮	0.1
262	唑菌醇	0.5			

我国与日本共同关注的农药较多，有 49 种。与我国相比，日本缺少 67 种农药的限量标准，而我国缺少 165 种农药的限量标准。其中，两国共同关注的农药有 15 种，规定值一致；我国比日本规定严格的有 25 种，宽松的有 9 种。在覆盖度上日本更加全面，但从共同关注的农药种类来看，我国更为严格①。

日本"肯定列表制度"中豁免物质的总数为 68 种（表 4.9）。所谓豁免物质，是指对某些农业化学物质没有任何残留限量要求。在正常情况下，含有这些物质的食用农产品食品不会对人们身体健康造成危害。

表 4.9   《肯定列表》中豁免物质

类型	数量	药品中文名
氨基酸	9	丙氨酸、精氨酸、丝氨酸、甘氨酸、酪氨酸、缬氨酸、蛋氨酸、组氨酸、亮氨酸
维生素	14	β-胡萝卜素、维生素 C（抗坏血酸）、维生素 D2（钙化甾醇）、维生素 B12、维生素 B1（钴胺素）、维生素 B2、维生素 B3（烟酸）、维生素 B5、维生素 E（生育酚）、维生素 H、维生素 B6、维生素 K3、维生素 B9、维生素 A
微量元素及矿物质	15	锌、铵、硫、氯、钾、钙、硅、硒、铁、铜、钡、镁、碘
食品添加剂	15	β-阿朴-8-胡萝卜素酸乙酯、天冬酰胺、谷氨酰胺、万寿菊色素、辣椒红素、羟丙基淀粉、虾青素、肉桂醛、胆碱、柠檬酸、酒石酸、乳酸、山梨酸、卵磷脂、丙二醇
天然杀虫剂	3	印楝素、印度楝油、矿物油
生物提取物	3	绿藻提取物、香菇菌丝提取物、蒜素
生物活素	1	肌醇
无机化合物	1	碳酸氢钠
有机化合物	1	尿素
其他	6	油酸、机油、硅藻土、石蜡、蜡、牛磺酸

（2）重金属残留标准

日本规定草药中重金属残留标准如表 4.10 所示。其中，砷（As）的含量不能超过 2.0mg/kg，铅（Pb）的含量不能超过 20.0mg/kg。

---

① 秦佳琪，王焱，赵思源，等. 2022. 国内外枸杞农药残留限量标准对比分析［J］. 食品安全质量检测学报，13（11）：3704-3709.

表4.10　草药中重金属残留标准

序号	重金属及砷盐	允许标准（mg/kg）
1	砷（As）	≤2.0
2	铅（Pb）	≤20.0

（3）二氧化硫残留量标准

日本规定枸杞中二氧化硫的残留量不得超过30mg/kg。

4.2.2.4　韩国

（1）农药残留标准

韩国自2017年开始对热带水果和坚果类食品中的残留农药实施了"肯定列表制度"，2019年起对所有农产品推行该制度。新制度实施后，出口到韩国的食品、农产品应确认所使用的农药应在韩国的最大残留限量标准范围内，在韩国未制定农药残留限量标准的情况下，一律适用0.01mg/kg的残留限量标准。韩国"农药残留肯定列表制度"对原有农药条目进行了全面梳理整合，删除未登记使用的农药数量，保留441种农作物用农药、78种人参用农药和83种畜产品用药，共计7621个限量标准，其他农兽药则按韩国"一律标准"进行管理。我国《食品安全国家标准　食品中农药最大残留限量》（GB 2763—2021）与韩国标准的对比，我国缺少44种农药的限量标准，而韩国较我国缺少107种农药的限量标准，两国共同关注的农药种类有9种（表4.11），并且这9种农药的规定值只有吡虫啉在枸杞分类为浆果和其他小型类水果时是一致的，在枸杞（干）的分类下我国规定更为严格。此外，还有7种农药韩国的限量规定比我国宽松，韩国比我国规定严格的农药只有己唑醇[1]。由此可见，韩国在枸杞农药限量的标准制定上比我国略为宽松，这在一定程度降低了我国出口枸杞时因农药标准不同而产生的贸易问题。与韩国标准相比，我国枸杞出口韩国应重点关注的农药品种为吡虫啉、乙螨唑、嘧菌酯、咪鲜胺、苦参碱、氯氰菊酯和高效氯氰菊酯[2]。

---

[1]　秦佳琪，王焱，赵思源，等．2022.国内外枸杞农药残留限量标准对比分析［J］．食品安全质量检测学报，13（11）：3704-3709.

[2]　穆兰，朴秀英，陈晓初，等．2019.韩国农药残留肯定列表制度对我国农产品出口贸易的影响［J］．农药科学与管理，40（4）：12-15.

表 4.11 我国和韩国共同关注的 9 种农药种类

序号	农药名	允许标准（mg/kg）
1	吡虫啉	5
2	多菌灵	2
3	氟虫腈	0.3
4	己唑醇	0.05
5	氯氰菊酯和高效氯氰菊酯	5
6	嘧菌酯	10
7	噻虫胺	1.5
8	杀螟硫磷	3
9	乙螨唑	0.3

（2）重金属残留标准

韩国规定植物性生药中重金属残留标准如表 4.12 所示。其中，铅（Pb）的含量不能超过 5.0mg/kg，汞（Hg）的含量不能超过 0.2mg/kg，镉（Cd）的含量不能超过 0.3mg/kg，砷（As）的含量不能超过 3.0mg/kg。生药萃取物及制剂中总重金属的含量不能超过 30mg/kg。水果、蔬菜类饮料中铅（Pb）的含量为 ≤0.05～≤0.3，镉（Cd）的含量不能超过 0.1mg/kg，锡（Sn）的含量不能超过 150mg/kg（限罐装品）。

表 4.12 重金属残留标准

项目	重金属及砷盐	允许标准 （mg/kg）
植物性生药	铅（Pb）	≤5.0
	汞（Hg）	≤0.2
	镉（Cd）	≤0.3
	砷（As）	≤3.0
生药萃取物及制剂	总重金属	≤30.0
水果、蔬菜类饮料	铅（Pb）	≤0.05～≤0.3 （2016 年 6 月 1 日起①）
	镉（Cd）	≤0.1
	锡（Sn）	≤150（限罐装品）

---

① http：//www.heciq.gov.cn/hbjyjy/jstb/201511/98ef14a1607c4a63b397ab43a3b41f71.shtml.

（3）二氧化硫残留量标准

韩国食品医药品安全厅《中药材中二氧化硫限量标准及检测方法》（2008-3 号限量标准，2009 年初开始实行）规定，药材中二氧化硫含量必须小于 30mg/kg，而我国二氧化硫残留量不得超过 150mg/kg，为韩国标准的 5 倍。

4.2.2.5　欧　盟

为了适应国际市场需求，欧盟制定了国际标准化组织工 ISO 食品标准和国际食品法典委员会 CAC 食品标准。欧盟农产品质量安全法律法规体系包括技术法规、农药残留标准、有机农业条例、农产品包装、农产品进口标准以及有机食品进口标准等。

（1）农药残留标准

在欧盟针对食品农药残留的标准中有关枸杞的农药残留标准有 156 项（表4.13）。《欧洲药典》中有关枸杞的农药残留标准有 34 项（表 4.14）。欧盟对未制定"最大残留限量标准"的食品中农药残留限量设置了兜底条款，一律执行0.01mg/kg 的限量标准。我国《食品安全国家标准　食品中农药最大残留限量》（GB 2763—2021）标准中有 8 个与欧盟的相同［草甘膦（0.1mg/kg）、滴滴涕（0.05mg/kg）、甲胺磷（0.01mg/kg）、甲氧滴滴涕（0.01mg/kg）、乐杀螨（0.05mg/kg）、硫丹（0.05mg/kg）、七氯（0.01mg/kg）、乙酰甲胺磷（0.02mg/kg）］；有 8 种农药残留标准比欧盟的严格，分别是对硫磷、嘧霉胺、三氯杀螨、乙酯杀螨、除虫菊素、噻虫胺、氯磺隆和茅草枯；其余农药残留标准欧盟均比我国严格。

表 4.13　欧盟农药残留标准（156 项）（适用范围：小果及浆果类水果）

序号	农药名	允许标准（mg/kg）	序号	农药名	允许标准（mg/kg）
1	2，4，5-涕（2，4，5-T）	0.05	6	磷胺（phosphamidon）	0.15
2	联苯菊酯（bifenthrin）	0.05	7	莠去津（atrazine）	0.1
3	2，4-滴（2，4-D）	0.05	8	硫丹（endosulfan）	0.05
4	林丹（lindane）	0.01	9	阿维菌素（abamectin）	0.01
5	2，4-滴丙酸（dichlorprop）	0.05	10	硫双威（thiodicarb）	0.05

续表

序号	农药名	允许标准 （mg/kg）	序号	农药名	允许标准 （mg/kg）
11	矮壮素 （chlormequat chloride）	0.05	28	氯氰菊酯 （cypermethrin）	0.05
12	六那唑 （hexaconazole）	0.02	29	吡嘧磷 （pyrazophos）	0.05
13	安果 （formothion）	0.02	30	氯杀螨 （chlorbenside）	0.01
14	绿谷隆 （monolinuron）	0.05	31	吡蚜酮 （pymetrozine）	0.02
15	百草枯 （paraquat）	0.02	32	马拉硫磷 （malathion）	0.5
16	氯苯胺灵 （chlorpropham）	0.05	33	丙环唑 （propiconazole）	0.05
17	百菌清 （chlorothalonil）	0.01	34	咪酰胺 （prochloraz）	0.05
18	氯苯嘧啶醇 （fenarimol）	0.02	35	丙硫克百威 （benfuracarb）	0.05
19	甲基谷硫磷 （azinphos-methyl）	0.5	36	醚苯磺隆 （triasulfuron）	0.05
20	氯草灵 （chlorbufam）	0.05	37	丙溴磷 （profenofos）	0.05
21	苯胺灵 （propham）	0.05	38	亚胺菌 （kresoxim-methyl）	0.05
22	氟草烟 （fluroxypyr）	0.05	39	残杀威 （propoxur）	0.05
23	苯丁锡 （fenbutatin oxide）	0.05	40	四唑嘧磺隆 （azimsulfuron）	0.02
24	高效氯氟氰菊酯 （lambda-cyhalothrin）	0.02	41	草甘膦 （glyphosate）	0.1
25	苯菌灵 （benomyl）	0.1	42	苯达松 （bentazone）	0.1
26	氯菊酯 （permethrin）	0.05	43	乙丁烯酰磷 （methacrifos）	0.05
27	苯霜灵 （benalaxyl）	0.05	44	苄呋菊酯 （resmethrin）	0.1

序号	农药名	允许标准 （mg/kg）	序号	农药名	允许标准 （mg/kg）
45	除虫菊酯 （pyrethrins）	1.0	62	氰戊菊酯或高氰戊菊酯 （fenvalerate & esfenvalerate）	0.02
46	灭多威 （methomyl）	0.05	63	敌敌畏 （dichlorvos）	0.1
47	哒草特 （pyridate）	0.05	64	炔苯酰草胺 （propyzamide）	0.02
48	灭菌丹 （folpet）	3.0	65	敌菌丹 （captafol）	0.02
49	代森联 （metiram）	0.05	66	葚孢菌素 （spiroxamine）	0.05
50	灭螨猛 （chinomethionat）	0.3	67	敌杀磷 （dioxathion）	0.05
51	代森锰 （maneb）	0.05	68	甲基噻吩磺隆 （thifensulfuron−methyl）	0.05
52	灭蚜磷 （mecarbam）	0.05	69	达诺杀 （dinoseb）	0.05
53	代森锰锌 （mancozeb）	0.05	70	噻菌灵 （thiabendazole）	0.05
54	灭蝇胺 （cyromazine）	0.05	71	调环酸钙盐 （prohexadione-calcium）	0.05
55	代森锌 （zineb）	0.05	72	三苯羟基锡 （fentin hydroxide）	0.05
56	皮蝇磷 （fenchlorphos）	0.01	73	丁呋喃 （carbosulfan）	0.05
57	滴滴涕（DDT）（包括滴滴 滴和滴滴伊）	0.05	74	三环锡 （cyhexatin）	0.05
58	七氯 （heptachlor）	0.01	75	丁酰肼 （daminozide）	0.02
59	敌百虫 （trichlorfon）	0.5	76	三氯杀螨醇 （dicofol）	0.02
60	嗪胺灵 （triforine）	0.05	77	毒虫畏 （chlorfenvinphos）	0.05
61	敌草快 （diquat）	0.05	78	三唑醇 （triadimenol）	0.1

序号	农药名	允许标准 （mg/kg）	序号	农药名	允许标准 （mg/kg）
79	毒杀芬 （toxaphene）	0.1	96	醋酸三苯锡 （fentin acetate）	0.05
80	三唑磷 （triazophos）	0.02	97	克百威 （carbofuran）	0.1
81	毒死蜱 （chlorpyrifos）	0.05	98	联苯三唑醇 （bitertanol）	0.05
82	三唑酮 （triadimefon）	0.1	99	呋线威 （furathiocarb）	0.05
83	对硫磷 （parathion）	0.05	100	双甲脒 （amitraz）	0.05
84	杀草强 （amitrole）	0.05	101	伏杀硫磷 （phosalone）	1.0
85	多果定 （dodine）	0.2	102	四氯硝基苯 （tecnazene）	0.05
86	杀螨特 （aramite）	0.01	103	氟啶嘧磺隆 （flupyrsulfuron-methyl）	0.02
87	多菌灵 （carbendazim）	0.1	104	四螨嗪 （clofentezine）	0.02
88	杀螨酯 （chlorfenson）	0.01	105	氟氯氰菊酯 （cyfluthrin）	0.02
89	二苯胺 （diphenylamine）	0.05	106	速灭磷 （mevinphos）	0.1
90	杀螟硫磷 （fenitrothion）	0.5	107	氟氰戊菊酯 （flucythrinate）	0.05
91	二嗪磷 （DNOC）	0.02	108	特乐酚 （dinoterb）	0.05
92	杀扑磷 （methidathion）	0.02	109	福美双 （thiram）	3.0
93	二硝酚 （DNOC）	0.05	110	特普 （TEP）	0.01
94	十三吗啉 （tridemorph）	0.05	111	腐霉利 （procymidone）	0.02
95	二溴乙烷 （ethylene dibromide）	0.01	112	涕灭威 （aldicarb）	0.05

序号	农药名	允许标准（mg/kg）	序号	农药名	允许标准（mg/kg）
113	甲胺磷（methamidophos）	0.01	130	燕麦灵（barban）	0.05
114	蚜灭多（vamidothion）	0.05	131	西维因（carbaryl）	1.0
115	甲拌磷（phorate）	0.05	132	氧化乐果（omethoate）	0.1
116	五氯硝基苯（quintozene）	0.02	133	甲氰菊酯（fenpropathrin）	0.05
117	甲磺隆（metsulfuron-methyl）	0.05	134	野麦畏（tri-allate）	0.1
118	戊菌唑（penconazole）	0.05	135	甲霜灵（metalaxyl）	0.05
119	甲基代森锌（propineb）	0.05	136	乙拌磷（disulfoton）	0.02
120	烯菌灵（imazalil）	0.02	137	甲氧滴滴涕（methoxychlor）	0.01
121	甲基毒死蜱（chlorpyrifos-methyl）	0.05	138	乙基溴硫磷（bromophos-ethyl）	0.05
122	溴甲烷（methyl bromide）	0.05	139	腈菌唑（myclobutanil）	0.02
123	甲基对硫磷（parathion-methyl）	0.2	140	乙硫磷（ethion）	0.1
124	溴螨酯（bromopropylate）	0.05	141	腈嘧菌酯（azoxystrobin）	0.05
125	甲基硫菌灵（thiophanate-methyl）	0.1	142	乙烯菌核利（vinclozolin）	0.05
126	溴氰菊酯（deltamethrin）	0.05	143	精2,4-滴丙酸（dichlorprop-P）	0.05
127	甲基嘧啶磷（pirimiphos-methyl）	0.05	144	乙烯利（ethephon）	0.05
128	燕麦敌（di-allate）	0.05	145	克菌丹（captan）	3.0
129	甲基内吸磷（demeton-S-Methyl）	0.4	146	乙酰甲胺磷（acephate）	0.02

续表

序号	农药名	允许标准（mg/kg）	序号	农药名	允许标准（mg/kg）
147	克氯得（chlozolinate）（乙菌利）	0.05	152	抑菌灵（dichlofluanid）	10
148	异狄氏剂（endrin）	0.01	153	乐果（dimethoate）	0.02
149	枯草隆（chloroxuron）	0.05	154	抑芽丹（maleic hydrazide）	1.0
150	异菌脲（iprodione）	0.02	155	乐杀螨（binapacryl）	0.05
151	喹硫磷（quinalphos）	0.05	156	益棉磷（azinphos-ethyl）	0.05

表 4.14　植物药中农药残留限量标准①（34 项）（适用范围:《欧洲药典》中的植物药）

序号	农药名	允许标准（mg/kg）
1	甲草胺（alachlor）	0.02
2	艾氏剂及狄氏剂（总和）（aldrin and dieldrin）	0.05
3	甲基谷硫磷（azinphos-methyl）	1.0
4	溴螨酯（bromopropylate）	3.0
5	氯丹（chlordane）	0.05
6	毒虫畏（chlorfenvinphos）	0.5
7	毒死蜱（chlorpyrifos）	0.2
8	甲基毒死蜱（chlorpyrifos-methyl）	0.1

① 《欧洲药典》（2005 年）。

序号	农药名	允许标准 （mg/kg）
9	氯氰菊酯 （cypermethrin）（及其同分异构体）	1.0
10	DDT	1.0
11	溴氰菊酯 （deltamethrin）（敌杀死）	0.5
12	二嗪磷 （diazinon）	0.5
13	敌敌畏 （dichlorvos）	1.0
14	二硫代氨基甲酸酯 （dithiocarbamates）（如同 CS2）	2.0
15	安杀番 （endosulfan）	3.0
16	异狄氏剂 （endrin）	0.05
17	乙硫磷 （ethion）	2.0
18	杀螟硫磷 （fenitrothion）	0.5
19	氰戊菊酯 （fenvalerate）	1.5
20	地虫硫磷 （fonofos）	0.05
21	七氯 （heptachlor）	0.05
22	六氯苯 （hexachlorbenzene）	0.1
23	六六六 （hexachlorocyclohexane）	0.3
24	林丹 （lindane）	0.6
25	马拉硫磷 （malathion）	1.0

续表

序号	农药名	允许标准（mg/kg）
26	杀扑磷 （methidathion）	0.2
27	对硫磷 （parathion）	0.5
28	甲基对硫磷 （parathion-methyl）	0.2
29	苄氯菊酯 （permethrin）	1.0
30	伏杀硫磷 （phosalone）	0.1
31	增效醚 （piperonyl butoxide）	3.0
32	甲基嘧啶磷 （pirimiphos-methyl）	4.0
33	虫菊酯 （pyrethrins）（总和）	3.0
34	五氯硝基苯 （quintozene）	1.0

（2）重金属残留标准

欧盟对食品和草药中的重金属残留有着不同的标准，详细规定如表4.15所示。我国对枸杞中重金属残留标准比欧盟的严格。

表4.15 重金属残留标准①

序号	重金属及砷盐	允许标准（mg/kg）
1	砷（As）	食品总量≤1.0，草药≤5.0
2	铅（Pb）	食品总量≤1.0，草药≤5.0
3	锡（Sn）	食品总量≤200.0
4	铜（Cu）	食品总量≤20.0，草药≤150.0
5	锌（Zn）	食品总量≤50.0
6	汞（Hg）	草药≤0.1
7	镉（Cd）	草药≤0.2

① 《欧洲药典》（2005年）。

（3）二氧化硫残留量标准

欧盟对茄科类植物使用二氧化硫、亚硫酸钠、焦亚硫酸钠作为添加剂没有规定限量标准；但不允许为了改变产品外观而大量使用，否则会被拒绝①。

4.2.2.6 加拿大

（1）农药残留标准

加拿大《食品和药品法》（Food and Drug Act，FDA）中授权加拿大有害生物管理局（Pest Management Regulatory Agency，PMRA）制修订农药残留限量，并适用于国内和进口食品。FDA 规定禁止被污染和掺假的食品销售和流通，认为食品中农药残留量超过规定的最大残留限量是不可接受的。加拿大《有害生物控制产品法》（Pest Control Products Act，PCPA）规定有害生物控制产品需通过安全性、优点和价值评估，其关注焦点是人类健康、环境保护和产品有效性。与美国相同，PMRA 在批准农药登记的同时，制定农药最大残留限量（MRL）。加拿大对食品农药残留的标准中有关枸杞的农药残留标准有 35 项（表 4.16）。与加拿大标准的对比，我国缺少 31 种农药的限量标准，而加拿大较我国缺少 79 种农药的限量标准，两国共同关注的农药种类有 4 种。其中，我国农药残留标准中对吡虫啉的限量值为 5.0mg/kg，而加拿大的限量值为 2.5mg/kg；我国对吡虫啉的限量值为 0.01mg/kg，而加拿大的限量值为 0.25mg/kg；我国对百草枯的限量值为 0.01mg/kg，而加拿大的限量值为 0.05mg/kg；我国对嘧菌环胺的限量值为 10mg/kg，而加拿大的限量值为 6.2mg/kg。相比来说，我国在枸杞农药限量的标准制定上比加拿大更为严格。

表 4.16　农药残留限量标准（35 项）

序号	农药名	允许标准（mg/kg）	序号	农药名	允许标准（mg/kg）
1	甲基谷硫磷（azinphos-methyl）	2.0	5	西维因（carbaryl）	10.0
2	咯菌腈（fludioxonil）	4.2	6	丙环唑（propiconazole）	0.7
3	克菌丹（captan）	5.0	7	氯硝胺（dicloran）	10.0
4	腈菌唑（myclobutanil）	1.2	8	艾克敌（spinosad）	0.5

---

① 王培涌，康燕妮，朱荣 . 2019. 枸杞安全卫生标准水平分析 [J] . 质量探索，(3)：16-20.

序号	农药名	允许标准 （mg/kg）	序号	农药名	允许标准 （mg/kg）
9	三氯杀螨醇 （dicofol）	3.0	23	速灭磷 （mevinphos）	0.25
10	吡虫啉 （imidacloprid）	2.5	24	啶酰菌胺 （boscalid）	6.0
11	环酰菌胺 （fenhexamid）	20.0	25	增效醚 （piperonyl butoxide）	8.0
12	乙基多杀菌素 （spinetoram）	0.5	26	腈嘧菌酯 （azoxystrobin）	5.0
13	福美铁 （ferbam）	7.0	27	除虫菊酯 （pyrethrins）	1.0
14	百克敏 （pyraclostrobin）	3.5	28	敌草腈 （dichlobenil）	0.1
15	灭菌丹 （folpet）	25.0	29	稀禾定 （sethoxydim）	5.0
16	恶唑菌酮 （famoxadone）	10.0	30	敌草胺 （napropamide）	0.1
17	异菌脲 （iprodione）	10.0	31	福美锌 （ziram）	7.0
18	霜脲氰 （cymoxanil）	4.0	32	乙氧氟草醚 （oxyfluorfen）	0.05
19	马拉硫磷 （malathion）	8.0	33	氯化苦 （chloropicrin）	0.025
20	三乙膦酸铝 （fosetyl-aluminium）	0.05	34	百草枯 （paraquat）	0.05
21	甲霜灵 （metalaxyl）	0.2	35	嘧菌环胺 （cyprodinil）	6.2
22	氟酮唑草 （carfentrazone-ethyl）	0.1			

（2）重金属残留标准

加拿大规定的草药材中重金属残留标准如表 4.17 所示。其中，铅（Pb）的含量不能超过 10.0mg/kg，铬（Cr）的含量不能超过 0.2mg/kg，镉（Sn）的含量不能超过 0.3mg/kg，砷（As）的含量不能超过 5.0mg/kg，汞（Hg）的含量不能超过 0.2mg/kg。

表 4.17 重金属残留标准

项目	重金属及砷盐	允许标准（mg/kg）
草药材	铅（Pb）	≤10.0
	铬（Cr）	≤0.2
	镉（Sn）	≤0.3
	砷（As）	≤5.0
	汞（Hg）	≤0.2

（3）二氧化硫残留量标准

加拿大对二氧化硫不设限，但并不允许为了改变产品外观而大量使用，否则同样会被拒绝进口。

4.2.2.7 马来西亚

（1）农药残留标准

2009 年，马来西亚根据《食品法规》（1985 年）中关于农药残留的规定，发布了《食品中农药残留限量》，该文件详细列出了各种农药在各类食品中最大残留限量值。马来西亚有关枸杞的农药残留标准有 40 项（表 4.18）。马来西亚规定本国标准中未涉及的农药残留标准参照国际食品法典委员会标准（CAC）；既没有本国标准，也没有国际食品法典委员会标准的情况下，适用"一律标准"（0.01ppm）。

表 4.18 马来西亚有关枸杞的农药残留标准

序号	农药名	允许标准（mg/kg）	序号	农药名	允许标准（mg/kg）
1	敌草隆（diuron）	0.5	6	福美锌（ziram）	5.0
2	多菌灵（carbendazim）	5.0	7	狄氏剂（dieldrin）	0.05
3	敌敌畏（dichlorvos）	0.1	8	甲胺磷（methamidophos）	0.5
4	二嗪磷（diazinon）	0.5	9	敌百虫（trichlorfon）	0.5
5	毒死蜱（chlorpyrifos）	1.0	10	甲基代森锌（propineb）	5.0

序号	农药名	允许标准 （mg/kg）	序号	农药名	允许标准 （mg/kg）
11	滴滴涕 （包括滴滴滴和滴滴伊） （DDT）	0.5	26	硫丹 （endosulfan）	2.0
12	甲基对硫磷 （parathion-methyl）	0.2	27	草胺膦 （glufosinate-ammonium）	0.1
13	杀草强 （amitrole）	0.02	28	氯菊酯 （permethrin）	2.0
14	甲基硫菌灵 （thiophanate-methyl）	5.0	29	除虫菊酯 （pyrethrins）	6.0
15	2，4-滴 （2，4-D）	0.1	30	氯氰菊酯 （cypermethrin）	1.0
16	西维因 （carbaryl）	5.0	31	除虫脲 （diflubenzuron）	1.0
17	氰戊菊酯 （fenvalerate）	1.0	32	嗪胺灵 （triforine）	1.0
18	精吡氟禾草灵 （fluazifop-P-butyl）	0.1	33	代森联 （metiram）	5.0
19	艾氏剂 （aldrin）	0.05	34	三氯杀螨醇 （dicofol）	3.0
20	克菌丹 （captan）	15.0	35	代森锰锌 （mancozeb）	5.0
21	甲基谷硫磷 （azinphos-methyl）	1.0	36	S-氰戊菊酯 （esfenvalerate）	1.0
22	乐果 （dimethoate）	0.5	37	溴氰菊酯 （deltamethrin）	0.05
23	苯菌灵 （benomyl）	5.0	38	溴甲烷 （methyl bromide）	30.0
24	林丹 （lindane）	3.0	39	乙酰甲胺磷 （acephate）	1.0
25	残杀威 （propoxur）	3.0	40	溴螨酯 （bromopropylate）	2.0

（2）重金属残留标准

马来西亚规定药材中重金属残留标准如表 4.19 所示。其中，铅（Pb）的含量不能超过 10.0mg/kg，汞（Hg）的含量不能超过 0.5mg/kg，砷（As）的含量不能超过 5.0mg/kg。

表 4.19　药材中重金属残留标准

序号	重金属及砷盐	允许标准 （mg/kg）
1	铅（Pb）	≤10
2	汞（Hg）	≤0.5
3	砷（As）	≤5.0

（3）二氧化硫残留量标准

马来西亚规定枸杞中二氧化硫残留量不得超过 1000mg/kg。

4.2.2.8　新加坡

（1）农药残留标准

新加坡依据其 1988 年建立的《食品销售法案》建立了一份针对农产品农药残留标准的清单，规定清单中未涉及的农药残留标准参照国际食品法典委员会标准（CAC）；既没有本国标准，也没有国际食品法典委员会标准的情况下，新加坡不适用"一律标准"（0.01ppm）[①]。新加坡有关枸杞的农药残留标准有 18 项（表 4.20）。与我国相比，新加坡缺少 93 种农药的限量标准，而我国缺少 11 种农药的限量标准；我国与新加坡共同关注的农药有 7 种，其中有 2 种规定值一致（2，4-滴和百菌清）；我国比新加坡规定严格的有 2 种（多菌灵和除虫菊素），宽松的有 3 种（抗蚜威、氯菊酯、毒死蜱）。新加坡水果农药残留标准中要求毒死蜱残留不超过 0.2mg/kg，而我国标准中规定鲜枸杞中毒死蜱残留不超过 1mg/kg，枸杞干中毒死蜱残留不超过 2mg/kg。因此，我国枸杞出口新加坡应重点关注的农药品种为抗蚜威、氯菊酯和毒死蜱。

表 4.20　新加坡有关枸杞的农药残留标准

序号	农药名	允许标准 （mg/kg）
1	2，4-滴 （2，4-D）	0.1
2	百菌清 （chlorothalonil）	10.0

---

① 袁清. 2014. 东盟主要贸易国 MRL 政策研究［J］. 安徽农业科学，42（28）：9768-9770.

续表

序号	农药名	允许标准 （mg/kg）
3	苯菌灵 （benomyl）	5.0
4	毒死蜱 （chlorpyrifos）	0.2
5	多菌灵 （carbendazim）	5.0
6	甲基硫菌灵 （thiophanate-methyl）	5.0
7	抗蚜威 （pirimicarb）	0.5
8	氯菊酯 （pirimicarb）	1.0
9	氯氰菊酯 （permethrin）	0.5
10	嗪胺灵 （cypermethrin）	1.0
11	三唑酮 （triforine）	0.2
12	嗪胺灵 （triadimefon）	1.0
13	异菌脲 （iprodione）	10.0
14	氰戊菊酯 （fenvalerate）	1.0
15	溴硫磷 （bromophos）	0.5
16	二氯苯醚菊酯 （permethrin）	1.0
17	亚胺硫磷 （phosmet）	10.0
18	除虫菊素 （pyrethrins）	1.0

（2）重金属残留标准

新加坡规定的草药中重金属残留标准如表 4.21 所示。其中，铅（Pb）的含量不能超过 20.0mg/kg，汞（Hg）的含量不能超过 0.5mg/kg，铜（Cu）的含量不能超过 150mg/kg，砷（As）的含量不能超过 5.0mg/kg，镉（Cd）的含量不能超过 5.0mg/kg。

表 4.21　药材中重金属残留标准

序号	重金属及砷盐	允许标准 （mg/kg）
1	铅（Pb）	≤20.0
2	汞（Hg）	≤0.5
3	铜（Cu）	≤150.0
4	砷（As）	≤5.0
5	镉（Cd）	≤5.0

（3）二氧化硫残留量标准

新加坡规定枸杞中二氧化硫残留量不得超过 2000mg/kg。

4.2.2.9　泰国

（1）农药残留标准

2008 年，泰国颁布国家农产品及食品标准《有害残留物最大限量标准》；2020 年 11 月 2 日，泰国发布了《食品中的农药最大残留限量（No.3）》公告，修订了农药残留限量标准，新规于 2021 年 6 月 1 日实施。我国与泰国共同关注的农药有 7 种（表 4.22），其中泰国规定三氯杀螨醇残留不能超 5.0mg/kg，而我国标准中规定残留量不能超 0.01mg/kg，高于泰国标准；其余 6 种我国均低于泰国标准。泰国规定艾氏剂残留不能超过 0.006mg/kg，而我国《食品安全国家标准　食品中农药最大残留限量》（GB 2763—2021）标准中规定残留量不能超过 0.05mg/kg，药用植物及制剂外经贸绿色行业标（WM/T2-2004）规定艾氏剂残留不超过 0.02mg/kg，均低于泰国的标准；泰国规定滴滴涕残留不能超 0.02mg/kg，而我国《食品安全国家标准　食品中农药最大残留限量》（GB2763—2021）标准中规定残留量不能超过 0.05mg/kg；泰国规定艾氏剂残留不能超 0.006mg/kg，而我国《食品安全国家标准　食品中农药最大残留限量》（GB2763—2021）标准中规定残留量不能超 0.02mg/kg；泰国规定狄氏剂残留不能超 0.006mg/kg，而我国《食品安全国家标准　食品中农药最大残留限量》（GB 2763—2021）标准中规定残留量不能超 0.02mg/kg。此外，泰国新规定中要求食品中不得检出毒死蜱和百草枯，而我国

《食品安全国家标准 食品中农药最大残留限量》（GB 2763—2021）标准中规定鲜枸杞中毒死蜱不超过 1.0mg/kg，枸杞干中不超过 2mg/kg。因此，我国枸杞出口泰国应重点关注的农药品种为毒死蜱、艾氏剂、滴滴涕和狄氏剂。

表 4.22　泰国枸杞相关的农药残留标准

序号	农药名称	允许标准（mg/kg）
1	艾氏剂	0.006
2	滴滴涕	0.02
3	狄氏剂	0.006
4	克菌丹	20.0
5	林丹	1.0
6	氯丹	0.002
7	三氯杀螨醇	5.0

（2）重金属残留标准

泰国规定的草药中重金属残留标准如表 4.23 所示。其中，铅（Pb）的含量不能超过 10.0mg/kg，镉（Cd）的含量不能超过 0.3mg/kg，砷（As）的含量不能超过 4.0mg/kg。

表 4.23　草药中重金属残留标准

序号	重金属及砷盐	允许标准（mg/kg）
1	铅（Pb）	≤10.0
2	镉（Cd）	≤0.3
3	砷（As）	≤4.0

（3）二氧化硫残留量标准

泰国规定枸杞中二氧化硫残留量不得超过 1000mg/kg。

4.2.2.10　香港特区

（1）农药残留标准

香港特区政府历时 5 年制定的《食物内除害剂残余规例》（以下简称《规例》）于 2014 年 8 月 1 日起正式实施。《规例》主要使用由国际食品法典委员会于 2011 年确定的标准，并以内地和向香港输出食物的其他主要国家和地区（如美国、泰国）当时可用的相关标准作补充。《规例》中与枸杞有关的农药残留限量共 43 项（表 4.24）。与内地相比，香港特区缺少 46 种农药的限量标准，而内地缺少 14 种农药的限量标准；内地与香港特区共同关注的农药有 29 种，其中有 20 种规定值一致。内地比香港特区规定严格的有 3 种，宽松的有 6 种。内地枸杞供应香港特区应重点关注的农药品种为草甘膦、氧乐果和异狄氏剂。

表 4.24　香港《食物内除害剂残余规例》及中药材标准中与枸杞有关的农药残留限量

项目	农药名	允许标准 （mg/kg）
《食物内除害剂 残余规例》	2，4-滴 （2，4-D）	0.1
	乙酰甲胺磷 （acephate）	0.5
	艾氏剂及狄氏剂 （aldrin and dieldrin）	0.05
	唑草酮 （carfentrazone-ethyl）	0.1
	氯虫苯甲酰胺 （chlorantraniliprole）	1.0
	氯丹 （chlordane）	0.02
	氯氟氰菊酯 （cyhalothrin）	0.2
	滴滴涕 （DDT）	0.05
	敌敌畏 （dichlorvos）	0.2
	异狄氏剂 （endrin）	0.01
	顺式氰戊菊酯 （esfenvalerate）	0.2
	杀螟硫磷 （fenitrothion）	0.5
	甲氰菊酯 （fenpropathrin）	5.0

项目	农药名	允许标准 （mg/kg）
《食物内除害剂 残余规例》	倍硫磷 （fenthion）	0.05
	氰戊菊酯 （fenvalerate）	0.2
	草甘膦 （glyphosate）	0.2
	七氯 （heptachlor）	0.01
	六六六 （BHC）	0.05
	敌草胺 （napropamide）	0.1
	氨磺乐灵 （oryzalin）	0.05
	百草枯 （paraquat）	0.01
	对硫磷 （parathion）	0.01
	氯菊酯 （permethrin）	2.0
	辛硫磷 （phoxim）	0.05
	噻虫啉 （thiacloprid）	1.0
	噻虫嗪 （thiamethoxam）	0.5
	敌百虫 （trichlorfon）	0.1
	草铵膦 （glufosinate ammonium）	0.1

续表

项目	农药名	允许标准 （mg/kg）
《食物内除害剂 残余规例》	溴离子 （bromide ion）	20.0
	四聚乙醛 （metaldehyde）	0.15
	二硫代氨基甲酸酯类 （dithiocarbamates）	5.0
	保棉磷 （azinphos methyl）	1.0
	硝磺草酮 （mesotrione）	0.01
	虫酰肼 （tebufenozide）	3.0
	嘧菌酯 （azoxystrobin）	5.0
	吡虫啉 （imidacloprid）	5.0
	多菌灵 （carbendazim）	0.1
	噻虫胺 （clothianidin）	0.07
	敌草隆 （diuron）	0.1
	啶酰菌胺 （boscalid）	10.0
	抗蚜威 （pirimicarb）	1.0
	啶虫脒 （acetamiprid）	2.0
	氧乐果 （omethoate）	0.01

项目	农药名	允许标准 （mg/kg）
香港中药材标准	艾氏剂及狄氏剂 （aldrin and dieldrin）	0.05
	氯丹 （chlordane）	0.05
	滴滴涕 （DDT）	1.0
	异狄氏剂 （endrin）	0.05
	七氯 （heptachlor）	0.05
	六氯苯 （HCB）	0.1
	六六六（BHC）	0.3
	林丹 （lindane）	0.6
	五氯硝基苯 （PCNB）	1.0

（2）重金属残留标准

香港特区规定的草药中重金属残留标准如表 4.25 所示。其中，砷（As）的含量不能超过 2.0mg/kg，镉（Cd）的含量不能超过 0.3mg/kg，铅（Pb）的含量不能超过 5.0mg/kg，汞（Hg）的含量不能超过 0.2mg/kg。

表 4.25　中药材中重金属残留限度

项目	重金属	允许标准（mg/kg）
香港中药材标准	砷（As）	≤2.0
	镉（Cd）	≤0.3
	铅（Pb）	≤5.0
	汞（Hg）	≤0.2

（3）二氧化硫残留量标准

香港特区规定枸杞中二氧化硫残留量不得超过 1000mg/kg。

4.2.3 小结

1）与美国标准相比，我国只有草甘膦 1 项农药残留标准与美国标准相同。除了苯醚甲环唑和氯虫苯甲酰胺两项指标比美国严格外，其余农药残留标准均没有美国严格。

2）与日本标准相比，我国缺少 165 种农药的限量标准，日本缺少 67 种农药的限量标准。两国共同关注的有 15 种，其规定值一致；我国比日本规定严格的有 25 种，宽松的有 9 种。在覆盖度上日本更加全面，但从共同关注的农药种类来看，我国更为严格。

3）韩国在枸杞农药限量的标准制定上比我国略为宽松，这在一定程度降低了我国出口枸杞时因农药标准不同而产生的贸易问题。我国枸杞出口韩国应重点关注的农药品种为吡虫啉、乙螨唑、醚菌酯、咪鲜胺、苦参碱、氯氰菊酯和高效氯氰菊酯等。

4）与欧盟标准相比，我国有 8 项农药残留标准与欧盟的相同，有 8 种农药残留标准比欧盟的严格，其余农药残留标准欧盟均比我国严格。

5）与加拿大标准的对比，我国缺少 31 种农药的限量标准，而加拿大较我国缺少 79 种农药的限量标准，两国共同关注的农药种类有 4 种。相较来说，我国在枸杞农药限量的标准制定上比加拿大更为严格。

6）马来西亚规定本国标准中未涉及的农药残留标准参照国际食品法典委员会标准（CAC），既没有本国标准，也没有食品法典委员会标准的情况下，适用"一律标准"（0.01ppm），整体上比我国要严格。

7）与新加坡标准相比，我国缺少 11 种农药的限量标准，新加坡相较我国缺少 93 种农药的限量标准。我国与新加坡共同关注的农药有 7 种，其中有两种规定值一致（2，4-滴和百菌清），我国比新加坡规定严格的有 2 种（多菌灵和除虫菊素），宽松的有 3 种（抗蚜威、氯菊酯、毒死蜱）。因此，我国枸杞出口新加坡应重点关注的农药品种为抗蚜威、氯菊酯和毒死蜱。

8）我国与泰国共同关注的农药有 7 种，其中泰国规定三氯杀螨醇残留不能超 5.0mg/kg，而我国 GB 2763—2021 标准中规定残留量不能超 0.01mg/kg，高于泰国标准；其余 6 种我国均低于泰国标准。我国枸杞出口泰国应重点关注的农药品种为毒死蜱、艾氏剂、滴滴涕和异狄氏剂。

9）香港特区相较内地，缺少 46 种农药的限量标准，而内地缺少 14 种农药的限量标准。内地与香港特区共同关注的农药有 29 种，其中有 20 种规定值一致。内地比香港特区规定严格的有 3 种，宽松的有 6 种。内地枸杞供应香港地区应重点关注的农药品种为草甘膦、氧乐果和异狄氏剂。

4.3 枸杞产业质量标准体系建设问题

4.3.1 我国枸杞产业质量标准体系概况

通过收集整理我国枸杞产业相关的国际标准、国家标准、行业标准、地方标准及相关规划等，统计出目前我国共制定与枸杞有关的国际、国家、行业、地方标准 185 项（附表），其中即将实施 1 项，现行 165 项，作废 16 项，废止 2 项；国际标准 1 项（由上海中医药大学牵头制定），国家标准 9 项［宁夏起草制定 6 项，其中 1 项即将实施（2022 年 11 月 1 日），2 项已作废；河北起草制定 2 项，新疆起草制定 1 项）］；行业标准 22 项（农业农村部 12 项，国家林业和草原局 1 项，国家出入境检验检疫局 3 项，全国供销合作总社 3 项，中国气象局 2 项，工业和信息化部 1 项）；地方标准 150 项（宁夏 82 项、青海 25 项、新疆 22 项、甘肃 7 项、内蒙古 5 项、陕西 2 项、广西 1 项、广东 1 项、黑龙江 1 项、辽宁 1 项、江苏 1 项、山东 1 项、河北 1 项）。此外，还有 2 个规范［《中药材生产质量管理规范》（GAP）、《青海省枸杞苗木繁育、丰产栽培及无公害综合防治技术规范》］和 1 个规程［《宁夏枸杞生产标准操作规程》（SOP）］。

4.3.2 国内枸杞产业质量标准体系存在的问题

近年来，随着全国枸杞产区竞相发展和枸杞产业升级，现有枸杞标准体系存在的问题和弊端日益凸显，总体存在以下五方面的问题。

（1）标准多而乱，体系不够完善

一是，标准制订政出多门，上至中央各部委，中至各省、自治区、直辖市，下至市县甚至乡镇站所都在制订标准。仅无公害、绿色、有机枸杞生产的各类标准就达 28 项，病虫害防治标准达 19 项。二是，标准多而散，缺乏均衡性。其中，综合类有 7 项、种植生产类有 70 项（种苗 8 项、病虫害防治 19 项、生产 43 项）、质量安全类有 11 项、气象类有 2 项、检测技术标准类有 2 项、加工及其他类有 7 项。枸杞相关的标准多而乱，且存在重复，违背标准的简化统一原理。虽然现行有效的枸杞标准较多，但标准的构成还不够合理，标准体系不够完善，枸杞深加工产品相关标准缺失严重，难以适应市场发展的需要，制约枸杞产业的发展强大。枸杞的深加工产品目前大多只有企业标准。企业标准内容简单，与国际标准、国家标准、行业标准和国家食品添加剂使用规定接轨程度低，农药残留、微生物、食品添加剂指标涉及少，质量主要靠企业内部控制，易出现产品微生物不合格，食品添加剂、农药残留超标等问题①。

（2）标准滞后，缺乏时效性

标准陈旧滞后、更新慢，已不能满足枸杞产业发展的需要。现行枸杞产品标准的制定都是依据已有的国家农药残留限量标准和检测方法标准制定的，而且两者必须都具备才可列入标准，缺少对相关农药残留数据的系统检测和监控。我国还没有进行相关农药残留数据的系统检测和监控工作，对农产品中的农药残留的污染现状未能从整体上准确把握，因此导致我们现有监测和重视的农药品种较其他国家薄弱，而国际上新提出的控制对象我们还很少有相应的办法②。我国不仅缺乏同时测定上百种农药的多残留分析技术，而且我国当前的农产品农药残留分析方法研究仍以气相或液相色谱配不同的监测器为主，较少采用各种色质联用技术，研究仍然集中在个别品种农产品中的某类农药的检测方法，尚没有大范围农产品中农药残留全分析研究的报道③。

（3）不同标准差异明显、标准实用性差

枸杞作为"药食"同源的品种，是我国中药材出口的第二大品种，仅次于人参，但是目前还没有制定专门针对枸杞的中药材生产标准。标准总量不够，覆盖农药品种过少，未成体系；缺少以危险性评估为基础，制订农产品农药残留限量标准的科学依据；缺少与农药残留标准制订有关的毒理学和社会学调查研究，较少开展农药残留危险性评估工作；以往制订各项相关限量标准多是从检验合格率上考虑，当发生国际贸易争端时拿不出符合国际要求的相关科学依据。从标准体系上看，国家标准是以质量安全标准为主，行业标准以产品标准和检测方法为主，地方则是以生产规程为主。但是标准文本分散，从国家标准到地方标准一共涉及 91 项标准，还有废止的标准文件，种植者如果要生产绿色食品枸杞，至少要涉及国家标准 4 项、行业标准 12 项、地方标准 21 项，即使是专业的标准研究人员从众多标准中找齐这些标准也不容易，何况是一般生产者，更别说按标生产。

---

① 苟金萍 . 2007. 枸杞产品标准现状与发展趋势 [J] . 农业质量标准，(4)：28-29.

② 周小锋，田晖 . 2006. 中国与欧盟农药残留状况标准比较研究 [J] . 内蒙古农业科技，(2)：4-6.

③ 李耿，杨洪军，边宝林 . 2005. 中药农药残留的研究现状述评 [J] . 中国实验方剂学杂志，(4)：71-73.

（4）标准缺乏实施评价研究

标准的实施和评价是标准化工作中的重要环节，也是评价标准质量的关键指标[1]。现有枸杞标准主要集中在制定方面，缺少对标准的实施评价和反馈。标准只有被评价才能体现真正价值[2]。目前已有的研究多停留在理论层面，实证研究较少，因此亟须开展对枸杞标准的评价研究，对已发布标准进行评价、反馈和修订。

（5）国内标准与国际标准接轨问题

枸杞产品不符合国外的安全卫生质量标准是影响我国枸杞出口的重要因素。我国已制订了枸杞的国家标准、无公害标准、绿色标准，标准体系建设工作取得了很大进展，但与国际标准、国外先进标准衔接不够，尤其是在农药残留、重金属、污染物等限量标准方面存在较大差距，进口国并不一定认可[3]，致使枸杞在出口中遭遇到了严峻的国际贸易技术壁垒。

4.4 枸杞产业质量标准体系建设战略思考

（1）厘清标准体系层次，建立枸杞产业质量全程标准化体系

进一步完善枸杞生产标准体系，突出制定质量与安全、检验与检测、肥料与农药、储运与加工、追溯和产品准入等国家强制标准，修订现行绿色食品、有机枸杞标准。行业主管部门在质量安全标准的基础上，应加强制定枸杞全程生产、全程质量控制标准，重点关注枸杞生产各个环节的关键技术和影响质量与安全的关键点位控制要求。结合各地生产实际，制定主栽品种的全程标准化生产技术通用规程，如在采用物联网技术、智慧控制条件下的设施栽培通用标准，建立产地环境建设、种子种苗、种植、水肥管理、病虫害绿色防控、产品分级、保鲜、储运等环节关键技术。针对缺失标准和亟需制定的标准，加快标准制修订进度，弥补标准缺位问题；急需制定深加工产品标准，以规范枸杞深加工企业的生产过程，提高标准化生产水平，适应市场和国际贸易需要。

（2）加强枸杞农药残留、污染物限量标准的研制工作

应借鉴国际食品法典委员会（CAC）的相关标准，在枸杞污染物监测和暴露量评估的基础上，研究制定出适合我国枸杞生产实际、饮食消费习惯、与国际食

① 黄奕然，李静，桑珍. 2020. 全球健康治理背景下中国参与中医药 ISO 国际标准制定的现状分析与启示［J］. 科技管理研究，40（15）：193-198.

② 宇文亚，韩学杰，谢雁鸣，等. 2012. 中医药标准推广评价初探［J］. 中医杂志，53（18）：1609-1610.

③ 陈炜，沈永建. 2010. 出口枸杞产业发展壮大的路径选择［J］. 中国检验检疫，(6)：45-46.

品法典委员会（CAC）接轨的枸杞农药残留、重金属、污染物等限量标准，从而在特色农产品质量安全标准制定方面占有一席之地，在枸杞技术型贸易壁垒争端的协调解决方面拥有主动权和发言权。建议结合主要出口国的标准内容，尽快制定影响我国枸杞出口的相关标准。

（3）建立和完善枸杞产品质量安全监督检测体系

农产品质量安全监督检测体系是保障农产品质量安全的重要组成部分，也是依照法律法规和标准对农产品实现从产地环境、农业投入品、农业标准化生产到市场准入及监督管理的重要技术执法手段①。政府应加大对枸杞产品质量安全监督检测机构的投入，重视检测专业技术人员的引进和培训，加强基础条件建设，配备先进的仪器设备，加快农药残留等有毒有害物质快速检测仪器设备、方法的筛选比对和推广，以适应现场快速、检测工作的需要。建议相关职能部门建立监管工作机制，形成监管合力，使枸杞产业从源头上严起来，从生产上硬起来，从市场上强起来。同时，加大枸杞农药残留监测力度，通过监管和监测，倒逼种植户和企业提高责任意识，提升产品质量安全水平。

（4）注重对标准的实施与评价研究

应加强对枸杞相关标准的实施、推广和应用，形成有效工作机制，加大标准的实施力度和动态管理水平，尤其要重视已发布标准的评价和反馈，围绕提高枸杞标准的适用性和有效性，开展标准实施评价和评价共性技术研究，形成"制定—实施—评价—反馈"机制，通过评价促进标准质量提高。应加强枸杞相关标准制定和修订工作，严格按照时间要求进行标准复审，有效推进标准制修订工作，提高枸杞标准质量。

（5）加强对国外标准的研究和信息交流合作

建议开展分析和研究国外标准，密切追踪国际食品标准发展动态，研究枸杞主要消费国家的标准、主要国家（地区）的技术贸易措施的变化并评估其对我国枸杞产业带来的影响；加大对外交涉力度，突破国外技术壁垒，做好出口枸杞产品的风险评估和风险预警工作，及时根据出口目的国（地区）的要求、我国枸杞生产和加工实际等修订标准，将有关信息及时向政府部门及出口企业汇报沟通，指导出口企业主动应对，积极加以防范并引导企业开展行业自律，帮助企业提高应对贸易技术壁垒能力和应对突发事件能力，减少贸易损失，助力我国枸杞产品顺利出口。

---

① 苟金萍，宋奎奇. 2005. 枸杞质量安全存在的问题及对策［J］. 甘肃农业科技，（12）：43-45.

附 录

附表　我国已制定的与枸杞有关的标准

序号	标准名称	标准类型	状态
1	《中医药：枸杞子》 （ISO 23193：2020）	国际标准	现行 （2020 年 8 月 28 日实施）
2	《果酒质量要求 第 1 部分：枸杞酒》 （GB/T 41405.1—2022）	国家标准	即将实施 （2022 年 11 月 1 日实施）
3	《原产地域产品宁夏枸杞》 （GB/T 19742—2005）	国家标准	作废 （被 GB/T 19742—2008 代替）
4	《地理标志产品宁夏枸杞》 （GB/T 19742—2008）	国家标准	现行 （2008 年 11 月 1 日实施）
5	《枸杞栽培技术规程》 （GB/T 19116—2003 ）	国家标准	现行 （2003 年 11 月 1 日实施）
6	《桑枝、金银花、枸杞子和荷叶中 413 种农药及相关化学品残留量的测定液相色谱–串联质谱法》 （GB/T 23201—2008）	国家标准	现行 （2009 年 5 月 1 日实施）
7	《桑枝、金银花、枸杞子和荷叶中 488 种农药及相关化学品残留量的测定气相色谱–质谱法》 （GB/T 23200—2008）	国家标准	现行 （2009 年 5 月 1 日实施）
8	《枸杞干、葡萄干辐照杀虫工艺》 （GB/T 18525.4—2001 ）	国家标准	现行 （2002 年 3 月 1 日实施）
9	《枸杞》 （GB/T 18672—2014）	国家标准	现行 （2014 年 10 月 27 日实施）
10	《枸杞》 （GB/T 18672—2002）	国家标准	作废 （被 GB/T 18672—2014 代替）
11	《农业气象观测规范 枸杞》 （QX/T 282—2015）	行业标准	现行 （2015 年 12 月 1 日实施）

序号	标准名称	标准类型	状态
12	《枸杞炭疽病发生气象等级》 （QX/T 283—2015）	行业标准	现行 （2015 年 12 月 1 日实施）
13	《枸杞中黄酮类化合物的测定》 （NY/T 3903—2021）	行业标准	现行 （2021 年 11 月 1 日实施）
14	《鲜枸杞》 （GH/T 1302—2020）	行业标准	现行 （2021 年 3 月 1 日实施）
15	《枸杞清汁》 （GH/T 1271—2019）	行业标准	现行 （2020 年 3 月 1 日实施）
16	《枸杞浆》 （GH/T 1237—2019）	行业标准	现行 （2019 年 10 月 1 日实施）
17	《枸杞多糖》 （QB/T 5176—2017）	行业标准	现行 （2018 年 4 月 1 日实施）
18	《农药田间药效试验准则　第63部分：杀虫剂防治枸杞刺皮瘿螨》 （NY/T 1464.63—2017）	行业标准	现行 （2017 年 10 月 1 日实施）
19	《枸杞干燥技术规范》 （NY/T 2966—2016）	行业标准	现行 （2017 年 4 月 1 日实施）
20	《枸杞中甜菜碱含量的测定　高效液相色谱法》 （NY/T 2947—2016）	行业标准	现行 （2017 年 4 月 1 日实施）
21	《植物新品种特异性、一致性和稳定性测试指南枸杞》 （NY/T 2528—2013）	行业标准	现行 （2014 年 4 月 1 日实施）
22	《农药田间药效试验准则　第19部分：除草剂防治枸杞地杂草》 （NY/T 1464.19—2007）	行业标准	现行 （2008 年 3 月 1 日实施）
23	《无公害食品枸杞生产技术规程》 （NY/T 5249—2004）	行业标准	现行 （2004 年 3 月 1 日实施）
24	《绿色食品　枸杞》 （NY/T 1051—2006）	行业标准	作废 （被 NY/T 1051—2014 代替）
25	《绿色食品　枸杞及枸杞制品》 （NY/T 1051—2014）	行业标准	现行 （2015 年 1 月 1 日实施）
26	《无公害食品　枸杞》 （NY 5248—2004）	行业标准	作废

序号	标准名称	标准类型	状态
27	《无公害食品 林果类产品产地环境条件》（NY 5013—2006）	行业标准	作废
28	《绿色食品产地环境质量》（NY/T 391—2013）	行业标准	现行（2014年4月1日实施）
29	《植物新品种特异性、一致性和稳定性测试指南枸杞属》（LY/T 2099—2013）	行业标准	现行（2013年7月1日实施）
30	《进出口枸杞子检验规程》（ZB B 38001—1990）	行业标准	作废
31	《出口枸杞子检验规程》（SN 38001—1990）	行业标准	作废
32	《进出口枸杞子检验规程》（SN/T 0878—2000）	行业标准	现行（2000年11月1日实施）
33	《食品安全地方标准 枸杞原浆》（DBS 64/008—2022）	地方标准	现行（2022年9月20日实施）
34	《绿色食品 枸杞生产技术规程》（DB62/T 1809—2022）	地方标准	现行（2022年6月1日实施）
35	《枸杞品种 甘杞1号》（DB62/T 4492—2022）	地方标准	现行（2022年6月1日实施）
36	《黑果枸杞育苗及造林技术规程》（DB 6108/T 29—2021）	地方标准	现行（2022年1月27日实施）
37	《黑果枸杞栽培技术规程》（DB15/T 2435—2021）	地方标准	现行（2021年12月15日实施）
38	《干制枸杞果品质量分级》（DB 65/T 4474—2021）	地方标准	现行（2022年3月1日实施）
39	《宁杞10号枸杞栽培技术规程》（DB 64/T 1810—2021）	地方标准	现行（2021年11月13日实施）
40	《宁夏枸杞干果商品规格等级规范》（DB 64/T 1764—2020）	地方标准	现行（2021年3月29日实施）
41	《枸杞根腐病无公害综合防控技术规范》（DB63/T 1866—2020）	地方标准	现行（2021年1月1日实施）
42	《黑果枸杞有机栽培基地建设技术规程》（DB63/T 1791—2020）	地方标准	现行（2020年9月1日实施）

续表

序号	标准名称	标准类型	状态
43	《枸杞有机栽培基地建设技术规程》（DB63/T 1420—2020）	地方标准	现行（2020 年 9 月 1 日实施）
44	《黑果枸杞栽培技术规程》（DB37/T 3984—2020）	地方标准	现行（2020 年 7 月 8 日实施）
45	《枸杞丰产栽培技术规程》（DB1307/T 330—2020）	地方标准	现行（2020 年 4 月 25 日实施）
46	《枸杞蚜虫气象服务技术规程》（DB 64/T 1687—2020）	地方标准	现行（2020 年 5 月 28 日实施）
47	《枸杞加工企业良好生产规范》（DB 64/T 1648—2019）	地方标准	现行（2020 年 2 月 1 日实施）
48	《枸杞包装通则》（DB 64/T 1649—2019）	地方标准	现行（2020 年 2 月 1 日实施）
49	《枸杞贮存要求》（DB 64/T 1650—2019）	地方标准	现行（2020 年 2 月 1 日实施）
50	《枸杞交易市场建设和经营管理规范》（DB 64/T 1651—2019）	地方标准	现行（2020 年 2 月 1 日实施）
51	《宁夏枸杞追溯要求》（DB 64/T 1652—2019）	地方标准	现行（2020 年 2 月 1 日实施）
52	《地理标志产品　靖远枸杞》（DB 62/T 2379—2019）	地方标准	现行（2020 年 1 月 1 日实施）
53	《宁夏枸杞组织培养育苗技术规范》（DB 63/T 1714—2018）	地方标准	现行（2019 年 3 月 20 日实施）
54	《枸杞组培苗移栽技术规范》（DB 63/T 1715—2018）	地方标准	现行（2019 年 3 月 20 日实施）
55	《黑果枸杞组织培养育苗技术规范》（DB 63/T 1716—2018）	地方标准	现行（2019 年 3 月 20 日实施）
56	《枸杞机械化生产示范园区建设规范》（DB 64/T 1579—2018）	地方标准	现行（2019 年 1 月 17 日实施）
57	《宁农杞 9 号 枸杞栽培技术规程》（DB 64/T 1568—2018）	地方标准	现行（2019 年 1 月 17 日实施）
58	《宁杞 7 号 枸杞栽培技术规程》（DB 64/T 772—2018）	地方标准	现行（2019 年 1 月 17 日实施）
59	《优质枸杞基地建设规范》（DB 64/T 1574—2018）	地方标准	现行（2019 年 1 月 17 日实施）

序号	标准名称	标准类型	状态
60	《枸杞品种抗性鉴定 枸杞瘿螨》 （DB 64/T 1575—2018）	地方 标准	现行 （2019 年 1 月 17 日实施）
61	《枸杞虫害生态调控技术规程》 （DB 64/T 1576—2018）	地方 标准	现行 （2019 年 1 月 17 日实施）
62	《黑果枸杞中花青素含量的测定 高效液相色谱法》 （DB 64/T 1578—2018）	地方 标准	现行 （2019 年 1 月 17 日实施）
63	《枸杞子甜菜碱含量的测定 高效液相色谱–蒸发光散射法》 （DB 64/T 1577—2018）	地方 标准	现行 （2019 年 1 月 17 日实施）
64	《地理标志产品 柴达木枸杞》 （DB63/T 1759—2019）	地方 标准	现行 （2019 年 12 月 1 日实施）
65	《枸杞机械化生产示范园区建设规范》 （DB 64/T 1579—2018）	地方 标准	现行 （2019 年 1 月 17 日实施）
66	《黑果枸杞经济林栽培技术规程》 （DB 63/T 1701—2018）	地方 标准	现行 （2018 年 12 月 1 日实施）
67	《枸杞篱架栽培技术规程》 （DB 63/T 1702—2018）	地方 标准	现行 （2018 年 12 月 1 日实施）
68	《枸杞组织培养育苗技术规程》 （DB63/T1703—2018）	地方 标准	现行 （2018 年 12 月 1 日实施）
69	《枸杞扦插育苗及建园技术规程》 （DB15/T 1288—2017）	地方 标准	现行 （2018 年 3 月 25 日实施）
70	《黑果枸杞育苗技术规程》 （DB15/T 1289—2017）	地方 标准	现行 （2018 年 3 月 25 日实施）
71	《枸杞扦插育苗技术规程》 （DB 23/T 2022—2017）	地方 标准	现行 （2018 年 1 月 22 日实施）
72	《枸杞及枸杞籽油中玉米黄质、β–胡萝卜素和叶黄素的测定》 （DB 64/T 1514—2017）	地方 标准	现行 （2018 年 2 月 22 日实施）
73	《绿色食品 枸杞套南瓜生产技术规程》 （DB62/T 2809—2017）	地方 标准	现行 （2017 年 12 月 1 日实施）
74	《黑果枸杞原花青素含量的测定 液相色谱法》 （DB 65/T 4039—2017）	地方 标准	现行 （2017 年 10 月 11 日实施）

序号	标准名称	标准类型	状态
75	《地理标志产品　民勤枸杞》 （DB 62/T 2752—2017）	地方标准	现行 （2017 年 5 月 10 日实施）
76	《宁夏富硒农产品标准（水稻、玉米、小麦及枸杞干果）》 （DB 64/ T1221—2016）	地方标准	现行 （2017 年 3 月 28 日实施）
77	《盐碱土壤枸杞咸淡水轮灌技术规程》 （DB15/T 1018—2016）	地方标准	现行 （2016 年 9 月 30 日实施）
78	《农机节水农艺一体化生产技术规程　第 2 部分：枸杞》 （DB 64/T 1289. 2—2016）	地方标准	现行 （2017 年 3 月 28 日实施）
79	《枸杞优质苗木繁育技术规程》 （DB 64/T 1210—2016）	地方标准	现行 （2017 年 3 月 28 日实施）
80	《枸杞病虫害防治农药安全使用规范》 （DB 64/T 1213—2016）	地方标准	现行 （2017 年 3 月 28 日实施）
81	《枸杞篱架栽培技术规程》 （DB 64/T 1212—2016）	地方标准	现行 （2017 年 3 月 28 日实施）
82	《宁杞 9 枸杞栽培技术规程》 （DB 64/T 1208—2016）	地方标准	现行 （2017 年 3 月 28 日实施）
83	《宁杞 8 枸杞栽培技术规程》 （DB 64/T 1207—2016）	地方标准	现行 （2017 年 3 月 28 日实施）
84	《枸杞良种采穗圃营建技术规程》 （DB 64/T 1206—2016）	地方标准	现行 （2017 年 3 月 28 日实施）
85	《枸杞鲜果秋延后栽培技术规程》 （DB 64/T 1205—2016）	地方标准	现行 （2017 年 3 月 28 日实施）
86	《枸杞水肥一体化技术规程》 （DB 64/T 1204—2016）	标准	现行 （2017 年 3 月 28 日实施）
87	《枸杞品种鉴定技术规程 SSR 分子标记法》 （DB 64/T 1203—2016）	地方标准	现行 （2017 年 3 月 28 日实施）
88	《枸杞实蝇绿色防控技术规程》 （DB 64/T 1211—2016）	地方标准	现行 （2017 年 3 月 28 日实施）
89	《宁夏枸杞滴灌种植技术规程》 （DB 64/T 1294—2016）	地方标准	现行 （2017 年 3 月 28 日实施）
90	《枸杞周年扦插育苗技术规程》 （DB 64/T 1209—2016）	地方标准	现行 （2017 年 3 月 28 日实施）

序号	标准名称	标准类型	状态
91	《食品安全地方标准　枸杞干果中农药残留最大限量》（DBS 64/005—2021）	地方标准	现行（2021 年 6 月 1 日实施）
92	《食品安全地方标准　枸杞》（DBS 64/001—2022）	地方标准	现行（2022 年 5 月 1 日实施）
93	《食品安全地方标准　枸杞》（DBS 64/001—2017）	地方标准	作废（被 DBS64/001—2022 代替）
94	《枸杞病虫害防治农药安全使用规范》（DB 64/T 1213—2016）	地方标准	现行（2017 年 3 月 28 日实施）
95	《辐照枸杞干卫生标准》（DB 32/T 809—2005）	地方标准	废止
96	《叶用枸杞生产技术规程》（DB 45/T 423—2007）	地方标准	现行（2007 年 12 月 18 日实施）
97	《内蒙古地方菜 枸杞扒白菜》（DB15/T 741—2014）	地方标准	现行（2015 年 4 月 15 日实施）
98	《枸杞猪肝汤烹调操作规程》（DB21/T 2066.2—2013）	地方标准	现行（2013 年 2 月 14 日实施）
99	《富硒鲜葡萄、富硒鲜猕猴桃、富硒鲜大枣、富硒鲜桃、富硒鲜杏、富硒鲜山楂、富硒鲜枸杞》（DB61/T 223—1995）	地方标准	现行（1995 年 3 月 1 日实施）
100	《枸杞生产技术规程》（DB440100/T 93—2006）	地方标准	现行（2006 年 9 月 1 日实施）
101	《绿色食品　枸杞生产技术规程》（DB62/T 1809—2022）	地方标准	现行（2020 年 6 月 1 日实施）
102	《绿色农业枸杞林下鸡放养技术规程》（DB62/T 2271—2012）	地方标准	现行（2012 年 10 月 20 日实施）
103	《柴达木绿色枸杞生产技术规程》（DB 63/ T 1132—2012）	地方标准	现行（2012 年 7 月 1 日实施）
104	《柴达木绿色枸杞质量生产控制规范》（DB 63/ T 1133—2012）	地方标准	现行（2012 年 7 月 1 日实施）
105	《枸杞猪肝汤烹调操作规程》（DB21/T 2066.2—2013）	地方标准	现行（2013 年 2 月 14 日实施）

序号	标准名称	标准类型	状态
106	《富硒鲜葡萄、富硒鲜猕猴桃、富硒鲜大枣、富硒鲜桃、富硒鲜杏、富硒鲜山楂、富硒鲜枸杞》（DB61/T 223—1995）	地方标准	现行（1995 年 3 月 1 日实施）
107	《柴达木地区农业气象观测规范　枸杞》（DB63/T 1400—2015）	地方标准	现行（2015 年 12 月 20 日实施）
108	《有机枸杞种植基地建设技术规范》（DB63/T 1420—2020）	地方标准	现行（2015 年 9 月 1 日实施）
109	《有机枸杞栽培技术规范》（DB63/T 1424—2015）	地方标准	现行（2015 年 12 月 20 日实施）
110	《黑果枸杞嫩枝扦插育苗技术规程》（DB63/T 1425—2015）	地方标准	现行（2015 年 12 月 20 日实施）
111	《枸杞扦插育苗技术规程》（DB 63/T 1448—2015）	地方标准	现行（2016 年 3 月 20 日实施）
112	《柴达木地区枸杞生态经济林基地建设技术规程》（DB63/T 829—2009）	地方标准	现行（2009 年 11 月 18 日实施）
113	《柴达木地区枸杞无性繁殖技术规程》（DB63/T 830—2009）	地方标准	现行（2009 年 11 月 18 日实施）
114	《柴达木地区黑果枸杞播种育苗技术规程》（DB63/T 831—2009）	地方标准	现行（2009 年 11 月 18 日实施）
115	《柴达木地区枸杞栽培技术规程》（DB63/T 858—2009）	地方标准	现行（2009 年 12 月 15 日实施）
116	《枸杞标准体系　总则》（DB 65/T 2083—2003）	地方标准	作废（被 DB65/T 2083—2012 代替）
117	《枸杞标准体系　总则》（DB 65/T 2083—2012）	地方标准	现行（2012 年 6 月 20 日实施）
118	《精河枸杞品种　精杞一号》（DB65/T 2084.1—2003）	地方标准	现行（2004 年 2 月 1 日实施）
119	《精河枸杞品种　精杞二号》（DB65/T 2084.2—2003）	地方标准	现行（2004 年 2 月 1 日实施）
120	《枸杞种子》（DB65/2085—2003）	地方标准	现行（2004 年 2 月 1 日实施）
121	《枸杞苗木》（DB65/2086—2003）	地方标准	现行（2004 年 2 月 1 日实施）

序号	标准名称	标准类型	状态
122	枸杞育苗基地管理规程 （DB 65/ T2087—2003）	地方标准	作废 （被 DB65/T 2087—2012 代替）
123	《枸杞育苗技术规程》 （DB 65/ T2087—2012）	地方标准	现行 （2012 年 6 月 20 日实施）
124	《枸杞栽培技术规程》 （DB65/T 2088—2003）	地方标准	现行 （2004 年 2 月 1 日实施）
125	《无公害食品 枸杞产地环境条件》 （DB65/T 2089—2003）	地方标准	现行 （2004 年 2 月 1 日实施）
126	《无公害食品 枸杞生产技术规程》 （DB65/T 2090—2003）	地方标准	现行 （2004 年 2 月 1 日实施）
127	《枸杞病虫害防治规程》 （DB 65/ T 2091—2003）	地方标准	作废 （被 DB65/T2091—2012 代替）
128	《枸杞有害生物防治技术规程》 （DB 65/ T 2091—2012）	地方标准	现行 （2012 年 6 月 20 日实施）
129	《枸杞测土配方施肥技术规程》 （DB65/T 2092—2003）	地方标准	现行 （2004 年 2 月 1 日实施）
130	《无公害食品 枸杞（枸杞子）》 （DB65/ 2093—2003）	地方标准	现行 （2004 年 2 月 1 日实施）
131	《枸杞红瘿蚊无公害防治技术规程》 （DB 65/ T3329—2011）	地方标准	现行 （2012 年 1 月 10 日实施）
132	《枸杞瘿螨类无公害防治技术规程》 （DB 65/ T3330—2011）	地方标准	现行 （2011 年 1 月 10 日实施）
133	《绿色食品 枸杞生产技术规程》 （DB 65/ T3354—2012）	地方标准	现行 （2012 年 6 月 20 日实施）
134	《有机食品 枸杞生产技术规程》 （DB 65/ T 3359—2012）	地方标准	现行 （2012 年 6 月 20 日实施）
135	《无公害食品 枸杞》 （DB64/T250—2002）	地方标准	现行 （2002 年 7 月 5 日实施）
136	《无公害食品 枸杞产地环境条件》 （DB64/T251—2002）	地方标准	现行 （2002 年 7 月 5 日实施）
137	《无公害食品 枸杞生产技术规程》 （DB64/T252—2002）	地方标准	现行 （2002 年 7 月 5 日实施）
138	《枸杞红瘿蚊地膜覆盖防治操作技术》 （DB64/T 554—2009）	地方标准	现行 （2009 年 7 月 28 日实施）

序号	标准名称	标准类型	状态
139	《枸杞蓟马诱粘防治操作技术》 （DB64/T 555—2009）	地方标准	现行 （2009 年 7 月 28 日实施）
140	《宁夏枸杞优质高效施肥技术规程》 （DB64/ T556—2009）	地方标准	现行 （2009 年 8 月 31 日实施）
141	《有机枸杞主要害虫综合防控技术规程》 （DB 64/T 737—2011）	地方标准	现行 （2011 年 12 月 28 日实施）
142	《枸杞病虫害防治农药雾化技术规程》 （DB 64/T 738—2011）	地方标准	现行 （2011 年 12 月 28 日实施）
143	《宁杞 4 号枸杞栽培技术规程》 （DB64/T 478—2006）	地方标准	现行 （2006 年 10 月 12 日实施）
144	《宁杞 5 号枸杞栽培技术规程》 （DB 64/T 771—2012）	地方标准	现行 （2012 年 3 月 28 日实施）
145	《宁杞 7 号枸杞栽培技术规程》 （DB 64/T 772—2012）	地方标准	现行 （2012 年 3 月 28 日实施）
146	《宁杞 6 号　枸杞栽培技术规程》 （DB 64/T 1005—2014）	地方标准	现行 （2014 年 9 月 25 日实施）
147	《枸杞中二氧化硫快速测定方法》 （DB 65/ T675—2010）	地方标准	现行 （2010 年 12 月 3 日实施）
148	《枸杞苗木质量》 （DB 64/ T676—2010）	地方标准	现行 （2010 年 12 月 17 日实施）
149	《清水河流域枸杞规范化种植技术规程》 （DB 64/ T677—2010）	地方标准	现行 （2010 年 12 月 17 日实施）
150	《枸杞热风制干技术规程》 （DB 64/T 678—2010）	地方标准	作废 （被 DB64/T 678—2013 代替）
151	《枸杞热风制干技术规程》 （DB 64/T 678—2013）	地方标准	现行 （2013 年 9 月 13 日实施）
152	《枸杞病害防治技术规程》 （DB 64/T 850—2013）	地方标准	现行 （2013 年 4 月 16 日实施）
153	《枸杞虫害防控技术规程》 （DB 64/T 851—2013）	地方标准	现行 （2013 年 4 月 16 日实施）
154	《枸杞病虫害监测预报技术规程》 （DB 64/T 852—2013）	地方标准	现行 （2013 年 4 月 16 日实施）
155	《枸杞蓟马防治农药安全使用技术规程》 （DB 64/T 853—2013）	地方标准	现行 （2013 年 4 月 16 日实施）

续表

序号	标准名称	标准类型	状态
156	《枸杞微咸水滴灌技术规程》（DB 64/T 889—2013）	地方标准	现行 （2013 年 11 月 25 日实施）
157	《宁夏枸杞栽培技术规程》 （DB 64/T 940—2013）	地方标准	现行 （2013 年 12 月 25 日实施）
158	《枸杞蚜虫防治农药安全使用技术》 （DB64/T562—2009）	地方标准	现行 （2009 年 12 月 2 日实施）
159	《枸杞瘿螨防治农药安全使用技术》 （DB64/T563—2009）	地方标准	现行 （2009 年 12 月 2 日实施）
160	《枸杞干果储藏管理技术规程》 （DB64/T 399—2004）	地方标准	现行 （2004 年 10 月 18 日实施）
161	《中宁枸杞分级包装标志》 （DB64/T 546—2009）	地方标准	现行 （2009 年 5 月 7 日实施）
162	《枸杞病虫害机械化防治技术规程》 （DB 64/T 1065—2015）	地方标准	现行 （2015 年 7 月 6 日实施）
163	《中部干旱带枸杞栽培技术规程》 （DB 64/T 1074—2015）	地方标准	现行 （2015 年 7 月 15 日实施）
164	《枸杞中总黄酮含量的测定–分光光度比色法》 （DB 64/T 1082—2015）	地方标准	现行 （2015 年 11 月 22 日实施）
165	《绿色食品（A 级）　宁夏枸杞肥料安全使用准则》 （DB 64/T 1086—2015）	地方标准	现行 （2015 年 11 月 22 日实施）
166	《绿色食品（A 级）　宁夏枸杞农药安全使用准则》 （DB 64/T 1087—2015）	地方标准	现行 （2015 年 11 月 22 日实施）
167	《枸杞中总黄酮含量的测定高效液相色谱法》 （DB 64/T 1139—2015）	地方标准	现行 （2015 年 11 月 30 日实施）
168	《枸杞促早栽培技术规程》 （DB64/T 1141—2015）	地方标准	现行 （2015 年 11 月 30 日实施）
169	《枸杞机械化中耕技术规程》 （DB64/T 1151—2015）	地方标准	现行 （2015 年 11 月 30 日实施）
170	《枸杞滴灌高效节水技术规程》 （DB64/T 1160—2015）	地方标准	现行 （2015 年 12 月 4 日实施）
171	《有机枸杞生产技术规程》 （DB64/T 500—2007）	地方标准	现行 （2007 年 11 月 2 日实施）

序号	标准名称	标准类型	状态
172	《无公害食品　枸杞芽菜生产技术规程》（DB63/T 403—2005）	地方标准	现行（2005 年 8 月 31 日实施）
173	《宁夏枸杞叶茶》（DBS 64/ 684—2011）	地方标准	作废（被 DBS 64/ 684—2018 代替）
174	《食品安全地方标准　枸杞茶》（DBS64/ 684—2018）	地方标准	作废（被 DBS 64/ 684—2022 代替）
175	《食品安全地方标准　枸杞叶茶》（DBS 64/684—2022）	地方标准	现行（2022 年 5 月 1 日实施）
176	《枸杞白兰地》（DB64/T517—2008）	地方标准	作废（被 DBS64/ 517—2016 代替）
177	《食品安全地方标准　枸杞白兰地》（DBS64/ 517—2016）	地方标准	现行（2016 年 6 月 30 日实施）
178	《食品安全地方标准　枸杞果酒》（DBS64/ 515—2016）	地方标准	现行（2016 年 6 月 30 日实施）
179	《超临界 CO_2 萃取　枸杞籽油卫生标准》（DB64/ 412—2005）	地方标准	作废（被 DBS 64/412—2016 代替）
180	《食品安全地方标准　超临界 CO_2 萃取枸杞籽油》（DBS 64/412—2016）	地方标准	现行（2016 年 6 月 30 日实施）
181	《食品安全地方标准　枸杞醋》（DBS 65/ 003—2012 ）	地方标准	废止
182	《枸杞酒（露酒型)》（DB 64/T 516—2008）	地方标准	废止
183	《中药材生产质量管理规范》（GAP）	规范	现行
184	《宁夏枸杞生产标准操作规程》（SOP）	规程	现行
185	《青海省枸杞苗木繁育丰产栽培及无公害综合防治技术规范（试行）》	规范	现行

后 记

党的十九届五中全会明确提出，"十四五"时期经济社会发展要以推动高质量发展为主题。随着科学科技的不断发展，我国农产品加工业已经成为国民经济的重要组成部分，在促进农村三次产业融合、提高农民生活质量，以及经济平稳增长等方面发挥着重要作用。枸杞产业作为带动我国西部地区经济发展的特色优势产业之一，具有较大的开发潜力。枸杞及其精深加工产品在国内外市场的推广与销售，为我国乡村振兴战略提供了解决思路，也为我国消费结构升级及产业健康发展提供了可持续发展的道路。

在中国科学院青年创新促进会项目（2019048）的资助下，我们完成了项目报告——《枸杞产业创新发展路径研究》。该报告在总结吸收前人研究成果的基础上，针对枸杞产业现状与发展问题进行了全面审视，并从产品、市场、技术、专利和标准等不同视角，对于产业创新路径和战略措施进行了详细阐述，具有较强的创新性和应用性。本书就是对项目研究成果的归纳与总结。

本书调研过程中，中国林业出版社、宁夏回族自治区林业和草原局、中国科学院银川科技创新与产业育成中心、银川海关、兰州海关、乌鲁木齐海关、西宁海关和呼和浩特海关等相关部门给予了大力支持，并提供了基础资料；中国科学院西北生态环境资源研究院文献情报中心、国有资产管理处、科研管理处等提供了宽松便利的研究环境，使各项研究工作得以顺利完成。同时，中国科学院西北生态环境资源研究院高峰研究员、陈春研究馆员、王宝副研究员、王鹏龙馆员，中国科学院新疆理化所马林研究馆员，中国科学院银川科技创新与产业育成中心周承静主管，在项目研究中提出了宝贵的建设性意见，在此一并表示感谢。另外，科技咨询服务团队的鲁景亮、李娜、陈松丛、古志文、焦蓉、张雪枫等老师，参与到文献调研、资料收集、数据处理、文本编写和书稿校对等各个阶段，都付出了辛勤的汗水，在此一并衷心感谢。

任 珩

2022 年 8 月于兰州